FEB 13 57ᵥ2013

АЛЕКСАНДРА
МАРИНИНА
КОРОЛЕВА ДЕТЕКТИВА

ЧИТАЙТЕ ВСЕ РОМАНЫ АЛЕКСАНДРЫ МАРИНИНОЙ:

Адрес официального сайта Александры Марининой в Интернете
http://www.marinina.ru

АЛЕКСАНДРА
МАРИНИНА

ОБОРВАННЫЕ НИТИ

ТОМ 2

ЭКСМО
МОСКВА

УДК 82-3
ББК 84(2Рос-Рус)6-4
М 26

Разработка серии Geliografic

Маринина А.

М 26   Оборванные нити : роман в 3 т. Т. 2 / Александра Маринина. — М. : Эксмо, 2012. — 384 с. — (Королева детектива).

ISBN 978-5-699-60998-7

Судмедэксперт Сергей Саблин — человек кристально честный, бескомпромиссный, но при этом слишком прямолинейный — многим кажется грубым, с тяжелым характером. Да что там многим — всем, включая родную мать и любимую женщину. Но для врача Саблина истина — главное, на сделки с совестью он не идет, чем бы его ни приманивали и чем бы ни грозили люди, заинтересованные в тех или иных выводах вскрытия...

УДК 82-3
ББК 84(2Рос-Рус)6-4

ISBN 978-5-699-60998-7

ОБОРВАННЫЕ НИТИ

ТОМ ВТОРОЙ

ЧАСТЬ ТРЕТЬЯ

ГЛАВА 1

В ночь перед отъездом Сергей не спал. В голове постоянно крутились опасливые мысли: все ли сделал, что необходимо, со всеми ли поговорил, не забыл ли что-то сказать, о чем-то предупредить, все ли взял с собой. Он периодически забывался дремой, но тут же тревога будила и заставляла вновь и вновь перебирать вопросы и искать ответы на них.

В конце концов он встал тихонько, чтобы не разбудить Лену, и вышел на кухню. Чем так мучиться, лучше почитать или посидеть молча, собираясь с мыслями. В самолете доспит, до Северогорска лететь четыре часа, вполне достаточно, чтобы отдохнуть.

Но доспать в самолете не получилось. Четыре передних ряда оказались заняты двенадцатью пассажирами, все остальные места были завалены продуктами — в коробках, мешках и крупноячеистых сетках. Рядом с Сергеем устроился крепкий коротко стриженный мужичок с веселыми глазами и усами, которые задорно топорщились над верхней губой. Мужичок оглядел остальных пассажиров, обнаружил среди них кого-то из знакомых и тут же принялся переговариваться с ним в полный голос через два ряда. Сергей так и не понял, почему он не пересел, если уж так хотел поговорить: рядом с его знакомым было свободное место.

Когда самолет мчался по взлетной полосе, Саблин, глядя в окно, пытался понять, что же он чувствует. Тоску, неизбежную при разлуке с чем-то привычным и давно ставшим родным? Облегчение от того, что хотя бы часть проблем остается здесь, и на новом месте их уже не будет? Равнодушие космополита? В голове крутились строки любимого поэта Саши Черного:

> Сжечь корабли и впереди, и сзади,
> Лечь на кровать, не глядя ни на что,
> Уснуть без снов и, любопытства ради,
> Проснуться лет чрез сто...

Вот именно, сжечь корабли и впереди, и сзади. Пожалуй, эти слова наиболее точно передавали его состояние. Он не увидит в ближайшее время этот город и этих людей, не будет дышать этим воздухом, а когда вернется, все будет здесь иначе. Не может не быть. Потому что все меняется, в лучшую ли сторону, в худшую ли, но обязательно меняется, на месте не стоит. Интересно, как оно будет через... Через сколько лет? Когда он снова окажется в Москве? Через шесть месяцев, когда подойдет время отпуска? «Проснуться лет чрез сто...» Очень точно сказано, как раз про него, про Сергея Саблина. Возвращаться сюда раньше, чем лет через сто, ему наверняка не захочется. Так только, полюбопытствовать, что же там происходит, пока его нет.

На этой мысли он остановился и прикрыл глаза, собираясь уснуть, однако разговорчивый сосед вовсе не намеревался упускать возможность скоротать время полета приятельской болтовней. Он начал задавать Сергею обычные в таких случаях вопросы и, узнав, что Саблин никогда не был в Северогорске и летит туда, чтобы работать судмедэкспертом, тут же оживился и вызвался просветить попутчика.

— Наш город еще Сталин начал строить, — оживленно рассказывал он, — по его замыслу на Крайнем Севере нужно было построить большой город как промежуточный пункт Северного Морского пути. Город-то построить успели, тем более месторождения и металлообработка там уже были, надо было только в божеский вид все это привести, чтобы перед заграницей форс держать, ну, дома там построить получше, больницы, школы, дороги и все такое. Так вот, город построили, а с железной дорогой обломались, не успели до смерти Сталина, а после его смерти уже и амнистия, и реабилитация, короче говоря, вся рабочая сила, на которую ставку делали, по домам разъехалась. А город-то куда девать? Он же стоит. Ему жить нужно. Так и живет наш Северогорск до сих пор: далеко в стороне от крупных транспортных артерий, до областного центра два часа лететь, до Норильска — почти час. И то летом. А зимой как начинают вылеты задерживать, так вообще никогда не знаешь, сколько времени на дорогу уйдет, можно в аэропорту до трех суток пропариться. Поезда к нам не ходят вообще никакие, только самолет летает. Ну, или пешком, если сильно храбрый или совсем дурной. Железнодорожную ветку все-таки удалось построить после смерти Сталина, но совсем коротенькую, по ней продукция наших заводов транспортируется в речной порт, а оттуда уже Северным Морским путем на огромных баржах и лихтерах доставляется в Архангельск.

Собеседник Сергея оказался работником крупного комбината «Полярная звезда», состоящего из трех огромных заводов и имеющего множество дочерних предприятий. Именно на этом комбинате, как помнил Саблин, и трудился его одноклассник Петя Чумичев.

— Петр Андреич? — в голосе словоохотливого северогорца зазвучало уважение. — Ну а как же, он у нас на комбинате руководит управлением социальных программ. Наши комбинатские на него буквально молятся, душа-человек, обо всех подумает, обо всем побеспокоится. Он знаешь какие «похоронные» установил? Мы горя не знаем!

Саблину, в принципе когда-то знавшему еще из школьного курса географии, что за Полярным кругом царит вечная мерзлота, даже в голову не приходило, что с этим обстоятельством напрямую связана невозможность хоронить умерших в землю на кладбищах. То есть это, разумеется, возможно, но очень и очень трудно, поэтому кладбище в Северогорске было, но очень маленькое, только для тех немногочисленных жителей города, которые не имеют семей на Большой земле или, как принято было выражаться, на материке. Всех остальных покойников отправляли в цинковых гробах туда, куда по окончании контракта вернутся их родные и будут ухаживать за могилами. И вот на транспортировку печальных грузов управление социальных программ выплачивало специальную дотацию работникам комбината, так называемые «похоронные», которые были достаточно велики, чтобы полностью и достойно решить проблему. При прежнем руководстве, состоявшем из бывших «советских» директоров и партийной верхушки города, приватизировавших комбинат, финансовые проблемы не прекращались, объемы добычи руды и производственные мощности сокращать боялись, а готовую продукцию вывозить стало не на чем и некуда — реализация «встала». Руководство и комбината, и города пыталось как-то решить вопрос в Москве, но безуспешно. Реализации готовой продукции как не было — так и не было, а без нее нет зарплаты. Нет зарплаты — нет денег на самолет, чтобы не то что родных где-то там навестить или в отпуск на юг слетать, а даже просто уехать из Северогорска к чертовой матери. Не хочет человек здесь жить, нет работы, нет зарплаты, собирается вернуться на материк, а билет купить не на что. Вот так и жили. А потом пришли новые хозяева, перекупившие комбинат у прежних, утративших надежды на благополучное разрешение трудностей. Молодые, образованные, энергичные бизнесмены из Москвы и Питера быстро решили все вопросы, поставили всю организацию производственного процесса и сбыта на новые рельсы, разработали эффективную кадровую и социальную политику, и комбинат быстро восстановил, а потом и превзошел свои прежние позиции. Зарплаты выросли в разы, а налоговые отчисления в городскую казну позволяли поддерживать на должном уровне всю бюджетную сферу города Северогорска.

«Пожалуй, Чума не преувеличивал насчет высокой зарплаты, — думал Сергей, слушая попутчика. — Вот только фразу он кинул нехорошую по поводу того, что нынешний начальник Бюро слишком жаден, когда дело касается производственных травм. Если перевести на русский язык, это означает, что в случаях травмы на производстве комбинат заинтересован в совершенно определенных выводах судебно-медицинской экспертизы, и для того, чтобы эти «правильные» выводы обеспечить, начальник Бюро просит слишком большие взятки. А что будет, если мне и в самом деле удастся дорасти до начальника Бюро? Взятки будут давать уже мне? Или иным каким способом давить? И кто именно? Чуму пришлют на переговоры или силовиков подключат? Мама ведь что-то говорила на этот счет, но мне так хотелось уехать...»

Он попытался провентилировать тему с соседом, но едва речь зашла о травматизме на производстве, тот ловко ушел от ответа и заговорил о том, как трудно привыкать к заполярному климату, к полярному дню и полярной ночи, к перепадам давления, к тому, что все время хочется спать: в полярную ночь из-за постоянной темноты, не дающей взбодриться, в полярный день — из-за постоянного света, который не дает толком выспаться.

Самолет пошел на посадку, стюардесса объявила, что температура воздуха в Северогорске — плюс 14 градусов. Северное лето. Небо было чистым и ярким, светило ослепительное солнце. Сергей посмотрел на часы — половина одиннадцатого. Естественно, вечера. Чума говорил, что поясная разница с Москвой — плюс три часа. Значит, здесь половина второго ночи? Ничего себе! Действительно, одно дело знать про то, что есть такая штука — Полярный день, и совсем другое дело столкнуться с этим воочию. Почему-то Сергей даже не предполагал, что все выглядит именно так, он думал, что полярный день — это что-то вроде белых ночей, которыми он наслаждался в Санкт-Петербурге, уехав туда с друзьями по институту после окончания третьего курса и проведя в Северной столице две недели, наполненные весельем, пивом, девушками и, разумеется, долгими ночными прогулками.

Полярный день совсем не был похож на белые ночи. Ну просто ничего общего.

Выйдя из самолета, он с изумлением увидел по периметру летного поля стену серого слежавшегося снега высотой метра три, а то и четыре. Что это? Лето ведь! Четырнадцать градусов выше нуля!

Разговорчивый попутчик, шедший по трапу следом за Сергеем, усмехнулся.

— Это еще ладно, подтаяло уже, а было метров восемь, когда я в Москву улетал.

Ждать багаж пришлось долго, несмотря на то, что аэропорт был совсем небольшим. Сергей начал уже злиться и кипятиться, когда лента транспортера наконец задвигалась с надсадным жужжанием и принялась выплевывать из нутра грузового отсека сумки, чемоданы и баулы. Схватив свой чемодан, Саблин вышел на площадь. Его должны были встречать.

Встречающий, немолодой кряжистый водитель с огромной плешью и покрытыми седоватой щетиной щеками, помог уложить увесистый чемодан в багажник.

— Я вас сейчас в общагу отвезу, вам там отдельную комнату выделили временно, а утром заеду за вами и поедем в Бюро, а то вы сами не найдете, — сообщил он скрипучим голосом, выдававшим застарелый ларингит.

— А что, так трудно найти Бюро? — удивился Сергей.

В принципе он вовсе не был против того, чтобы его отвезли на машине, но удивила сама постановка вопроса. Все-таки Северогорск — город относительно молодой, ему не больше шестидесяти лет, а то и меньше, значит, строился он по более или менее современному плану, а не разрастался стихийно в ходе исторических перипетий, как Москва. В таком городе топографических проблем быть, по идее, не должно.

— Найти не трудно, — загадочно усмехнулся водитель, — а вот добраться нелегко. Бюро у нас стоит на самой окраине, почти за городской чертой, туда только на автобусе можно доехать, но нужно знать расписание, а то он ходит раз в час. Вовремя не успел — опоздание гарантировано, или частника ловить, деньги тратить. А опаздывать вам никак нельзя.

— Это почему? — заинтересовался Сергей. — В Бюро так строго с дисциплиной? И даже для нового сотрудника в первый день поблажки не будет?

Водитель буркнул себе под нос что-то невнятное и завел двигатель черной «Волги». Сергей с любопытством смотрел в окно, разглядывая тянущуюся справа и слева от дороги бурую равнину, покрытую невысокими холмиками, с немногочисленными белыми пятнами. Сергей даже не сразу догадался, что это нерастаявший снег. Постепенно равнина стала сменяться промышленным пейзажем, появились постройки, указатели с загадочными аббревиатурами, кучи ржавого железа. Показались огромные буро-красные кирпичные корпуса какого-то завода с десятками труб разной высоты, из которых валил густой плотный белый дым. В нос ударил потянувшийся из открытого окна незнакомый резкий запах. Сергей закашлялся, водитель чертыхнулся и быстро закрыл окно.

— Чем это пахнет? — спросил Саблин.

— Завод, — коротко и неопределенно ответил молчун-водитель, который за все время, пока ехали от аэропорта, не произнес ни слова. — У нас все заводы такие.

Через короткое время проехали еще один завод, в точности напоминавший тот, первый. Над озером, на берегу которого стояли корпуса, поднимался то ли дым, то ли пар. «Ничего себе экологическая обстановка, — обескураженно подумал Сергей. — Мало того, что постоянно спать хочется и климат тяжелый, так еще и экология... Теперь понятно, за что платят «северные» надбавки и почему здесь мало кто живет постоянно. Долго здесь не выживешь».

Дорога до общежития, где Сергею предстояло обретаться первое время, заняла минут двадцать пять. Город показался ему самым обычным, с точно такими же домами, как и всюду — пяти- и девятиэтажными. Единственное, что отличало Северогорск от множества других городов такого же возраста, это деревья — немногочисленные, низкие, кривые, какие-то уродливые. «Недоношенные», — с усмешкой подумал Саблин.

Комната в общежитии, вопреки ожиданиям, оказалась весьма приличной, рассчитанной на четверых, с двумя окнами и большим столом посередине.

— Если хотите, стол можете к стене подвинуть, — сказала милая дама-комендант, показывая Сергею его новые владения, — когда четверо живут, тогда стол должен посередине стоять, чтобы все сесть могли, а вы-то один, вам и у стены хорошо будет. Две коечки из четырех мы пока вынесли, чтобы они вам не мешали, а две оставили.

— Но я ведь один, — улыбнулся Сергей. — Можно было и третью койку убрать.

— Ну как же, — заулыбалась комендант, — а вдруг к вам жена приедет? Коечки у нас тут узкие, вам вдвоем тесно будет, вон вы какой... Мужчина в теле. Вы устраивайтесь, а если что — обращайтесь, моя комната в конце коридора. Кухню вы видели, посуда должна быть своя, у нас общежитской нету, кастрюльки там, сковородки, тарелки — это все ваше. А если чайку горячего прямо сейчас хотите — я принесу.

Он ничего не хотел, кроме одного: выспаться. Три часа ночи. Водитель приедет за ним за двадцать минут до начала рабочего дня. На сон оставалось совсем немного.

Он поблагодарил милую хозяйку общежития, вытащил из чемодана несессер, быстро принял душ и почистил зубы в одной из двух душевых, расположенных на этаже, и рухнул в постель.

Ему ничего не снилось.

* * *

Водитель, имени которого Сергей так накануне и не узнал, подъехал за ним к общежитию за двадцать минут до начала рабочего дня. Через четверть часа, проехав по городу, они оказались перед стоящим на отшибе двухэтажным зданием, выкрашенным в желтый цвет. Вокруг не было никаких жилых домов, и открывался унылый безрадостный вид на все ту же буро-коричневую равнину. Вдали сверкали нерастаявшим снегом вершины высоких обрывистых гор.

Водитель молча вышел из машины и направился к входной двери, Сергей так же молча последовал за ним. Все здесь было непохоже на Московское бюро судебно-медицинской экспертизы. В Москве рядом с моргом всегда было много людей, как родственников умерших, так и похоронных агентов, а также тех, кто торговал ритуальной атрибутикой и принимал заказы на временные таблички, устанавливаемые на могилах до того момента, как пройдет положенное время и можно будет ставить памятник. В Северогорске ничего этого не было, и Сергей вспомнил, что здесь почти не хоронят, это ему объяснял разговорчивый сосед в самолете.

В фойе на первом этаже было тихо, в углу пожилой священник разговаривал с санитаром в зеленой санитарской униформе. Водитель повел Сергея вдоль коридора мимо открытой двери, заглянув в которую, Саблин увидел секционную и притормозил, с любопытством вглядываясь. Здесь ему придется работать, не сразу, конечно, ведь его пока что берут в отделение судебно-гистологической экспертизы, но он все равно будет просить отписывать ему вскрытия, а со временем, как и в Москве, перейдет в отделение экспертизы трупов.

Водитель, ушедший вперед, остановился, обернулся и, не увидев Саблина рядом, вернулся.

— Я осмотрюсь? — полувопросительно произнес Сергей.

Тот молча кивнул и отошел к противоположной стене коридора, подальше от двери. По его теперь уже выбритому, но все равно хмурому лицу было заметно, что близость к секционным столам его совершенно не вдохновляет. Сергей вошел внутрь. Все как обычно. Два стола, две раковины, шланги для смыва, вдоль одной стены длинный стол, на котором лежат специальные валики, используемые для того, чтобы приподнять шею трупа, вдоль другой стены — стол обычного размера со стулом: место медрегистратора, печатающего на машинке протокол. Шкаф. Еще один шкаф.

— Сергей Михайлович, — донесся из коридора голос водителя, — время уже. Пойдемте, а?

Да что они тут носятся с этим временем! Как будто самолет улетает и ждать не будет. Сергей недовольно пожал плечами и вышел из секционной. «Я скоро вернусь», — пообещал он мысленно то ли самому себе, то ли помещению, в котором начинался долгий путь к ответу на вопрос: отчего человек умер.

Поднявшись на второй этаж, они прошли несколько шагов и оказались перед дверью с табличкой «Начальник Бюро судебно-медицинской экспертизы ДВОЯК Г.С.». Войдя в приемную, Сергей увидел совсем молоденькую девушку в белом халате, почти девочку. Она с деловым видом сидела за заваленным бумагами письменным столом, из-за которого ее почти не было видно. Над кареткой электрической пишущей машинки торчала только голова с короткой мальчишеской стрижкой и длинной падающей на глаза челкой. Волосы были рыжевато-каштановые, не очень естественного цвета, сразу видно, что крашеные. «Вот на фига в ее-то годы красить волосы», — мелькнуло в голове у Сергея.

— Света, вот, доставил, — водитель с облегчением перевел дух. — Я не виноват, у меня все вовремя было.

Смысл сказанного до Сергея не дошел. Малышка по имени Света выпорхнула из-за стола и метнулась мимо Саблина к двери в начальственный кабинет, успев бросить на ходу:

— Вам не повезло. Держитесь.

Открыв дверь начальника, она заглянула и доложила:

— Георгий Степанович, новый гистолог прибыл. Пригласить?

После чего распахнула дверь перед Сергеем. Он еще не успел войти, как из кабинета донеслось:

— Сеня здесь? Пусть не уходит никуда, через десять минут в мэрию поедем!

«Значит, молчаливого водителя зовут Семеном», — сделал вывод Сергей и вошел в кабинет начальника городского Бюро СМЭ.

Георгий Степанович Двояк был высоким болезненно худым мужчиной за пятьдесят, с лицом, изборожденным глубокими мимическими морщинами. Было видно, что еще лет десять назад он был необыкновенно красив, и точно так же ясно виден был отпечаток интенсивной алкоголизации. Даже если бы Петя Чумичев не сказал ни слова об этом, Сергей все равно понял бы, что перед ним сильно пьющий человек.

Начальник Бюро вышел из-за стола и протянул Сергею руку.

— Рад, рад, наконец-то, а то у нас с гистологией большие проблемы. Наслышан о вас, вас очень хорошо рекомендовали...

«Интересно, кто? — с усмешкой подумал Саблин. — Уж точно не Куприян и не начальник Бюро в Москве. Петька Чума, что ли?»

— Поэтому я приложил максимум усилий, чтобы организовать ваш перевод к нам, квартиру для вас выбил. Надеюсь, вы меня не разочаруете.

Эти слова подействовали на Сергея, как хлыст на строптивого скакуна. «Началось. В чем я должен его не разочаровать? В том, что буду писать нужные ему заключения, за которые он потом будет получать щедрое вознаграждение? Видно, Петька сказал, что я толковый, вменяемый и со мной можно договориться. Ну, погоди, Чума, я с тобой еще разберусь!»

Однако оказалось, что Георгий Степанович Двояк имел в виду совсем другое.

— Вскрывать можете?

— Могу, — кивнул Сергей с готовностью. — Я три года проработал в отделении экспертизы трупов.

— Отлично! — Двояк обрадованно потер руки. — А живых смотреть? На «живом» приеме работал?

— Нет, — признался Саблин. — Только в гистологии и танатологии.

Начальник Бюро как-то вдруг перешел на «ты», и Сергей понял, что ему так привычнее, он из тех руководителей, которые «тыкают» всем, кто ниже по должности, а его вежливость на протяжении нескольких первых минут была натужной и искусственной.

— Вот это жаль, — огорченно произнес Двояк. — На «живых» опять катастрофа, людей нет, а у нас лето — самое время для «живого» приема, светло круглые сутки, соответственно, и народ днем и ночью на улицах. То мордобой, то поножовщина, то пьяную бабу изнасилуют... Ладно, будем думать. Теперь так, Сергей Петрович: то, что произошло сегодня, должно быть в последний раз. Ты меня понял?

— Нет, — ответил Сергей с искренним недоумением.

Он хотел было добавить, что его отчество «Михайлович», а никак не «Петрович», но промолчал. Очень уж интересно было узнать, что же такое произошло сегодня и не должно повторяться впредь.

— Ты опоздал на работу в Бюро на семь минут. У меня тут опоздания не допускаются. У меня дисциплина железная. Первое опоздание хотя бы на минуту — устное замечание, после второго — выговор, после третьего — увольнение. И я не посмотрю, что ты москвич и тебя к нам по большому блату пропихнули, выгоню в пять секунд. То же самое касается ухода с рабочего места до окончания рабочего дня. Ты меня понял, Сергей Петрович?

Сергею стало смешно. Чумичев рассказывал, что начальник Северогорского Бюро регулярно выпивает прямо на рабочем месте и к концу дня частенько лыка не вяжет. И он еще пытается говорить что-то о железной дисциплине?

— Михайлович, — с веселой мстительностью бросил он.

— Что?

Брови Георгия Степановича зашевелились, отражая усиленную работу мысли, и следом за бровями задвигались морщины на когда-то привлекательном лице.

— Меня зовут Сергеем Михайловичем, а не Сергеем Петровичем, — спокойно пояснил Саблин.

Лицо Двояка медленно наливалось тяжелой малиновой краской, на носу явственно проступили сизые прожилки. Теперь все выпитые им литры крепких спиртных напитков стали видны невооруженным глазом. Несколько секунд он неподвижным взглядом смотрел на Сергея, потом заорал:

— Света!!!

Сергей вздрогнул от неожиданности и обернулся на дверь, которая немедленно распахнулась. Рыжеволосая малышка стояла в проеме, не переступая порога, и он отметил, что, несмотря на зычный голос руководителя Бюро, девушка отнюдь не выглядела испуганной.

— Слушаю, Георгий Степанович.

— Почему ты мне неправильно доложила имя и отчество доктора?! — кричал Двояк. — Я для чего плачу тебе полставки кадровика? Чтобы ты документы путала? Доктора зовут Сергеем Михайловичем, а ты мне написала, что он Петрович. Все, хватит, надоело! Твоя расхлябанность меня достала! С завтрашнего дня идешь работать в морг! Я никому не спускаю с рук нарушение трудовой дисциплины! И халатности не прощаю!

Глаза девушки, полуприкрытые длинной рыжей челкой, постепенно становились холодными и какими-то узкими, словно она от усталости опускала веки.

— Георгий Степанович, документы доктора Саблина я положила вам на стол еще вчера после обеда, — сдержанно проговорила Света. — И там все написано правильно. Саблин Сергей Михайлович.

— Где??! — еще громче заорал Двояк. — Где эти документы?! У меня на столе ничего нет! Ты ничего мне не давала! Ты мне просто сказала, что имя нового эксперта — Сергей Петрович. Слышишь? Петрович! Я это совершенно точно помню.

На лице Светланы отразилась непереносимая скука, словно эта сцена повторялась изо дня в день и успела девушке изрядно надоесть.

— Я положила вам документы Сергея Михайловича Саблина на стол вчера в тринадцать сорок, у меня это зафиксировано в контрольной карточке, которую вы же сами выставили на прохождение приказа о назначении доктора Саблина, — отчеканила она ровным голосом. — Если позволите, я подойду к вашему столу и покажу, где лежат бумаги. Мне их отсюда очень хорошо видно.

«Сколько ей лет? — подумал Сергей, старательно пряча улыбку. — Семнадцать? Девятнадцать? Тоненькая, маленькая, совсем девочка, даже под халатом угадывается детская фигурка с неразвитыми бедрами и грудью, а как держится! Ни один мускул не дрогнул. Похоже, она совсем не боится начальника. Впрочем, она вполне может быть его дочерью или любовницей. Или племянницей какой-нибудь. Поэтому знает, что, как бы он ни орал — ничего не будет. Остынет и забудет, но не уволит и не переведет на работу в морг».

Слова Светы сыграли роль детонатора: Двояк взорвался. Теперь голос его гремел так, что, казалось, занавески на плотно закрытых окнах шевелятся.

— Ты что хочешь сказать? Что я не умею читать документы? Что я не в состоянии запомнить то, что в них написано? Или ты, может, думаешь, что у меня память отшибло и я не помню, какие документы ты мне подавала, а какие — нет? Вон отсюда!!!

Света молча повернулась и вышла, аккуратно притворив за собой дверь.

— Вот так и воюем, — ворчливо прокомментировал Георгий Степанович. — Не наорешь — толку не добьешься. Ну что за народ! Только окрик понимают, только кнутом можно с ними справиться, по-хорошему уже ни с кем не сладишь. Ладно, я поехал в администрацию, Света покажет тебе Бюро, познакомит со всеми, осваивайся, с сегодняшнего дня тебе начнут отписывать экспертизы. Беру тебя исполняющим обязанности заведующего отделением гистологии, завгистологией у нас в декрете, уж не знаю, вернется к нам или нет, но пока декрет — я ее уволить не могу, и тебя назначить заведующим тоже не могу, так что побудешь пока И.О., а там посмотрим, как себя покажешь. Лаборантки у нас молодые, красивые, так что не вздумай там... Они у меня все замужем.

Сергей хотел было возразить, что он вообще-то тоже не свободен и ни о каких таких «там» не помышляет, но не успел ничего сказать: Георгий Степанович схватил со стола потертую кожаную папку и вышел, не попрощавшись. Сергей, оставшись в кабинете начальника один, растерянно огляделся и направился в приемную. Рыжая Света, завесившись длинной челкой, как вуалеткой, что-то с необыкновенной скоростью печатала на машинке. «Во дает! — невольно восхитился Саблин. — Печатает не хуже нашей Клавдии Осиповны, даже, кажется, быстрее, а ведь баба Клава в медрегистраторах больше сорока лет проходила».

— У вас из-за меня неприятности? — спросил он, любуясь ловкими тонкими пальчиками девушки-девочки, порхавшими по клавиатуре. — Вас действительно могут перевести на работу в морг?

Челка взметнулась вверх, стрекот машинки замер, на Сергея глянули изумрудно-зеленые строгие глаза. И эти глаза отчего-то показались ему усталыми.

— Не обращайте внимания, Сергей Михайлович, — тихо произнесла она. — Меня тут каждый день то увольняют, то в регистратуру морга переводят, то еще чем-нибудь грозят, например под суд отдать.

— Под суд? — изумился Сергей. — За что? За какую провинность можно отдать под суд секретаря начальника Бюро СМЭ?

Светлана пожала худенькими плечиками:

— За утрату документов. У нас же документы из уголовных дел, это секретный документооборот. И я к тому же еще и кадровик по совместительству, так что сами понимаете. Есть и что потерять, и за что под суд пойти.

— Как же вы терпите такое обращение? Я бы не смог, если бы на меня каждый день так кричали. Да еще несправедливо.

— Привыкнете, — усмехнулась Светлана. — Все привыкают. Пойдемте, я вам все покажу.

Первым делом Сергей попросил отвести его в танатологию — отделение экспертизы трупов. Зав-отделением Изабелла Савельевна Сумарокова встретила их, сидя в глубоком изрядно покосившемся кресле с порванной кое-где обивкой. В руке ее дымилась сигарета какого-то крепкого сорта, во всяком случае, так можно было судить по специфическому запаху, который ощущался даже в коридоре еще метрах в трех от двери кабинета. Была Изабелла Савельевна, в отличие от маленькой Светы, роста просто-таки гигантского. Сухощавая, мужеподобная, очень спортивная, с хорошо подстриженными седыми волосами, выдававшими далеко не юный возраст, и грубым лицом, на котором красовались очки в дорогой оправе, она даже не вставая с кресла была, как показалось Саблину, всего лишь на несколько сантиметров ниже его самого, а ведь он всегда считался рослым парнем.

У рабочего стола на офисном крутящемся стуле восседало нечто поистине удивительное, особенно в сочетании с рослой Сумароковой: мужчина примерно одного с ней возраста, но существенно ниже ростом. Над торсом с чрезвычайно выпуклой грудной клеткой красовалась голова, приделанная на первый взгляд прямо к плечам, во всяком случае, шеи видно не было. Сама же голова, украшенная превосходными густыми волнистыми волосами, имела лицо настолько некрасивое и в то же время привлекательное, что невозможно было оторвать от него глаз. Саблин машинально посмотрел вниз, чтобы прикинуть рост удивительного мужчины, и увидел, что стопы мужчины, обутые в элегантные замшевые мокасины, едва касаются носками пола. Правда, справедливости ради надо заметить, что само офисное кресло было поднято на максимальную высоту под рост хозяйки кабинета, но все равно, даже с учетом этой поправки, было понятно: мужчина росточком отнюдь не высок. «Кургузый какой-то», — подумал Саблин.

«Кургузый» и Сумарокова что-то горячо обсуждали, каждый из них держал в руке какие-то исписанные от руки листки, на рабочем столе веером были разложены фотографии и выполненная фломастером схема расположения следов крови на лезвии и рукоятке ножа.

— Приятно, — коротко отозвалась Изабелла Савельевна, когда ей представили нового эксперта-гистолога. — Нам симпатичные молодые мужчины нужны, это придает нашей работе некие элементы светскости, мы начинаем вспоминать, что мы не только трупорезы, но и немножко женщины.

— И не просто женщины, а очаровательные женщины! — встрял «Кургузый». — А я, с вашего позволения, представлюсь сам: Таскон Лев Станиславович, эксперт-биолог. Работаю в отделении биологической экспертизы вещественных доказательств. Светочка, душенька, вы позволите, я самолично отрекомендую нашу Изабеллу Савельевну, дабы новый сотрудник сразу получил наиболее полное представление об этой выдающейся личности.

Светлана улыбнулась, и Саблин с удивлением увидел, как смягчилось её лицо и потеплели глаза.

— Лев Станиславович, вы же знаете, что я питаю к вам слабость и не могу ни в чем отказать.

— Уж так и ни в чем? — в голосе эксперта-биолога зазвучали игривые нотки. — Смотрите, душенька, я вас на слове поймаю. И тогда вам не поздоровится.

— Ой-ой-ой, — со смехом протянула рыжеволосая малышка, — напугали ежа голой задницей!

Она бросила веселый взгляд на Саблина и произнесла:

— Прошу прощения за непарламентское выражение. Но Лев Станиславович действует на меня, да и на всех сотрудниц нашего Бюро, как-то расслабляюще. Он кого угодно в грех введет. Мы в его присутствии забываем о приличиях, такая вот у него приятная особенность.

Сергей наблюдал эту невероятную сцену, остолбенев. Во-первых, как это кургузое нелепое существо может «расслабляюще» действовать на женщин вплоть до провоцирования их на откровенный флирт? Ну был бы он пусть и немолодым, но красавцем, элегантным, стройным, ухоженным, с мускулистой фигурой — тогда еще ладно, можно было бы понять. Но вот ЭТО?!?! Во-вторых, девочка Света разговаривала языком, абсолютно не свойственным девятнадцатилетним девочкам. Сергей, работая в Московском Бюро, вдоволь наобщался с представителями этого поколения — парнями-санитарами и девушками из секретариата и регистратуры, а также лаборантами и очень хорошо представлял себе, каков их словарный запас и манера выражаться. Да, рыженькая Светочка явно сильно отличалась от среднестатистического представителя этой возрастной когорты. И в-третьих, сам Лев Станиславович Таскон, несмотря на множество дефектов внешности, обладал каким-то невероятным притягательным обаянием. Наверное, именно таких людей называют харизматичными. И ведь он еще пока мало что сказал, никак себя особенно не проявил, а Сергею, к его собственному недоуменному удивлению, уже хотелось ему понравиться и подольше пообщаться с ним.

— Итак, — эксперт-биолог сполз с высокого кресла и встал перед сидящей Сумароковой в позе рыцаря, стоящего перед Прекрасной Дамой. — Изабелла Савельевна Сумарокова, руководитель отделения экспертизы трупов, врач первой категории. Ну, то, что она потрясающе красивая женщина, вы видите сами, я мог бы об этом и промолчать. Но вот чего вы не знаете, так это того, что Изабелла Савельевна в прошлом — неоднократная чемпионка

России по баскетболу, выдающаяся спортсменка, одна из тех немногих баскетболисток, которые ухитрились все-таки получить высшее образование в медицинском вузе, хотя и поступали далеко не сразу после окончания школы. Ну, сами понимаете: тренировки, сборы, соревнования — все это плохо совмещается с обучением на дневном отделении, так что наша Белочка сперва закончила спортивную карьеру, а потом уже села за учебники и восстановила полученные в школе знания, необходимые для сдачи вступительных экзаменов.

Белочка? Сергей чуть не крякнул. Уж если кого и называть Белочкой, так рыженькую изящную Свету, действительно чем-то напоминающую ловкого грациозного рыже-коричневого зверька. А эта сухощавая мужеподобная немолодая тетка ростом под метр девяносто скорее похожа на отощавшую слониху. И нос у нее длинный...

Изабелла же Савельевна слушала сию тираду с явным и нескрываемым удовольствием, улыбалась ненакрашенными губами, обнажая очень ровные, но явно не искусственные, судя по «прокуренному» слегка желтоватому цвету, зубы. Строгая Света откровенно забавлялась, и ее изумрудные глаза излучали тепло и любовь. Сергей, глядя на эту троицу, все пытался понять, что за отношения связывают их. Кем они приходятся друг другу? Ну, Света явно кем-то приходится начальнику Бюро Двояку, в этом сомнений нет. Кургузый Таскон, похоже, крутит роман с завтанатологией, уж больно восхищенными глазами он на нее смотрит и ярких эпитетов не жалеет. Да и вообще, он ведет себя как истинный ценитель женской красоты и любитель скоротечных производственных интрижек с одинокими некрасивыми дамочками, которые так устали от собственной невостребованности, что готовы укладываться в постель даже с таким, мягко говоря, не очень видным мужчиной. А уж «отощавшая слониха» Изабелла, которую он называет Белочкой, не стесняясь ни юной Светы, ни совершенно незнакомого ему нового гистолога, и подавно счастлива, что ее хоть кто-то...

Таскон между тем, выдержав драматическую паузу, продолжал:

— И несмотря на занимаемую должность, эта выдающаяся женщина постоянно сама вскрывает трупы, никому не доверяет. А если вскрывает другой эксперт, то проверяет за ним все до последней буквы и до последнего «стекла». У вас в столицах руководители своеручным трупоразъятием, я так понимаю, не балуются? А у нас — изволите видеть.

И все-таки он был невероятно притягателен, этот маленький квадратный человечек.

Но совершенно непонятно, почему рыженькая девочка смотрит на эту нелепую парочку с такой нежностью и любовью. Ну ладно, допустим, Таскон действительно так влияет на женщин, Сергей и сам чувствует неодолимую мощь его обаяния. А Изабелла? Кем она приходится Светлане? Похоже, Северогорское Бюро судмедэкспертизы — это клубок родственных и дружеских связей. Надо будет иметь в виду.

Он собрался было спросить Льва Станиславовича, откуда это выражение — «своеручное трупоразъятие», но в дверь постучали, и вошел врач чуть постарше самого Саблина, лет тридцати пяти — тридцати семи, как определил на глазок Сергей.

— Изабелла Савельевна, у меня вскрытие, а санитар опять труп не подготовил. Ну сколько можно!

Заметив Сергея, он небрежно кивнул ему, изображая приветствие, и продолжал возмущаться. Сумарокова послушала-послушала, да и встала с кресла. Вошедший, стройный и довольно высокий по среднестатистическим меркам, тут же оказался маленьким и жалким.

— Можно ровно столько, сколько вы будете бегать ко мне с просьбами воздействовать на санитаров, — вполне миролюбивым и спокойным тоном ответила она. — До тех пор, пока вы не научитесь организовывать порученные вам вскрытия, вы будете иметь проблемы с подготовкой тел. Вы, коллега, врач — судебно-медицинский эксперт, а не маленький мальчик, вашего авторитета должно хватать на то, чтобы построить правильные рабочие отношения с младшим медперсоналом. Кстати, познакомьтесь, это Сергей Михайлович Саблин, наш новый эксперт-гистолог.

— Филимонов Виталий Николаевич, — эксперт протянул Саблину руку и смущенно улыбнулся. — Можно просто Виталий, без отчества. А говорят, вы тоже вскрывать будете?

Сергей оторопел. Кто говорит? Об этом речь шла только в кабинете у начальника Бюро, и даже Света при этом не присутствовала. Как же он узнал? Неужели от самого Георгия Степановича?

Так и оказалось.

— Мне шеф сказал, мы с ним в коридоре столкнулись, когда он уезжал, — пояснил Филимонов. — Радуйся, говорит, из Москвы новый эксперт приехал с опытом работы в танатологии, будет вскрытия брать.

Когда Виталий ушел, Саблин все-таки задал интересующий его вопрос о «своеручном трупоразъятии».

— Это в какие же времена так красиво говорили? — поинтересовался он у Льва Станиславовича.

— В те давние времена, — тонко улыбнулся Таскон, — когда я еще не жил, хотя, вероятно, глядя на меня, вам кажется, что я видел Петра Первого или на худой конец дедушку Ленина. Поэтому с достоверностью утверждать не берусь, но в 1815 году так совершенно точно говорили.

— В каком?! — ахнул Сергей. — Вы не ошиблись? Может, в 1915?

— Да нет, голубчик, — покачал головой эксперт-биолог, — именно в 1815-м, когда небезызвестный профессор Мухин подал прошение о доставлении в Анатомический театр трупов для занятий со студентами, чтобы каждый студент имел полную возможность упражняться над трупом для изучения анатомии и судебной медицины. Этот документ имел совершенно замечательное название: «Отношение профессора Мухина о доставке кадаверов для анатомического театра». Так вот, я вам сейчас процитирую, что там было написано: «...чтобы студенты непременно и сколько возможно более собственными руками занимались трупоразъятием. Для сего казенных снабдить нужными инструментами, а своекоштных обязать купить их на свой счет. Руководителем в сем случае должен быть адъюнкт и профессор, которым вменить в обязанность показывать способ вскрывания тел скоропостижно умерших и обращать их внимание на предметы, подлежащие судебному исследованию». Что вы так сморите на меня? Вы никогда об этом не слышали?

Сергей действительно не слышал. Еще в средней школе история не входила в число его любимых предметов, уступая естественным наукам — химии, физике и биологии, а когда на цикле по судебной медицине студентам рассказывали историю вопроса, он либо спал, либо откровенно развлекался, читая спрятанную на коленях книгу.

— Неужели судебная медицина существовала уже тогда? — недоверчиво спросил он.

— Уже тогда?! — Таскон расхохотался, а Изабелла Савельевна, закурившая очередную сигарету, фыркнула, поперхнулась дымом и закашлялась. —

Да намного раньше, голубчик вы мой! Намного раньше! Законодательное предписание о приглашении врачей при разрешении судом вопросов, требующих специальных медицинских знаний, было впервые дано в 1714 году «Артикулом Воинским». Там говорится...

Лев Станиславович поднял глаза к потолку, пожевал губами и начал мерно, но с выражением декламировать:

— «...надлежит подлинно ведать, что смерть всеконечно ли от бития приключилась, а ежели сыщется, что убиенный был бит, а не от тех побоев, но от других случаев, которые к тому присовокупились, умре, то надлежит убийцу не животом, но по рассмотрению и по рассуждению судейскому наказать, или тюрьмою, или денежным штрафом, шпицрутеном и прочая.

Того ради зело потребно есть, чтобы коль скоро кто умрет, который в драке был бит, поколот или порублен будет, лекарей определить, которые бы тело мертвое взрезали и подлинно разыскали, что какая причина смерти ево была, и о том имеют свидетельства в суде на письме подать, и оное присягою своею подтвердить».

Сергей слушал, ушам своим не веря. Какая музыка! Какой слог! И главное — как это все можно было выучить наизусть?! Ему показалось, что время остановилось, и он готов слушать эти чудесные слова, эти старинные сложные, непривычные современному слуху обороты еще много часов.

— Потрясающе, — прошептал он. — Какая красота!

— О, голубчик, я вижу, вы ценитель словесности, — одобрительно отозвался Таскон. — Не удивлюсь, если вы окажетесь знатоком и любителем поэзии.

— Любитель, — чуть смущенно признался Сергей. — Но не знаток.

— Что ж, заинтересуетесь историей судебной медицины — милости прошу ко мне, я этот вопрос много лет изучаю, могу порассказать много занятного. Вам будет небесполезно тоже приобщиться к истории. Белочка, так мы с тобой все согласовали, или ты по-прежнему считаешь, что я неправ? — обратился эксперт-биолог к Сумароковой.

Та взяла сложенные на подоконнике листки, пробежала глазами, потом протянула руку к лежащей на столе схеме, покрутила ее задумчиво, склонив голову набок, вздохнула и улыбнулась:

— Ты меня уговорил, Левушка. Признаю твою правоту. Неси заключение, буду акт писать.

Белочка, Левушка... Черт-те что, какой-то семейный дом, а не серьезное учреждение судебно-медицинской экспертизы.

— Ну, коль так, тогда приглашаю вас, голубчик Сергей Михайлович, к себе в отделение на ознакомительную экскурсию.

В сопровождении Льва Станиславовича и Светы Саблин зашел в отделение биологической экспертизы вещественных доказательств, после чего рыженькая секретарь начальника отвела его познакомиться с экспертами-химиками в отделение судебно-химической экспертизы.

Наконец дошла очередь до самого главного — отделения гистологической экспертизы, где Сергею предстояло с сегодняшнего дня трудиться. И не просто трудиться, а руководить отделением, пусть и в должности всего лишь «исполняющего обязанности».

В гистологии по штатному расписанию предусматривались четыре лаборанта, однако в комнате Сергей застал только двоих. Света объяснила, что остальные в отпуске. Аппараты гистологической проводки были старыми, а вместо привычных фанерных планшеток с невысокими бортиками из штапика стеклопрепараты были сложены в многочисленные разноцветные половинки коробок из-под конфет. Эти импровизированные планшетки стояли всюду, на каждом участке свободной поверхности.

— Почему у вас стекла в лаборатории? — требовательно спросил Сергей. — Почему они не в архиве?

Одна из лаборанток подняла голову, оторвавшись от своего занятия, и удивленно ответила:

— Так их еще не смотрел никто.

— Вы хотите сказать, что это все, — Саблин обвел рукой лабораторию, уставленную цветными коробками-планшетками, — готовые стекла, направленные на исследование?

— Ну да, — пожала плечами женщина.

— А направления где?

— Вот там, в папке, — она махнула рукой в сторону небольшой полочки, прикрепленной к стене.

На полочке рядом с регистрационными журналами лежала пухлая черная папка, из которой буквально вываливались небрежно сложенные листы — направления на гистологические исследования.

— И за какой период эти направления? — спросил он, уже чувствуя, что придется ему здесь ох как нелегко.

— За полгода примерно. Перед самым Новым годом наша заведующая ушла в декрет, ну и начались сбои. Она у нас была единственным гистологом, так что с ее уходом все и встало.

Саблин вопросительно посмотрел на Светлану. Она кивнула:

— По «штатке» в отделении две ставки гистологов, одна — заведующего и одна — эксперта, — вздохнула она. — Но должность эксперта вакантна уже давно, трудно найти человека. Вот и нынешнюю заведующую повысили, она раньше просто экспертом была, так испугались, что и она уйдет, и, как только должность освободилась, ее сразу назначили, чтобы удержать.

— Но не удержали, — ехидно заметил Сергей. — И как же вы проводите исследования без гистолога?

— Ну, сначала в патанатомии бросили клич, они у нас стекла смотрели как совместители, а потом платить им стали все меньше и меньше, и они отказались.

— Ничего себе! — присвистнул он. — А как же врачи без гистологии заканчивают заключения?

Обе лаборантки пожали плечами, всем своим видом говоря: «Мы не знаем, это нас не касается, наше дело — стеклопрепараты подготовить, а к экспертной работе мы отношения не имеем».

«Ну, Саблин, ты попал, — подумал Сергей. — Как же ты будешь работать в учреждении, в котором такой бардак? Врачи уже полгода заканчивают экспертные заключения, не имея результатов гистологического исследования. Да, конечно, много случаев, когда прекрасно можно обойтись без гистологии, например смерть в результате ДТП или колото-резаного ранения. И какие там у потерпевшего были особенности в плане здоровья, никакого значения, как правило, не имеет. Если нож попал прямо в сердце, то какая разница, был у человека хронический панкреатит или нет? Но в случае скоропостижной смерти без гистологии вообще не обойтись. А клинические случаи? А детская смертность? Там весь диагноз построен исключительно на результатах гистологического исследования. Как же они обходятся без него? Жаль, я ничего этого не знал, а то задал бы Белочке Сумароковой пару каверзных вопросов. Ничего, еще успею спросить».

Но ответ на незаданный вопрос дала все та же всезнающая Света, поймавшая взгляд Саблина, устремленный на коробки со стеклопрепаратами, и его недоуменно-недовольную гримасу.

— В самых сложных случаях препараты возят в патанатомию, чтобы кто-то из врачей посмотрел по дружбе. Шеф об этом не знает, и нельзя, чтобы узнал.

— Почему? — не понял Сергей.

— Он очень не любит, когда что-то делается за его спиной и без его ведома, — усмехнулась Светлана. — Бюро — это его вотчина, он здесь и царь, и Бог, и воинский начальник, никто чихнуть без его разрешения не смеет. Ну, вы же знаете про опоздания, он наверняка вам сказал, что на третий раз уволит.

— Сказал, — кивнул Сергей. — Но я все равно не понимаю, почему Георгий Степанович сам не организует просмотр препаратов в патанатомии. Он что, в плохих отношениях со всеми городскими больницами? Не может решить вопрос с завотделениями?

Светлана молча пошла к двери и вышла из лаборатории. Сергей последовал за ней, нетерпеливо ожидая продолжения объяснений такой дикой, на его взгляд, ситуации. Однако девушка, не произнося ни слова, двигалась по длинному коридору, словно летела над полом, легко и быстро перебирая тонкими, как у серны, ножками, обтянутыми узкими джинсиками. Саблин едва поспевал за ней. «Все-таки для девятнадцатилетней секретарши эта девица слишком много знает, — думал он, мчась следом за Светланой в сторону приемной начальника Бюро. — Похоже, она — лицо, приближенное к императору. Или таким приближенным является кто-то из ее близких, кто ее информирует и объясняет все тонкости. Да, совершенно определенно, она чья-то дочка. Может быть, Изабеллы Савельевны? Она с такой нежностью и теплотой смотрела на эту слониху... Или любовница начальника Бюро или кого-то из завотделениями? Или даже бери выше — у нее лапа в горздраве или в областном Бюро».

Светлана между тем влетела, как ветерок, в приемную и, подождав, пока Сергей войдет, закрыла дверь изнутри на ключ.

— Все знают, что шеф уехал в администрацию, а это значит, что я могу позволить себе расслабиться, — невозмутимо пояснила она, встретив непонимающий взгляд Саблина.

— Да? И как же вы расслабляетесь? Танцуете на столе неприличные танцы? — пошутил он.

— Занимаюсь йогой, — очень серьезно ответила рыженькая Света. — У меня в шкафу форма и коврик, а больше ничего не нужно. Два-три раза в неделю удается урвать часок-другой для занятий, если обед прихватить, а то дома не получается. Шеф часто уезжает.

Что-то в ее голосе заставило Сергея обратить внимание именно на эти слова. Шеф часто уезжает. В администрацию, как сегодня? В городской департамент здравоохранения? Куда еще? «В ресторан обедать с водочкой», — понял он.

— Сергей Михайлович, я внимательно смотрела ваши документы.

Перемена темы была столь неожиданной, что Сергей поначалу решил, будто ослышался.

— И что? — спросил он после небольшой паузы. — Вы увидели там что-то безумно интересное?

— Я увидела, что вы никогда не занимали руководящих должностей. Начальником не были. И скорее всего, не умеете правильно строить отношения с подчиненными. Мне не по чину указывать вам, как и что вы должны делать, но я хотела бы объяснить, почему я увела вас из лаборатории, не дав закончить разговор. Или мне не нужно ничего объяснять?

— Не нужно, — сердито ответил Саблин.

Конечно, он не учел, что с сегодняшнего дня является начальником этих лаборанток, а руководителю негоже обсуждать с подчиненными действия вышестоящего шефа. Он как-то с самого начала настроился на то, что для него проводят ознакомительную экскурсию по Бюро, поэтому не сориентировался вовремя. Ему сделали замечание, пусть и в очень деликатной форме, но замечаний Сергей не выносил. И особенно противно, что это замечание сделала ему девчонка, соплюшка, только-только со школьной скамьи. Да что она себе позволяет! Думает, ее «мохнатая лапа» выпишет ей пожизненную индульгенцию? Как бы не так. С ним, с Сергеем Михайловичем Саблиным, этот номер не пройдет.

— Но я все-таки хотел бы получить объяснение: как так вышло, что в Бюро нет гистологии, а Георгий Степанович ничего не предпринимает для исправления ситуации, — жестко и холодно произнес он. — Что вообще у вас тут происходит?

Он уселся в кресло для посетителей, закинул ногу на ногу, всем своим видом показывая, что требует четкого и правдивого ответа. Как она сказала? Правильно строить отношения с подчиненными? Вот пусть и посмотрит, как новый завгистологией их строит.

— А вы еще не догадались? — Светлана покачала головой. — Я думала, вас просветили заранее. Дело в том, что наш Георгий Степанович не в состоянии решить ни один вопрос. И не потому, что не умеет, а просто потому, что ему все равно. Нет гистологии — и не надо, обойдемся. Неохота ему задницу рвать и напрягаться, вот он и не напрягается, пока жареный петух в одно место не клюнет.

— А петух, значит, все-таки клюнул, коль он мне вызов пробил? — уточнил Сергей. — И что случилось? Сложный случай, когда без гистологии невозможно закончить экспертизу, а без экспертизы невозможно закончить следствие? И прокуратура встала на дыбы?

Светлана улыбнулась и кивнула, изумрудные глаза озорно сверкнули из-под густой челки.

— Именно. Прокуратура несколько месяцев долбала горздрав, а горздрав пытался долбать шефа, но у шефа крутые подвязки в администрации, так что он никого не боится и на всех плюет. У него свой интерес в этой жизни. А после того случая прокуратура наехала на горздрав уже в полную силу, потому что следствие закончили «на соплях», приговор хромал на все четыре ноги, адвокат подал кассационную жалобу, вышестоящий суд ее удовлетворил да вдобавок устроил разнос нашему городскому суду. В общем, когда к усилиям прокуратуры еще и оскорбленный в лучших чувствах суд подключился, шефа вызвали в горздрав и велели срочно решить вопрос с гистологией, в противном случае никакие связи в администрации ему не помогут. Вот для этого он вас сюда и пригласил. Ваша задача — вычистить эти Авгиевы конюшни.

Авгиевы конюшни! Она еще и образованная? Совсем странно: явно неглупая девчонка, кое-что почитала в своей жизни, в отличие от ровесников, и речь хорошая, не замусоренная, и голова варит, и выдержка... Откуда же берутся в наше время такие необычные девочки? В каких школах их выращивают?

— Странные вещи вы рассказываете, Светлана. Выходит, Георгий Степанович махнул рукой на порядок в Бюро и на организацию работы. Готов поверить, сам видел таких руководителей, их и в столице полно. Но почему тогда он столь трепетно относится к дисциплине? Замечание, выговор, увольнение — и за какие-то несколько минут опоздания? Откуда эти сталинские репрессии? Не вяжется одно с другим, не находите?

— Чаю хотите? — неожиданно предложила девушка.

— Хочу. Только не думайте, что я забуду свой вопрос. Вам придется ответить.

— Я отвечу, — коротко кивнула она и нажала кнопку на электрическом чайнике, стоящем в углу приемной на тумбочке, из которой Светлана достала красивую черную с золотым рисунком жестяную коробку, заварочный чайник и две чашки.

Сергей молча ждал окончания ритуала заваривания чая. Наконец чашка с ароматным горячим напитком оказалась у него в руках. Поставить чашку было некуда, пришлось держать на весу. «Выдержу паузу, — думал он, наблюдая за Светланой, — не буду напоминать о своем вопросе, посмотрю, что она будет делать, а потом выскажу все, что ей причитается. Чтобы знала, с кем и как можно себя вести».

За ручку двери то и дело дергали со стороны коридора, но секретарь начальника не обращала на это ни малейшего внимания.

Сделав первый глоток чаю, девушка прислушалась к чему-то, потом удовлетворенно кивнула.

— Отвечаю на ваш вопрос, Сергей Михайлович. Наш шеф — человек сильно пьющий. Уверена, что вас об этом предупредили. А если нет, то вы наверняка сами это поняли, вы же врач, не могли не заметить.

Он кивнул, ожидая продолжения.

— Об этом давно уже знает все наше Бюро. Иметь пьющего начальника, с одной стороны, крайне неудобно, потому что он не решает вопросы, но с другой стороны — весьма приятно, потому что он самоустраняется от руководства и никому на мозг не капает. Особенно удобно это в том случае, если у начальника нет заместителя. А у нас его как раз и нет. Ставка есть — человека подобрать не могут. Пьющие начальники, как правило, ничего не помнят, ничем не интересуются и ни во что не лезут, давая подчиненным полную вольницу. Именно так и случилось у нас в Бюро. И однажды один из экспертов, отвечая на вопрос о том, почему он пропустил сроки, легкомысленно ответил, дескать, зачем ему думать о сроках, если начальник Бюро ничего не помнит и ни о чем не спрашивает. Если дословно, то нецензурную часть я опущу, а цензурная звучала примерно так: «Этот алкаш все мозги пропил давно, он даже не помнит, каким учреждением руководит, вероятно, думает, что баней, в которой если горячая вода есть — то и слава Богу, а люди сами помоются, ими руководить не нужно. Какие сроки, помилуйте? Да он дает указание и через три минуты забывает, что говорил и кому говорил». Это было неосмотрительно.

— Почему? — рассмеялся Саблин. — Шефу кто-то настучал?

— Хуже. Он все слышал. Шел в этот момент по коридору, а дверь в кабинет была приоткрыта. Крик стоял — аж уши закладывало. Вот с этого момента и началось. Шеф действительно ничего в голове не держит, но взял за правило приезжать за десять минут до начала рабочего дня и строить из себя цербера, который все видит, все сечет и вообще держит руку на пульсе. Это единственное, на что его хватает. На этом процесс руководства нашим Бюро и заканчивается. Дальше — сами. И работаем, и проблемы решаем, выкручиваемся кто как может. При этом шеф не должен ничего знать о том, что проблемы решаются без него и за его спиной, иначе совсем озвереет, и неизвестно, какие еще идиотские формы контроля придумает.

Саблин смотрел на девушку с интересом и недоверием.

— И вы не боитесь мне, совершенно новому, незнакомому вам человеку все это рассказывать? Рисковая вы, однако! — заметил он. — Не боитесь, что я расскажу Георгию Степановичу о том, как вы тут его поносили? Вы же не можете знать, какие у меня с ним на самом деле отношения.

Светлана посмотрела удивленно, потом глаза ее стали равнодушными и холодными, такими же, как утром в кабинете Двояка, когда тот орал на девушку.

— Ну и что? Хотите — идите к шефу, рассказывайте ему, как я выдаю его маленькие гадкие секретики первому встречному. Мне все равно.

— Значит, не боитесь?

— Нет.

— А почему?

— Да потому, что секретиков этих больно много, и все они мне известны. Чего мне его бояться? Пусть он меня боится. Подлить вам еще чаю?

Чай был очень вкусным, какого-то неизвестного Сергею сорта, и он от добавки не отказался. Светлана пошла к нему, держа в одной руке заварочный чайник, в другой — электрический, и слегка наклонила голову, чтобы не промахнуться и не пролить кипяток на брюки Саблина. Солнечный луч упал на ее волосы, и Сергей вдруг увидел обильную седину у корней. Значит, вот почему она красится! Девушка налила чай и подняла голову, и он бросил внимательный взгляд на ее лицо. Морщинки вокруг глаз... Господи, какие девятнадцать?! С чего он это взял? Да ей никак не меньше двадцати семи — двадцати восьми. Совсем не девочка.

— Света, сколько вам лет? — вырвалось у него. — Извините, если мой вопрос показался вам бестактным, но у меня в голове не совмещается ваша внешность ребенка и такая умудренность жизненным опытом.

Она поставила оба чайника на тумбочку и тряхнула челкой.

— Тридцать. А вы подумали сколько?

Тридцать... Как Ольге? Получается, эта девочка всего на три года младше его самого?

— Семнадцать, — признался Сергей. — Потом добавил два года, состарил вас до девятнадцати. Неужели вам действительно тридцать? Вы меня не разыгрываете?

— Паспорт показать? — иронично предложила она. — Я в Бюро работаю уже десять лет, как закончила юридический техникум в восемьдесят девятом году — так и пришла сюда.

Он задумчиво посмотрел на Светлану и покачал головой. Совсем, совсем не девочка. Взрослая женщина. Злая. Гордая. Независимая. Самостоятельная. Смелая. Просто внешность такая...

Да, Саблин, тяжелый у тебя сегодня день... День больших и малых потрясений и открытий.

— Вы проводите меня в секционные? — спросил он. — Я мельком посмотрел одну, но мне хотелось бы ознакомиться с моргом более тщательно.

Светлана молча кивнула, повернула ключ в замке, распахнула дверь и повела Сергея в отделение экспертизы трупов.

— Если хотите побывать на «живом» приеме, то это не сегодня, — сказала она. — Поликлиника далеко, в самом центре города, вам придется туда отдельно поехать.

Сергей понимал, что амбулаторный прием, на котором проводится экспертиза свидетелей и потерпевших, или, иначе говоря, «живой» прием, не должен проводиться в одном помещении с моргом, на этот счет существовали строгие правила. Ну что ж, в другой раз.

ГЛАВА 2

Квартиру ему выделили однокомнатную, но в целом неплохую, в доме, построенном в начале девяностых, то есть по меркам застроенного преимущественно «хрущевками» Северогорска, совсем новом, стоящем в самом центре города на месте снесенного здания горкома партии. Это здание просуществовало со Сталинских времен и как-то утратило первозданный торжественный вид. Горком соорудил себе новое роскошное строение, а старое снесли и освободившуюся площадь отдали под строительство дома «улучшенной планировки», вероятно, предназначенного для проживания все тех же работников идеологического фронта и их семей. Дом начали проектировать в 1984 году, потом объявили перестройку, стали меняться кадры, соответственно, постоянно менялся и переутверждался проект, поскольку каждый следующий руководитель изо всех сил старался доказать, что он лучше и профессиональнее своего предшественника, и выискивал в проекте ошибки и недоработки. Наконец, к 1989 году, проект утвердили в окончательном виде и стали рыть котлован. Котлован вырыли. И даже дом в конце концов построили, однако конец этот самый пришелся на то время, когда не стало ни горкомов, ни компартии. Дом поставили на муниципальный баланс, часть квартир выделили очередникам, часть распределили, как водится, среди «своих», и еще несколько квартир оставили для предоставления в качестве служебного жилья особо ценным работникам. Стараниями Петра Чумичева к таковым и был отнесен исполняющий обязанности заведующего отделением судебно-гистологической экспертизы Северогорского городского Бюро СМЭ Сергей Саблин.

Приступив к работе, он первым делом начал налаживать контакты с патологоанатомами, перезнакомился со всеми и стал то и дело возить им «стекла» с просьбой проконсультировать. Он всегда помнил, что работа гистолога — это работа исключительно глазами, а глаз штука коварная, никогда нельзя быть совершенно уверенным в том, что ты увидел ВСЕ.

Вопрос интерпретации увиденного — это уже другое дело, но хорошо бы, чтобы стеклопрепараты смотрел не один человек, а как минимум двое. Ведь чуть ослабишь внимание, задумаешься о какой-нибудь посторонней ерунде — и все, пропустил то, что пропускать никак нельзя.

Решение кадрового вопроса в централизованном патологоанатомическом отделении центральной городской больницы, единственном в Северогорске, оставляло желать много лучшего. Специалистов не хватало, вакансий было с избытком, и заведующий патанатомическим отделением с готовностью взялся «пробить» вызов для Ольги Борисовны Бондарь. Попасть на работу в районы Крайнего Севера — дело непростое, нельзя взять и приехать в поисках работы. Нужен оформленный определенным образом «вызов» специалиста, то есть его официальное приглашение. Иными словами, городские власти сами принимают решение о том, нужен им конкретный специалист или нет, и если решают, что его следует пригласить, то предоставляют возможность за счет городской казны перевезти контейнер с имуществом весом до 5 тонн, а также гарантируют предоставление служебного жилья — либо комнаты в общежитии гостиничного типа, либо квартиры, если должность, на которую приглашается человек, достаточно солидна.

Завотделением патанатомии сделал все, от него зависящее, Сергей же, со своей стороны, подключил Чумичева, и уже в октябре 1999 года Ольга приехала из Москвы в Северогорск. Квартира ей, конечно же, не полагалась, но комнату в общежитии гостиничного типа она получила.

— Откажись ты от нее, — говорил Сергей, искренне не понимавший, зачем Ольге эта сомнительной комфортности комнатушка. — Все равно ведь ты будешь жить в моей квартире.

— А если нет? — полным иронии голосом отвечала Ольга. — А вдруг не буду?

— То есть как — не будешь? Ты обещала. Мы же договаривались...

— Саблин, я обещала жить с тобой, это правда. Но я не обещала оставаться с тобой, если ты вдруг станешь невыносимым или мы разлюбим друг друга. Мне нужно место, куда я смогу уйти.

— Что ты такое говоришь! — искренне возмущался Сергей. — Почему я должен стать невыносимым? С чего ты это взяла?

— Потому что человек с возрастом не меняется, — смеялась Ольга. — Человек с возрастом усугубляется. Это сказал замечательный писатель Юрий Перов. А я писателям верю. Ты уже сейчас отвратителен, я выношу тебя с огромным трудом и только потому, что люблю. Но со временем ты станешь еще хуже, и тогда, вполне возможно, моя способность выносить тебя начнет пробуксовывать. Ну и потом, ты же можешь разлюбить меня и бросить, полюбить другую женщину. Что мне, на улице оставаться? Или ты предложишь мне жить втроем?

— Что за бред! — кипятился Сергей. — Почему я должен тебя разлюбить!

Ольга хохотала или невозмутимо пожимала плечами, в зависимости от настроения, но отвечала каждый раз одно и то же:

— Или я тебя разлюблю. Тоже вариант.

В середине декабря отметили очередной день рождения Сергея — тридцать три стукнуло, хотели посидеть вдвоем: все-таки это был первый его день рождения, который он мог провести вместе с Ольгой. Но звонок в дверь нарушил все планы: на пороге стоял улыбающийся Петя Чумичев с огромными пакетами в руках.

— Трудно жить на свете пионеру Пете! — громогласно заявил он прямо с порога.

— Бьет его по роже хулиган Сережа! — радостно откликнулся Сергей.

Этим незамысловатым четверостишием они приветствовали друг друга класса, наверное, с шестого. Петр Андреевич и на этот раз не забыл памятную дату, и Сергею это отчего-то было приятно. Петя с ходу принялся ухаживать на Ольгой, плотоядно причмокивая языком и приговаривая, что вот теперь он понимает, за кого просил его друг Серега и почему он с такой легкостью согласился уехать из Москвы.

— Да ради счастья жить с такой женщиной я бы не то что на Крайний Север — я бы в пустыню рванул, где, кроме песка и верблюдов, ничего нет! — повторял он, раскладывая на столе принесенные деликатесы.

Потом несколько подуспокоился и после трех-четырех выпитых рюмок дал увести себя с опасной стези ухаживания за чужой женщиной на вполне комфортную тропинку обсуждения дел в бюро судмедэкспертизы.

— Чума, я все-таки не понял: почему у Двояка нет заместителя? Ставка-то есть. Неужели трудно человека подобрать?

— Нетрудно, — с готовностью согласился Петр, — но тактически неправильно.

— Поясни, — потребовал Саблин.

— Каждый руководитель стремится привести свою команду, это прописная истина. Жора Двояк долго в начальниках Бюро не останется. Он на этом месте сидит только до первого серьезнейшего прокола, после которого его задницу уже прикрыть невозможно будет даже силами администрации. Или до того момента, пока эти «прикрыватели задницы» из администрации не исчезнут. Одно из двух. И ждать сего сладостного мига уже не очень долго. Новый начальник Бюро захочет взять замом «своего» человека, и надо предоставить ему эту возможность. А если должность будет занята, то могут возникнуть трудности. Так что пусть лучше Жорик пока в одиночку помается, он всё равно ни фига не делает, что с замом, что без зама. А уж потом, когда нормальный начальник придет, мы ему поможем и заместителя себе толкового организовать.

Чума почему-то ни словом не обмолвился в этот раз о том, что прочит на должность начальника Бюро именно Сергея Саблина. Но по тому, как он поглядывал на бывшего одноклассника, было понятно, что со своей идеей он не расстался.

* * *

Они прожили зиму в практически пустой квартире Сергея, ожидая истечения шести месяцев со дня его назначения на должность: через шесть месяцев ему полагался отпуск. Жить без холодильника, стиральной машины, утюга, пылесоса и прочей столь привычной и необходимой бытовой техники было трудно, Сергей злился и через два дня на третий ставил перед Ольгой вопрос ребром: быстро приобрести все необходимое здесь, в Северогорске. Путей для этого было всего два. Можно было купить в магазине, заплатив в два, а то и в три раза дороже, чем в Москве, а можно было практически за бесценок приобрести с рук у тех, кто отъезжал «на материк» и в срочном порядке распродавал свое имущество. Сергей, отдавший в общей сложности шесть лет своей жизни работе в реанимации, не был ни требователен к особому комфорту, ни брезглив, однако в этом вопросе Ольга стояла насмерть: только новое. Все-таки кое-что из «секонд-хенда», вроде дивана и стола с двумя стульями, в их жилище появилось, но без этого уже совсем невозможно было обойтись. Прочие же потребности терпеливо ждали своего удовлетворения до того времени, как Сергей поедет в отпуск в Москву и отправит оттуда контейнер.

Сергей ужасно не хотел ехать в Москву один, он предлагал Ольге подождать, пока подойдет время ее отпуска, поехать вместе и вместе же выбрать и купить все необходимое, но она идею не поддержала.

— Саблин, ты семейный человек, у тебя в Москве жена. Она наверняка захочет помочь тебе сделать покупки, она ведь женщина, а какая женщина сможет остаться безучастной, когда ее муж будет покупать для себя стиральную машину или микроволновку? Лена захочет поездить с тобой по магазинам, и как ты собираешься выкручиваться, если я буду в Москве в это время и мы с тобой договоримся покупать все вдвоем?

Сергей дулся, замолкал обиженно, но не мог не признать, что Ольга права. Лена действительно захотела принять посильное участие в обустройстве нового жилища мужа, с энтузиазмом ездила вместе с Сергеем по магазинам, терзала продавцов-консультантов бесчисленными вопросами и всячески демонстрировала горячую заинтересованность в том, чтобы у мужа на Крайнем Севере было все самое лучшее из недорогого и самое недорогое из лучшего. Дома она проявляла супружескую преданность, вместе с Верой Никитичной готовила каждый день что-нибудь особо вкусное, а по ночам дарила Сергею возможность вспомнить самые яркие и волнующие моменты из их прошлой сексуальной жизни. Заработанных за полгода денег хватило не только на запланированные покупки и на то, чтобы оставить Лене приличную сумму, но и на подержанный персональный компьютер, о котором Саблин давно мечтал. За время отпуска он несколько раз выезжал с Дашенькой на дачу то к родителям, то к друзьям, учил девочку ходить на лыжах и лепить снеговиков с морковкой вместо носа и детским ведерком на голове. Одним словом, уезжал он из Москвы вполне довольным. Не зря он пустился в авантюру с Северогорском, риск себя полностью оправдал. Лена счастлива, что он не путается под ногами, но в то же время наличествует и даже деньги присылает, Дашка растет веселой и здоровой девочкой, родители в полном порядке, все вещи по составленному вместе с Ольгой списку куплены, контейнер отправлен. И пусть он придет в Северогорск только месяца через полтора-два, а то и все три, он же когда-нибудь придет! И начнется у него новая удобная и спокойная жизнь, в которой будут осознание выполненного перед семьей долга, любимая работа и любимая женщина. А что еще нужно для счастья?

* * *

Северогорское Бюро судебно-медицинской экспертизы по документам именовалось «филиалом областного Бюро СМЭ». Однако до областного центра было далековато — два часа самолетом, а городской бюджет Северогорска позволял полностью финансировать работу судебно-медицинских экспертов, так что от областного Бюро северогорцы практически не зависели. Из области осуществляли только научно-методическое руководство, да иногда приезжали с инспекцией комиссии, которые, по сути, являлись прогулкой с рыболовно-алкогольными затеями. В областном центре был и мединститут с кафедрой судебной медицины, посему научный потенциал экспертизы считался, и считался, надо заметить, вполне справедливо, более высоким, чем в Северогорске, поэтому зачастую следователи и судьи назначали экспертные исследования именно в областном центре, особенно когда дело касалось случаев, по которым на местных экспертов могло оказываться давление со стороны заинтересованных лиц.

Некоторое время назад северогорские эксперты допустили ряд серьезных ошибок при проведении комиссионных экспертиз, и в результате разразившегося скандала на областном уровне было решено запретить Северогорскому Бюро СМЭ проводить этот вид экспертиз, а соответствующее отделение в Бюро ликвидировать. С тех пор все комиссионные экспертизы проводились только в областном Бюро, что немало разочаровало Саблина: комиссионные экспертизы, как правило, предусматривали большой объем работы с медицинской документацией, и в этой работе Сергей чувствовал себя вольготно, как рыба в воде. Ему нравилось разбирать корявый торопливый почерк врачей, делать выписки, сопоставлять результаты исследований и диагнозы, анализировать, и, зная эту его особенность, в Москве его постоянно включали в состав комиссий экспертов, среди которых у Саблина появился определенный авторитет. Он очень рассчитывал на участие в комиссионных экспертизах и в Северогорске, похвалы были необходимы ему, как воздух, а в том, что он эти похвалы заслужит, работая с медицинскими документами, он ни минуты не сомневался. Однако надежды не оправдались.

Сергей с энтузиазмом взялся за работу в гистологическом отделении, дневал и ночевал на работе, то и дело засыпая прямо над микроскопом, прижавшись закрытыми глазами к наглазникам окуляров. Он все время хотел спать, потому что постоянный свет незаходящего, а только слегка спускающегося по небосклону и тут же снова поднимающегося солнца не давал уснуть. К середине осени стало легче, свет уже не мешал, основные завалы оказались вычищенными, просроченные гистологические исследования, давно ожидавшие своей очереди, проведены, со «стеклами» наведен относительный порядок, текущая работа выполнялась в срок. Первые полгода, до самого отпуска, Саблин пахал, как ломовая лошадь, с ужасом понимая, что катастрофически «садится» зрение, но остановиться не мог.

При исследовании залежей запасных частей и принадлежностей к аппаратуре, за долгие годы скопившихся на складе Бюро, он обнаружил комплект приставки к оптическому микроскопу для исследования микропрепаратов в поляризованном свете. По непонятным причинам эта приставка не была установлена и использована на хорошем «ломовском» микроскопе, оставшемся от ушедшей в декретный отпуск заведующей отделением. Видимо, коллега либо пренебрегала этим методом микроскопической диагностики, либо вовсе не владела им, хотя метод был далеко не нов, детально разработан и описан в специальной литературе еще в конце 70-х годов и успешно использовался для микроскопической диагностики ранних болезненных изменений в тканях и органах, недоступных для обнаружения методами обычной микроскопии.

С сотрудниками ему повезло: из четырех лаборантов трое были, несмотря на относительную молодость, очень опытными и добросовестными, дело свое знали досконально и выполняли отлично. Четвертой была молодая девочка, недавно закончившая медучилище, но под влиянием своих более опытных товарок искренне интересовавшаяся тем, что делала, и охотно набиравшаяся знаний. Двояк не обманул: все четыре женщины действительно были хороши собой, каждая по-своему, являя различные, такие непохожие друг на друга варианты красоты, и славянской, и азиатской, и кавказской. И в том, что Саблину удалось за столь короткий срок наладить работу отделения, была огромная заслуга и четырех самоотверженных лаборанток.

Единственное, с чем Саблин не желал мириться, так это с их любовью посплетничать и поболтать о предметах, не относящихся к работе. Работе это, правда, не мешало, но Сергея раздражало. Особенно оживленными становились эти разговоры во время перерывов на чай или на обед. В уголке тесной лаборатории притулился колченогий столик, за которым лаборантки пили чай или кофе и поедали принесенные из дома бутерброды или еду в пластиковых контейнерах — какие-то салатики, холодную вареную картошку или цветную капусту, котлеты. Здание Бюро стояло на отшибе, никаких заведений общепита поблизости не было, и проблему питания во время обеда каждый решал на своем рабочем месте в меру собственной фантазии, вкуса и состояния здоровья.

Однажды Сергей зашел в лабораторию, когда дамы-подчиненные пили чай, и увидел на столике полиэтиленовый пакет, полный пирожков самой разной конфигурации: квадратных, треугольных, овальных и круглых.

— Сергей Михайлович, угощайтесь! Пирожки знатные!

Он был голоден, поэтому взял наугад квадратный пирожок. Он оказался с мясом и был действительно необыкновенно вкусным. Второй пирожок, на сей раз овальный, был с капустой.

— И вправду знатный! — улыбнулся Саблин. — Горжусь тем, какие умелицы у меня работают. И кто же это у нас такие пироги печет? Вы?

Он посмотрел на самую старшую из лаборанток, сорокадвухлетнюю Ниночку, славившуюся своей домовитостью и любовью к кулинарии. Нина засмеялась и отрицательно покачала головой.

— Что вы, Сергей Михайлович, куда мне! Уж на что я мастерица по выпечке, это правда, но такое тесто у меня никогда в жизни не получалось. Это

Таскон угостил. Он нас часто угощает, когда его Лялечка затевает большой пирожковый день. Правда, она в основном для Изабеллы Савельевны старается, все носится с идеей ее подкормить, но ничего не получается.

Лаборантки дружно расхохотались, но причина смеха пока оставалась для Сергея загадкой. Кто такая Лялечка? Почему она старается для «отощавшей слонихи» Сумароковой и почему результаты этих стараний приносит в Бюро эксперт-биолог Таскон? Отсмеявшись, дамы наперебой поведали своему заведующему о том, что Изабелла Савельевна много лет дружит с женой Льва Станиславовича Таскона, они подружки — неразлейвода, и вот Лялечка хочет, чтобы Изабелла Савельевна хоть немножко прибавила в весе и округлилась, поэтому каждый свободный день посвящает выпечке, которую биолог добросовестно носит в Бюро. А Изабелла ест — и хоть бы что! Ни на грамм не поправляется. Печет Лялечка щедро, помногу, поэтому Лев Станиславович в «большие пирожковые дни» является на работу с огромной сумкой и, накормив первым делом Изабеллу, остальное разносит коллегам.

— Вот ведь обидно, Сергей Михайлович, — огорченно говорила одна из лаборанток, страдающая лишним весом, — чуть кусочек себе позволишь — моментально плюс сантиметр на талии или плюс полкило на весах, а Сумарокова ест и нахваливает, а мослы как торчали — так и торчат. И за что ей такое счастье? Мне худеть надо, у меня личная жизнь, а ей зачем?

— И то правда, — подхватила Ниночка, — у Изабеллы Савельевны в личной жизни и так все в порядке, муж обожает, надышаться на нее не может, деньги приличные зарабатывает, так что Сумарокова у нас не бедствует и вообще в полном ажуре. Даже если она три тонны будет весить — муж ее не бросит, а у нас тут с семейными делами у всех непросто.

Саблин, наевшийся вкуснейших пирожков, ушел к себе в кабинет, удрученно покачивая головой. Надо же, как он ошибался! Был уверен, что у Сумароковой роман с Таскном, при этом, оценивая их внешние данные и возраст с высоты своих тридцати с небольшим лет, полагал, что они никому не могут быть нужны и интересны, кроме друг друга. Типа «вот и встретились два одиночества», высоченная, с лошадиным лицом Изабелла Савельевна и маленький кургузый Лев Станиславович. А оказывается, оба в браке, и браки эти, судя по всему, счастливые. И никакого романа между Таскном и Сумароковой нет и в помине, а есть давняя дружба.

* * *

Постепенно эксперты убеждались в том, насколько необходимы результаты гистологических исследований для составления объективного заключения о причине смерти. До того как уйти в декрет, заведующая гистологией работала строго по часам, «от и до», не задерживаясь у микроскопа ни одной лишней минуты, и понятно, что она просто не успевала проводить все назначенные исследования, и потому эксперты приноровились составлять заключения без данных гистологии. И как-то со временем сложилось представление о том, что гистология — специальность второстепенная, не обязательная, без которой вполне можно обойтись. Теперь же, когда новый завгистологией, днюя и ночуя в Бюро и работая по выходным, обеспечивал стопроцентное выполнение исследований в срок, стало формироваться мнение, что без гистологии — никуда. Это радовало Сергея, он свою специальность любил, отдавал ей все силы, всю душу, и даже стал подумывать о том, не уйти ли окончательно от экспертизы трупов в гистологию. Но, с другой стороны, все усилия Саблина по научному обеспечению заключений и постановки диагнозов привели к тому, что основная часть экспертов расслабились: зачем стараться формулировать причину смерти после вскрытия, когда добрый дяденька Сергей Михайлович проведет свое исследование и почти наверняка точно укажет, как там и чего. Они начали активно пользоваться предоставленной законом с недавнего времени возможностью выписывать предварительные свидетельства о смерти с заветной фразой: «причина смерти временно не установлена». Очень удобно, и мозг надрывать не нужно, и время можно сэкономить. Саблин посмотрит и все скажет, а они потом напишут как надо.

Такая откровенная халтура Сергея раздражала, однако авторитет его среди экспертов рос, чему он искренне по-мальчишески радовался.

* * *

Ольга привезла с собой из Москвы микроскоп, при помощи которого смотрела препараты дома. У Сергея своего микроскопа не было, и они честно поделили его, установив очередность: работы у обоих было много, и почти всегда в конце недели оба приносили стеклопрепараты домой, смотрели их вместе, обсуждали, ссорились, доказывая собственную правоту, потом мирились... Ольга ничуть не преувеличивала, когда называла себя хорошим патологоанатомом, и Сергей к ее мнению всегда прислушивался, отдавая должное ее профессионализму.

В одно из воскресений время Сергея для работы с микроскопом закончилось в два часа дня, после чего Ольга накормила его обедом и склонилась над окулярами, а сам Сергей завалился на диван, чтобы обдумать формулировки, которые он потом запишет на компьютере. В Бюро компьютеров пока еще не водилось, несмотря на то, что финансирование было более чем достаточным. Саблин не уставал этому удивляться, впрочем, памятуя об особенностях начальника Бюро, удивляться-то было, в сущности, нечему. Все медрегистраторы Северогорского бюро, равно как и эксперты, пользовались пишущими машинками, правда, машинки все были хорошими, электрическими и исправными. В самое ближайшее время Сергей планировал прикупить какой-нибудь недорогой струйный принтер. Конечно, он занимает много места, но зато дешевле лазерного. Сергей старался жить экономно и много на себя не тратить, чтобы побольше денег оставалось для перевода Лене.

Он незаметно задремал в тишине и вдруг проснулся от громких ожесточенных голосов. Где-то за стеной скандалили соседи.

— Я тебя убью!!! — вопил женский голос, причем голос, как показалось Сергею, немолодой.

— Успокойся! Возьми себя в руки! — увещевал невидимый мужчина. — Что ты выдумала?

— Я ничего не выдумала! Я все про тебя знаю! Я давно все поняла про тебя и эту стерву крашеную!

Проснувшийся Сергей попытался сосредоточиться на работе, но голоса становились все громче и яростнее, потом раздался звон разбитого стекла.

— Оль, что там происходит, не знаешь?

Ольга пожала плечами, не отрываясь от микроскопа.

Теперь за стеной что-то грохнуло, после чего послышался испуганный мужской вопль.

— Оль, они там поубивают друг друга, — сказал Саблин, поднимаясь с дивана и всовывая ноги в домашние шлепанцы. — Не знаешь, кто в этой квартире живет?

— Понятия не имею, — отозвалась Ольга. — Но если хочешь, пойдем позвоним в дверь, может, там действительно помощь нужна.

Они вышли на лестничную площадку и позвонили в квартиру, расположенную справа — именно с правой стороны доносились звуки скандала. Дверь распахнулась немедленно, и перед ними предстала настоящая фурия, казалось, сошедшая с иллюстрации к детской книжке. Женщина, возрастом приближавшаяся к семидесяти годам, с распущенными по плечам длинными густыми серебряными волосами, с ярко накрашенными веками, ресницами и губами, в длинной цветастой широкой юбке с оборками, похожей на цыганскую, и в цветастой же кофточке, смотрела на них, сверкая глазами. В ушах покачивались длинные, до самых плеч, красные с черным серьги-подвески, сделанные из пластмассы, обе обнаженные по локоть руки украшены такими же красно-черными дешевыми браслетами.

«Цыганка, что ли? — с удивлением подумал Сергей. — Что-то для настоящей цыганки она слишком нарочитая. И украшения копеечные, вроде бы настоящие цыгане такое не носят».

Женщина в странном наряде молча стояла в дверях и сверлила их взглядом.

— У вас все в порядке? — спросил Сергей. — Ничего не случилось?

— Жанночка, кто там? — послышался мужской голос из комнаты.

Сергей слегка отодвинул седую женщину по имени Жанна и сделал шаг в прихожую соседской квартиры. Квартира была, судя по всему, точно такая же, как у него, только зеркально расположенная.

— У вас все в порядке? — крикнул он громче. — Мы услышали шум, вроде что-то разбилось, потом упало. Помощь не нужна?

— Нужна, — неожиданно твердым низким голосом произнесла Жанна. — Объясните этому чудовищу, что со мной нельзя так обращаться! Я посвятила ему всю жизнь, я отдала ему лучшие годы своей молодости, а он на старости лет задумал меня бросить, завел романчик с какой-то крашеной стервой, она без конца звонит ему по телефону и молчит в трубку.

Из комнаты появился «коварный изменщик» — очень пожилой, но все еще статный мужчина совершенно не цыганского облика: в меру плешивый, в меру седой, в меру сутулый, в меру морщинистый, одетый в домашние брюки из мягкой светло-коричневой ткани, сорочку в мелкую клеточку и толстый вязаный жилет с оттопыренными карманами. Самый обыкновенный российский пенсионер.

— Жанночка, деточка моя, ну что ж ты такое говоришь, как же тебе не стыдно, люди бог знает что обо мне подумают, — заговорил он мягко и просительно.

— Люди подумают то, что есть на самом деле! — отрезала седовласая «цыганка». — Что ты — старый похотливый козел, позарившийся на молодое тело. Это тебе должно быть стыдно, а не мне!

Ольга улыбнулась и потянула Саблина за рукав, призывая уйти к себе. Он сделал шаг назад, но в этот момент сердитое лицо соседки внезапно смягчилось и стало доброжелательным и приятным.

— А вы наши новые соседи? — спросила она голосом, не имевшим ничего общего с голосом разгневанной ревнивой жены, только что громогласно упрекавшей мужа в измене.

— Не такие уж новые, — заметила Ольга, — мы здесь живем с октября. Просто мы с вами раньше не сталкивались.

«Коварный изменщик» облегченно перевел дух, подошел к супруге и робко обнял ее за плечи. Жанна откинулась назад, прижавшись к его широкой груди, и блаженно улыбнулась.

— Тогда давайте знакомиться, — предложила она. — Мы Ильины, я — Жанна Аркадьевна, мой муж — Анатолий Иванович. Мы вас побеспокоили своей ссорой? Ради Бога, извините! Вы знаете, у меня темперамент такой бешеный, если меня задеть, я буквально собой не владею, убить могу, честное слово! С моим темпераментом просто сладу нет, вот Толенька всю жизнь мучается со мной, а я ничего поделать не могу. Цыганская кровь, знаете ли, дает о себе знать.

— Ну Жанночка, — с упреком протянул Анатолий Иванович, — не надо выдумывать, не стоит наговаривать на себя. Какой уж там у тебя особенный темперамент? Просто у тебя сложный характер, а темперамент тут совсем ни при чем.

— Нет, именно темперамент! И не смей со мной спорить! Я лучше знаю! Цыганская кровь — не водица! — упрямо твердила Жанна Аркадьевна, сверкая накрашенными глазами.

— Но откуда в тебе цыганская кровь? — пытался урезонить ее муж. — Ты русская до седьмого колена.

— Нет! — почти взвизгнула Жанна. — Мне бабушка рассказывала, что ее прабабку соблазнил цыган из табора, и она родила от него ребенка, деда моей бабушки. Она не стала бы лгать.

— Жанночка, — Анатолий Иванович с улыбкой поцеловал строптивую супругу, — ты даже не спросила, как зовут наших новых соседей, сразу начала про темперамент и цыганскую кровь. Это невежливо.

— Извините, — спохватилась Жанна Аркадьевна с виноватой улыбкой.

Уже через пять минут все были знакомы друг с другом и знали, кто чем занимается и где работает, а через пятнадцать сидели в кухне у Ильиных, пили чай с вкуснейшими конфетами и весело болтали.

Впрочем, болтали на самом деле только соседи и Ольга, Сергей сидел насупленный и молчал, ему жаль было бездарно растрачиваемого времени.

Соседи оказались довольно занятной приятной парой, оба в прошлом инженеры-металлурги, проработали много лет на комбинате, вырастили детей и собрались было уезжать на Большую землю, но дети уговорили остаться: нужно было помогать с внуками, у дочери двое малышей, у сына — трое. Жанна всю жизнь бешено ревновала Анатолия Ивановича, причем, похоже, всегда без реального повода. Она то и дело вставляла в разговор реплики, призванные напомнить собеседникам о ее «цыганской крови» и «бешеном цыганском темпераменте», Анатолий же Иванович ужасно смущался, поведение супруги казалось ему нелепым и смешным, он пытался ее одернуть, остановить, но остановить Жанну Аркадьевну было так же сложно, как бегущего бизона.

Ольга и Сергей собрались уходить, и Жанна Аркадьевна, накинув на плечи черную в пунцовых розах шаль, вышла вместе с ними на лестницу.

— Сережа, — шепотом спросила она, оглядываясь на открытую дверь своей квартиры, — а вы правда судебно-медицинский эксперт?

— Конечно, правда, — подтвердил он.

— Значит, вы сможете мне помочь в случае чего?

— В случае чего именно? — не понял Сергей. — Какие у вас проблемы, Жанна Аркадьевна?

Та театрально вздохнула.

— У меня всю жизнь одна проблема — измены Толика. Он ни разу не признался, он от всего отпирается, но я точно знаю, что он мне изменяет. Я хочу поймать его с поличным, чтобы он не мог ответеться.

— Зачем? — коварно спросил Сергей. — Для чего вам это нужно?

— Чтобы точно знать! — нетрепливо воскликнула Жанна. — И припереть его к стенке.

— И что? — спросила Ольга, до этого не вмешивавшаяся в разговор, но слушавшая очень внимательно. — Ну вот вы припрете его к стенке, и что будет дальше? В чем ваша выгода? В чем состоит ваш генеральный план?

— Я смогу разговаривать с ним по-другому, он больше не посмеет отпираться, он поймет, что попался.

— И что? — повторила Ольга, не скрывая ироничной улыбки. — Вот Анатолий Иванович поймет, что попался. Вам станет легче? Он будет испытывать неловкость, вероятно, даже чувство вины, ему станет некомфортно рядом с вами, и он просто уйдет.

— К этой шалаве?!?! — выкатив глаза, завопила Жанна громким шепотом, снова боязливо оглянувшись на дверь своей квартиры.

— Ну почему непременно к шалаве, — подхватил игру Саблин. — Он просто уйдет. Куда глаза глядят. Не захочет больше с вами жить. И вы ничего ровным счетом не выиграете, потому что если вы опасаетесь, что у Анатолия Ивановича роман и он может уйти, то от вашего припирания к стенке он точно так же может уйти. Получается шило на мыло.

— Вы думаете? — задумчиво спросила Жанна. Весь ее запал мгновенно угас.

— Уверен, — кивнул Саблин, изо всех сил стараясь не расхохотаться.

Боже мой, ну кому нужен этот старый пень Анатолий Иванович, нищий российский пенсионер с сумасшедшей женой, двумя детьми и пятью внуками! Кто на него позарится?!

Жанна Аркадьевна подумала еще немного и просительно тронула Сергея за руку.

— И все-таки, Сережа, пообещайте мне, что выполните мою просьбу, если я к вам обращусь.

— Боже мой, Жанна Аркадьевна, для вас — все, что угодно! — галантно произнес Саблин.

Дома они с Ольгой, поспешно заперев за собой дверь квартиры, разразились хохотом. У Ольги из глаз текли слезы, Саблин согнулся пополам и держался за живот. Отсмеявшись, они обменялись впечатлениями о соседской паре и пришли к выводу, что Жанну Аркадьевну будут между собой называть не иначе как «наша престарелая Кармен», а с именем для ее Анатолия Ивановича вышла заминка: Саблин предлагал именовать его «Хозе», Ольга же считала, что больше подойдет «Казанова».

— Хозе убил Кармен из ревности, — говорила она. — А здесь все наоборот, здесь Кармен готова своего суженого порешить. Хозе не годится.

— А Казанова, по-твоему, годится? — возражал Саблин. — Казанову ревновали всегда по делу, он действительно был дамским угодником, а этот-то пенек ни на одну бабу небось в своей жизни не посмотрел, кроме жены.

В конце концов сошлись на Дантесе: Эдмон Дантес из «Графа Монте-Кристо» был обвинен в том, чего не совершал, и много лет провел в заключении, которого не заслуживал.

* * *

Скопившиеся в гистологической лаборатории стеклопрепараты, исследования по которым так и не были проведены в связи с отсутствием эксперта-гистолога, можно было в принципе и не смотреть: судебно-медицинские экспертизы были закончены без результатов гистологии и представлены следствию, которое сделало собственные выводы. Этих результатов уже никто не ждал. Но Сергей все равно смотрел «стекла»: незаконченная работа тяготила, непросмотренные стеклопрепараты нельзя было сдавать в архив. Кроме того, ему как добросовестному профессионалу было важно сравнить результаты собственного исследования с теми заключениями, которые давали эксперты, не дождавшиеся результатов гистологии. Чаще диагнозы полностью совпадали. Но случалось и иное. Работа была не срочной и растянулась на несколько месяцев.

Однажды Саблин, просматривая препараты, обнаружил в одном случае признаки хронической субдуральной гематомы. Это означало, что человек когда-то перенес тяжелую черепно-мозговую травму, зажившую с образованием своеобразной рубцовой ткани с многочисленными сосудами. Эти мелкие сосуды и послужили источником повторного внутричерепного кровоизлияния, а кровоизлияние, в свою очередь, привело к сдавлению мозга образовавшейся гематомой и наступлению смерти. Бывает. Сергей достал из папки заранее взятые из архива материалы по этому случаю: он всегда готовился загодя, составлял список препаратов, которые собирался исследовать, и приступал к работе, вооружившись всеми необходимыми материалами, хранящимися в архиве.

В заключении эксперта по данному случаю стоял диагноз: «Закрытая черепно-мозговая травмы, субдуральное кровоизлияние».

Очень интересно! Стало быть, судебно-медицинский эксперт расценил эту судбуральную гематому как острую, а не как хроническую. Острая — значит, человеку причинили травму, от которой он и скончался. А хроническая субдуральная гематома в судебной медицине вообще травмой не считается и поэтому не подлежит оценке по признакам тяжести вреда, причиненного здоровью. Хроническая гематома — это сосудистое заболевание головного мозга, которое может развиться по множеству самых разнообразных причин, начиная от различных инфекционных заболеваний или токсических поражений и заканчивая полученными когда-то черепно-мозговыми травмами. Менингит, инсульт, гемофилия и многое другое может привести к развитию и формированию хронической гематомы, при наличии которой человек мог умереть от кровоизлияния из новообразованных сосудов, вызванного самыми безобидными причинами: гипертоническим кризом, например, или алкогольным опьянением, или несильными ударами по лицу или голове, или банальным падением, как принято говорить в судебной медицине, «с высоты собственного роста», при этом ему даже не обязательно было ударяться головой обо что-нибудь, достаточно было всего лишь поскользнуться и упасть на ягодицы.

Уголовное дело по этому случаю было возбуждено еще восемь месяцев назад. В описании обстоятельств дела указано, что один пьяный безработный во время совместного распития спиртных напитков нанес другому такому же пьяному безработному телесные повреждения, причинившие смерть. Такое ерундовое дело наверняка закончили расследованием давным-давно и в суд передали, и приговор уже состоялся. Значит, тот из двух собутыльников, кто остался в живых, уже отбывает срок и парится на нарах, поскольку факта избиения он не отрицал, а экспертиза утверждала, что именно телесные повреждения, причиненные во время избиения, и привели к образованию острой субдуральной гематомы, субдуральному кровоизлиянию и к смерти.

Выходит, мужик сидит ни за что? Драка дракой, чего между пьяными собутыльниками не бывает, а в том, что у потерпевшего хроническое заболевание сосудов головного мозга, никто не виноват.

Сергей собрал все материалы и отправился к Изабелле Савельевне, которая как самый опытный и уважаемый сотрудник Бюро была оставлена Двояком исполнять обязанности начальника на время его отпуска. Изабелла Савельевна принципиально не пересаживалась на это время в начальственный кабинет, принимая сотрудников и решая текущие вопросы в привычной ей обстановке в помещении морга.

— Я свое продавленное кресло ни на что не променяю, — говорила она. — Оно у меня под длину ног подогнано, а сидеть на вашей уродской лилипутской мебелишке мне неудобно и гордость не позволяет. Унизительно.

Сергей, волнуясь, рассказал ей об обнаруженной ошибке.

— Вы понимаете, он же сидит, этот мужичонка несчастный, а получается, что он ни в чем не виноват.

Сумарокова пробежала глазами принесенные Саблиным документы.

— Но ведь бил? Бил. Удары наносил? Наносил, — заметила она, не отрывая глаз от постановления о назначении судебно-медицинской экспертизы, в которой, как и полагается, были изложены фактические обстоятельства дела.

— От таких ударов здоровый человек умереть не может, — горячился Сергей. — Ни при каких обстоятельствах. Умереть может только больной. А в том, что потерпевший имел хроническое заболевание, о котором никто не знал, его собутыльник не виноват.

Изабелла Савельевна со вздохом протянула Сергею документы.

— Сергей Михайлович, я вас прекрасно понимаю. Сама в вашем возрасте была такой. И даже еще в сорок пять лет билась за недопущение экспертных ошибок и их исправление. А в пятьдесят пять уже перестала. И знаете почему? Устала. Надоело, что меня гоняют из кабинетов, как паршивую собачонку, которая выклянчивает еду и всем мешает.

Никому ничего не нужно. И вам придется к этому привыкнуть. Кроме того, у всех есть свой корпоративный интерес, не забывайте об этом.

Губы Сергея искривились в презрительной ухмылке. Он ненавидел это обтекаемое слово «интерес». Профессиональный интерес как профессиональное любопытство он признавал, все остальное казалось ему недостойным и мерзостным.

— Вы хотите сказать — денежный интерес? — уточнил он.

— Нет, именно корпоративный. Вот вы придете со своими материалами и требованиями к нашему уважаемому Георгию Степановичу, и это будет читаться как упрек в том, что он столько времени продержал наше Бюро без гистологии. С вашими материалами он пойдет в прокуратуру, и там на него начнут наезжать, дескать, вот мы вам говорили, мы вас предупреждали, сами виноваты. И еще в горздрав наклязничают и в администрацию. Двояку это нужно? Идем дальше. Следствие вынуждено будет признать, что на основании ошибочно выставленного диагноза привлекло к уголовной ответственности невиновного. Казалось бы: следователь ни при чем, он исходил из заключения эксперта, он же не мог знать, что эксперт ошибся. Однако и тут есть подводный камень: в заключении судебно-медицинского эксперта нет результатов гистологического исследования, а в протокольной части сказано, что материал набран и отправлен на гистологию. И прокуратура задает следователю совершенно справедливый вопрос: куда же вы, батенька, смотрели? Вы же видели, что экспертное заключение основано на неполных материалах, значит, должны были предполагать, что может закрасться ошибка. Ах, вы не видели? А почему? Протокольную часть не читали? Внимания не обратили? Прочли, как и все следователи, только выводы? И следователь получает по самые помидоры. Идем дальше. А дальше у нас суд с судьями. Суды борются за стабильность приговоров, поэтому любая отмена приговора — удар по корпоративным интересам. Они этого страсть как не любят и стараются не допускать, и даже если видят, что приговор совершенно определенно неправосудный, все равно упираются до последнего. И потом: экспертное заключение представляется суду, и если следователь чего-то там не прочитал и не увидел, то они-то должны были прочесть и заметить. А тоже не прочитали, не заметили, не поняли, не придали значения. То есть все кругом виноваты. Вы много знаете людей, которым нравится ходить виноватыми? Лично я — нет. Поэтому посыпать себе голову пеплом и наживать неприятности из-за какого-то пьяного бомжа никто не станет. Вы только потратите нервы и силы, но ничего не добьетесь.

Она замолчала, чуть склонив голову, потом вытащила из кармана халата пачку сигарет и зажигалку, прикурила, протянула длинную руку и пододвинула к себе пепельницу — затейливой формы изделие из какого-то поделочного камня.

— Я устала, Сергей Михайлович, — проговорила она негромко, не глядя на него. — Я очень устала воевать. Я не солдат, я всего лишь женщина, хотя и очень высокая и очень спортивная. Вы знаете, я ведь до сих пор каждое утро выхожу на пробежку, в любую погоду выхожу. В этом смысле я в отличной форме. Но во всех остальных смыслах... Меня хватает только на то, чтобы руководить отделением, проводить вскрытия, контролировать работу моих экспертов и периодически замещать шефа, когда тот уезжает в отпуск. Все. На этом мои силы заканчиваются. И желания, честно признаться, тоже.

— Но как же... — начал было Сергей, все еще не терявший надежды убедить Сумарокову предпринять хоть что-нибудь, чтобы вытащить из колонии безвинно осужденного безработного.

Изабелла Савельевна взмахнула зажатой между пальцев сигаретой, делая ему знак помолчать.

— Вам известно, почему мой муж живет в Норильске, за пятьсот километров отсюда, а не в Северогорске, со мной?

— Нет. А какое отношение...

— Моя последняя попытка исправить экспертную ошибку оказалась удачной, — усмехнулась она. — К сожалению. Мне было пятьдесят три года, я считала себя уже очень опытной и авторитетной и была уверена, что никакие неприятности мне не грозят. Крошечного малыша, всего двух с половиной месяцев от роду, доставили в стационар с кровоподтеками и ссадинами. Врачи поставили диагноз «тяжелая черепно-мозговая травма, субарахноидальное кровоизлияние, ушиб мозга». Разумеется, тут же сообщили в прокуратуру, возбудили уголовное дело, следователь вынес постановление о проведении судебно-медицинской экспертизы, одним словом, все честь по чести. Эксперт «живого» приема обследовал малыша и квалифицировал повреждения как тяжкие по признаку опасности для жизни. А родственники малыша дали на следствии показания о том, что мать постоянно била ребенка. Мать все отрицала, но свидетельские показания были, заключение эксперта было, и ее осудили и дали срок. И очень немаленький. Проходит восемь месяцев, и этот малыш, не дожив до годика, умирает в стационаре. Детские смерти всегда вскрываем мы, в данном случае вскрытие проводила я сама. И знаете что оказалось? У мальчика был врожденный токсоплазмозный хронический менингоэнцефалит с исходом в порэнцефалию и гидроцефалию. Понимаете? Сергей кивнул.

— У этого заболевания такие клинические проявления, которые и врачи, и эксперт ошибочно приняли за проявления тяжелой черепно-мозговой травмы, да?

— Вот именно. Мать ребенка и пальцем не трогала. А срок отбывает. И я пошла по инстанциям. Сначала к Двояку, потом, когда он меня послал по известному адресу, в прокуратуру. Прокуратура принесла протест в порядке надзора, приговор отменили, женщину выпустили. А через три дня сгорел офис моего мужа. Прокуратура и следствие проявили должную сообразительность и задались вопросом: почему свидетели в один голос утверждали, что мать била ребенка, если этого не было? Свидетелей — родственников мужа осужденной — выдернули, начали трясти, возбудили против них дело за заведомо ложный донос. Им это страсть как не понравилось. Они, понимаете ли, очень несчастную женщину не любили, потому что она была не той национальности, которую они считали подходящей для своей семьи. И воспользовались ситуацией, чтобы от нее избавиться. Люди они не бедные, с определенными возможностями. И когда у них начались проблемы, очень быстро выяснили, кто же это такой противный в Северогорском Бюро СМЭ, кто им кислород перекрыл и развалил такую отлично продуманную комбинацию по отлучению иноверки от своей семьи. После чего начались проблемы уже у моего мужа, и кислород перекрыли уже ему. С тех пор я перестала воевать.

— А как же справедливость? — тихо спросил Сергей. — Наплевать и забыть?

— Плевать не надо, — также тихо и очень серьезно ответила Изабелла Савельевна, — и забывать тоже не надо. Но надо трезво оценивать и расстановку сил в том обществе, в котором мы с вами живем и работаем, и собственные силы и возможности, и интересы своих близких. Исправить экспертную ошибку чрезвычайно трудно, потому что одно неверное заключение влечет за собой длинную цепочку событий, в которые вовлекается множество людей, и потом крайне затруднительно все отыграть обратно, не задев интересов этих людей. А люди очень не любят, когда кто-то задевает их интересы, они кусаются, царапаются, сводят счеты. Борьба с экспертными ошибками должна состоять не в том, чтобы эти ошибки исправлять ценой крови и здоровья, а исключительно в том, чтобы их не допускать. Вот в этой борьбе я готова участвовать.

Она резким движением затушила окурок в пепельнице, улыбнулась Саблину и добавила:

— Вместе с вами, Сергей Михайлович.

* * *

Стеклопрепараты по делу безработного алкаша Сергей принес домой, собираясь попросить Ольгу посмотреть их. Ольга согласилась с его диагнозом и выслушала рассказ о разговоре с Сумароковой. Она вообще была удивительным слушателем, самым подходящим для такого человека, как Сергей Саблин: никогда не перебивала, не встревала со своими замечаниями и комментариями, в то же время ухитряясь каким-то невероятным образом давать понять, что ни одно слово не проходит мимо ее внимания. В разговор она вступала только в тот момент, когда монолог заканчивался, и приходило время диалога. Как она улавливала этот момент — Сергей понять не мог, но Ольга за все годы, что они были знакомы, не ошиблась ни разу.

— Саблин, ты проявляешь узость мышления, — заметила она. — Ты склонен кругом видеть врагов. Или идиотов.

— А ты нет? — осведомился он, прищурившись. — Ну, объясни мне, если я такой тупой.

Ольга рассмеялась:

— Ты не тупой, ты ограниченный. Вот смотри: эксперт проводит вскрытие, набирает материал для гистологии, направляет на исследование, исследование проводить некому, результатов нет как нет, а заключение писать надо, сроки подходят, следователь давит. Что ему делать? Можно, конечно, поставить диагноз без гистологии, бывает, что это возможно, и тогда все в порядке. Но бывает, что и невозможно или затруднительно. Что мешает эксперту, если у него дерьмовый начальник Бюро, позвонить следователю и сказать: «У нас нет гистолога, а без него я не могу с уверенностью поставить диагноз. Вы не могли бы вынести постановление о проведении экспертизы в другом учреждении, где гистология работает нормально, например в областном Бюро? Или назначить только гистологическую экспертизу в городской патанатомии?» Что мешает? Насколько мне известно, следователь имеет право назначить экспертизу в любом месте, где есть специалисты подходящей квалификации.

— Начальник Бюро мешает, — усмехнулся Сергей. — Такие вещи мимо него не пройдут, а он удавится — но не признается, что у Бюро проблемы, которые он не решает и решать не хочет. Он будет теребить эксперта и требовать, чтобы он сдал акт строго в срок, дабы не объясняться со следствием и прокуратурой, а потом с горздравом и администрацией.

— Хорошо, — кивнула Ольга. — Пусть эксперта заставили, и он выставил диагноз, не будучи в нем полностью уверенным. Но что ему мешает опять-таки позвонить следователю и предупредить об этом? Дескать, заключение сделано без гистологии, оно вполне может оказаться ошибочным. Почему нет?

— Потому что это нарушение закона.

— То есть? — Ольга приподняла брови. — Честно предупредить следствие о возможной ошибке — нарушение закона? Саблин, ты ничего не путаешь?

Он вздохнул. К сожалению, он ничего не путал. Все было именно так. Экспертное заключение должно основываться на внутреннем убеждении эксперта. А внутреннее убеждение эксперта — это результат его уверенности в безошибочности своих действий и выводов, уверенность же основывается на профессиональных знаниях и навыках. Без внутреннего убеждения, без этой уверенности экспертное заключение делаться не может. Так записано в уголовно-процессуальном законе. Либо эксперт абсолютно уверен в своих выводах, либо он пишет, что не может сделать выводы в связи с недостаточностью предоставленных материалов, отсутствием необходимого оборудования для проведения исследования, отсутствием специальных знаний... Либо «да», либо «нет». Никаких «может быть, но я не совсем уверен, возможно, что я ошибаюсь». И попробовал бы какой-нибудь эксперт написать, что не может сделать вывод о причине смерти в связи с отсутствием результатов гистологического исследования! Саблину было бы очень интересно посмотреть, как сложится в дальнейшем судьба этого камикадзе. Во-первых, отделения судебно-гистологической экспертизы просто не может не быть в судебно-медицинском учреждении, это нонсенс. Во-вторых, каждый судебно-медицинский эксперт, прошедший соответствующее обучение и получивший сертификат, ОБЯЗАН уметь вскрывать трупы, проводить экспертизу живых лиц, равно как и медицинской документации, и осуществлять гистологические исследования. По-настоящему хорошие эксперты из отделений танатологии вообще работают по принципу «сам вскрываю — сам смотрю стекла», то есть одинаково хорошо владеют и макроскопическими, и классическими микроскопическими методами гистологического исследования и умеют интерпретировать результаты этих исследований. Конечно, для гистохимии нужно учиться отдельно, но уж классикой-то не владеть просто недопустимо. И если эксперт начнет гнать волну, что он, дескать, не может закончить заключение из-за отсутствия гистологии, то ему тут же скажут: «Сам дурак». И по шапке надают. Кому охота?

— Знаешь, я вспомнила случай один, — заговорила Ольга, — очень показательный. Беременная женщина умерла в стационаре, сгорела за сутки с небольшим. Началось все ураганно: плотно поела дома, помыла посуду, стала мыть пол — голова закружилась, появилась слабость в руках и ногах, ощущение жара в области сердца. Вызвали «Скорую», женщина врачам рассказала все как есть, ничего не утаила и не напутала, к тому времени уже прибавились дрожь в теле, температура высокая, тошнота, рвота. Ее госпитализировали в роддом, думали — острый токсикоз беременных. В роддоме хирург поставил пищевую токсикоинфекцию, врач-инфекционист посмотрел и оставил диагноз «под вопросом», то есть не был уверен, нужны были дополнительные исследования. А женщина умерла. Менты тогда всех на уши поставили, искали, кто мог ее отравить, ведь врачи же написали «пищевая токсикоинфекция», значит, либо подсунули испорченный продукт, либо что-то отравляющее в продукты добавили. Среди ближнего круга умершей нашелся человек, на котором все сошлось: и относился к ней плохо, и возможность подсыпать отраву имел. Закрыли его. А тем временем судебные химики и судебные биологи искали отравляющее вещество в продуктах, изъятых из дома умершей, и в рвотных массах, ну, ты сам знаешь, где они ищут. И ничего не нашли. Ни-че-го. Женщину давно похоронили, мужик-подозреваемый давно в СИЗО время проводит, а чем ее отравили — непонятно. Время шло. Мужик сидел. И только потом кто-то догадался, что это было не отравление, а острый жировой гепатоз беременных, клиническая картина — классика, как из учебника. И в смерти никто не виноват. А подозреваемый семь месяцев в камере просидел, его уж и с работы уволили, и жена его бросила. Вот и цена ошибки. Ее исправили, а толку? Жизнь человеку разрушили, и никакое исправление ошибок не помогло. Может, права твоя Сумарокова? Может, действительно главный смысл не в исправлении ошибок, а в том, чтобы их не допускать? Ошибка, даже исправленная, слишком дорого обходится.

Спорить было не о чем. Ольга устроилась за кухонным столом, разложив принесенные с собой материалы: ей нужно было написать статью в готовящийся к печати сборник научных трудов по патанатомии, а Сергей уселся на диван, включил телевизор и попытался посмотреть какое-то ток-шоу на тему врачебных ошибок, но очень быстро начал сначала скучать, потом раздражаться. Разговор шел бестолково, участники кричали и перебивали друг друга, ведущий не владел ситуацией и не контролировал течение дискуссии, в результате чего горластые «простые обыватели» не давали профессиональным медикам слова вставить. Он смотрел на экран, но ничего не видел. В голове всплывали известные ему случаи экспертных и врачебных ошибок, и он пытался оценить последствия этих ошибок. О каких-то случаях он читал в специальной литературе, о каких-то ему рассказывали. Вот, например, женщина, получившая удар ножом в спину. В больнице рану обработали, а ревизию не провели, зашили рану наглухо. Все зажило, женщина об этой ране и думать забыла. Прошло пять лет, стала побаливать спина, еще три года ее лечили по поводу отложения солей и остеохондроза. И только потом наконец додумались сделать рентген и спондилографию. И обнаружили отломок ножа длиной 8 сантиметров и шириной 1,2 сантиметра. А ведь преступника, ударившего ее ножом, тогда не нашли. Если бы первичную обработку раны провели как положено, сделали ревизию, то отломок нашли бы уже тогда, и вполне вероятно, по этому отломку смогли бы идентифицировать сам нож, а следом за этим и преступника найти. Преступника, который в результате так и гуляет на свободе. Или другой пример, очень похожий на сегодняшний случай с безработным: умер мужчина, эксперт провел вскрытие и поставил диагноз «черепно-мозговая травма», возбудили дело, стали искать, кто потерпевшего по голове приголубил. Мужчина приличный во всех отношениях, обеспеченный, непьющий, бизнесом занимался, и все его окружение тоже состояло из людей приличных, делом занятых, с криминалом не связанных. Менты их всех перетрясли, репутацию всем подорвали, у кого-то контракт сорвался, кого-то на новую работу не взяли, еще кого-то за границу на повышение квалификации не выпустили... И хорошо еще, что люди были «из среднего класса», а окажись на их месте кто попроще, работяга или безработный, долго думать не стали бы — закрыли в СИЗО, а там и до приговора рукой подать. А потом оказалось, что это была никакая не криминальная травма, а опухоль головного мозга — распадающаяся нейроэпителиома. Только это самое «потом» слишком поздно наступило, когда много времени прошло и назначили сперва повторную, а затем комиссионную экспертизу.

И в практике самого Саблина тоже были случаи... Он вспомнил шестилетнего мальчика, внезапно умершего ночью на даче, в своей комнате, где его утром нашли мертвым родители. На теле сыпь типа крапивницы, лицо синюшно-красное, глаза навыкате с расширением сосудов склер, увеличение миндалин и глоточных лимфоузлов, отек слизистой глотки и гортани. Увидевший все это на вскрытии эксперт поставил «катаральную ангину, отек гортани, ложный круп». Родители пришли получать медицинское свидетельство о смерти, мать прочла, что там написано, и пришла в ярость:

— Какая может быть ангина в июле месяце? Тепло, он не мог простудиться! Вечером ребенок был совершенно здоров!

Родители оказались не «простыми», подняли все свои связи, нашли выход на начальника Московского городского Бюро судмедэкспертизы, надавили на него, поскандалили, и тот назначил проведение повторного вскрытия, благо тело мальчика еще для похорон не забирали и оно находилось в морге. На следующий день в морг приехал заместитель начальника по экспертной работе и очень опытный эксперт из отдела сложных экспертиз, в прошлом — детский патологоанатом, владеющий техникой вскрытия трупов детей. Саблина завотделением экспертизы трупов пригласил на вскрытие для оказания помощи: мало ли что понадобится сделать несложного, чтобы высокие специалисты себя не утруждали. Санитары подготовили тело, разрезали секционные швы, и бывший детский патологоанатом приступил к работе. Остальные, в том числе и тот эксперт, который проводил первое вскрытие, стояли рядом. И все видят то же самое, что видел и эксперт при первом вскрытии: и увеличенные миндалины, и отек слизистой глотки и гортани. Легкие вздуты, пятна Тардье. Зам по экспертной работе что-то почуял, спросил:

— На асфиксию не похоже?

На что эксперт, вскрывавший мальчика несколько дней назад, с уверенностью ответил:

— Так ведь ложный круп! Острая дыхательная недостаточность. Картина та же, что и при асфиксии.

А детский патологоанатом тем временем послойно исследовал мягкие ткани шеи. Ничего не нашел. Потом приступил к мягким тканям лица. Эксперт-танатолог смотрел с любопытством: он в свое время этого не сделал и вообще представления не имел о том, что это делать нужно. И, вероятнее всего, не умел. И в мягких тканях лица обнаруживаются очаговые кровоизлияния, три слева и одно справа от отверстий рта и носа. Приложенная ладонью к лицу правая рука эксперта почти точно попала кончиками пальцев на участки кровоизлияний.

— Вот вам и ложный круп, — вздохнул он. — Чистой воды асфиксия от закрытия ладонью рта и носа.

После чего обратился к Сергею:

— Вскрывать таз по Хижняковой умеете?

Сергей кивнул. Метод Хижняковой специально разрабатывали для исследования трупов женщин в случае криминальных абортов. Но почему-то мало кто об этом методе знал и владел им, обычно умерших родильниц вскрывали «по Фишеру», как и всех прочих.

— Начинайте.

Сергей выделил органы таза вместе с кожей промежности и наружными половыми органами, эксперт развернул их к свету и внимательно посмотрел, дав возможность посмотреть и остальным участникам вскрытия. У мальчика задний проход оказался неполностью сомкнутым, слизистая ануса синюшная, а на ней — точечные кровоизлияния и мелкие ссадины. Эксперт вскрыл ножницами ампулу прямой кишки, а там, кроме небольшого количества каловых масс, виднелась белая слизь, похожая на сперму. Взяли слизь на марлю, чтобы отдать следователю для биологической экспертизы.

Вскрытие закончилось, Сергея отпустили. Уже впоследствии от завтанатологией Саблин узнал, что биологическая экспертиза подтвердила: действительно, в прямой кишке у мальчика была сперма, и группу выделительства установили. Взяли кровь для установления группы выделительства у всего ближнего круга родных и знакомых, находившихся в тот день и ту ночь на даче, у мужчин, разумеется, а было их человек пять-шесть. Даже у отца кровь брали, хотя он и орал, и возмущался, но следователь его убедил. В итоге оказалось, что мальчика изнасиловал и задушил родной дядя, младший брат матери. Тут же вынесли постановление о его задержании, поехали к нему домой, он в глазок увидел, кто к нему пришел, и все понял. Прыгнул в окно с восьмого этажа.

Сергей тогда долго вспоминал этот случай и думал о том, что все получилось, в сущности, только благодаря упорству и связям родителей убитого ребенка. Они нашли ходы к начальнику Бюро, они уговорили его назначить повторное вскрытие, хотя начальник очень этого не хотел — берег репутацию экспертов-танатологов, и пытался запугать несчастных мать и отца, подробно рассказывая им о том, как травматично и ужасно будет проходить повторное вскрытие шестилетнего малыша. Мать плакала и пила какие-то капли, отец бледнел и хватался рукой за горло, но они проявили завидную стойкость и не отступили. Саблин почему-то думал о Дашеньке и пытался представить, как бы он повел себя, если бы ему сказали, что ее тельце будут вскрывать «по Хижняковой», а мягкие ткани лица исследовать послойно. Даже он, эксперт-танатолог, и то не мог делать такие вскрытия без содрогания, а после их проведения приходил в себя несколько дней, лечась молчанием, алкоголем и сном. Наверное, он бы костьми лег, но не допустил повторного вскрытия. Или допустил бы? В те времена он еще не очень задумывался о цене экспертной ошибки. Как бы он поступил сегодня? «Я бы согласился. То есть меня, конечно, никто и не спрашивал бы, но если бы я оказался на месте этих родителей, и проведение вскрытия зависело только от моих личных усилий, то сегодня я бы эти усилия приложил, — думал он. — Лучше уж так цинично и травматично провести вскрытие и изуродовать труп ребенка, чем допустить ошибку и пропустить убийство. Если бы родители мальчика не настояли, подонок так и ходил бы по улицам рядом с нами, радовался жизни и тому, что ему все сошло с рук».

ГЛАВА 3

И все-таки, несмотря на увлечение гистологией, Сергей Саблин, вернувшись из отпуска, пришел к Изабелле Савельевне с заявлением, что основные завалы в своем отделении он разгреб и готов заниматься вскрытиями, посему просил не забывать отписывать ему один-два раза в неделю трупы: не хотел терять навыков экспертной работы. Сумарокова согласилась охотно и радости своей не скрывала.

— Шеф давно уже сказал, что на ваши руки можно рассчитывать, так я все ждала, когда вы со своими «стеклами» управитесь. Только вы уж не обессудьте, Сергей Михайлович, — предупредила она, — вашими будут разные случаи смерти в стационарах, а не криминал.

— Почему?

— Да мне уже доложили, что вы большой любитель ковыряться в медицинских документах и чужие почерки разбирать, — засмеялась та. — А у нас таких любителей нет, поэтому от «больничных» смертей все бегут, как от чумы. Полагаю, у вас в Москве тоже этот вид экспертной работы большой популярностью не пользуется?

— Не пользуется, — подтвердил Сергей. — И что, так-таки ни одного криминала мне не отпишете?

— Уж не беспокойтесь, отпишу, останетесь нами премного довольны.

И улыбнулась ему лукавой улыбкой заговорщицы.

Изабелла Савельевна слово сдержала, примерно на каждые три «больничных» смерти, вскрытие по которым отписывалось Саблину, приходилась одна «криминальная». И случай с гибелью девушки в дорожно-транспортном происшествии поначалу показался Сергею совершенно обычным. Количество автомобилей росло пропорционально росту благосостояния населения Северогорска, соответственно увеличивалось число ДТП, а вот водительское мастерство тех, кто сидел за рулем, неуклонно падало.

Две подружки катались на машине, гоняя по полупустым улицам, и в итоге врезались в бетонную конструкцию, ограждающую колодец теплотрассы. Обе молодые девчонки были навеселе, обеих пришлось извлекать из деформированного, смятого салона автомобиля. Их доставили в больницу, где одна скончалась через восемь суток, не приходя в сознание, вторая же девушка была через две недели выписана на амбулаторное лечение. В подобных случаях в первую очередь следствию необходимо получить ответ на вопрос: кто сидел за рулем? Кто является виновником аварии со смертельным исходом? Кто будет нести ответственность? Без ответа на этот вопрос следствие буксует. Если все погибли — проще, выносится постановление об отказе в возбуждении уголовного дела в связи со смертью лица, подлежащего привлечению к уголовной ответственности. Формулировка громоздкая, а в обыденной жизни — просто «отказняк». Но вот если кто-то погиб, а кто-то выжил, всегда есть огромный соблазн свалить всю вину на покойника. И соблазну этому подвержены не только выжившие и члены их семей, но и сотрудники правоохранительных и прочих могущественных органов: зачем портить жизнь человеку судимостью, когда можно обвинить того, кому уже все равно.

Получив постановление следователя о проведении дополнительной судебно-медицинской экспертизы, Сергей пробежал глазами «обстоятельства дела» и усмехнулся: ну конечно же, оставшаяся в живых девушка утверждала, что ничего не помнит из-за амнезии, вызванной черепно-мозговой травмой, но ей кажется, что погибшая подруга попросила у нее разрешения «порулить», и вроде бы владелица автомобиля, к слову — дочка директора одной из обогатительных фабрик, уступила подруге место за рулем, когда они обе вышли из ночного клуба. Перед экспертом ставился вопрос: кто сидел за рулем?

— Ну, ясно, — сказал он Сумароковой, — адвокат, видно, толковый попался. Был бы попроще — она бы твердила, что была пассажиром, хотя всем давно уже известно, что именно водитель чаще всего остается в живых, а тот, кто сидел на переднем пассажирском месте, погибает. Уж сколько исследований проведено на эту тему, давно все доказано, проверено и перепроверено, а они, я имею в виду адвокатов, продолжают считать, что судебная медицина застыла на уровне девятнадцатого века. Обидно, ей-богу! Немецкие эксперты давно уже называют переднее пассажирское сиденье «местом смертника».

— Вы правы, — кивнула Сумарокова, — адвокат у этой девочки из первой десятки в нашей городской адвокатуре, папа, сами понимаете, за ценой не постоит. А на амнезию валить очень удобно, никаких к тебе вопросов, все равно ведь ничего не помнишь. Травмы у нее легкие, всего двух недель в стационаре хватило: сотрясение мозга, перелом костей носа и левого предплечья. Но для того чтобы дурковать, вполне достаточно, раз сотрясение есть — можно включать амнезию, и поди докажи, что она симулирует.

Она помолчала и негромко добавила:

— Сергей Михайлович, учтите: легко не будет.

— Что вы имеете в виду? — встрепенулся Саблин.

— Сами увидите. Но я вас предупредила.

Сергей собрался было идти к себе, но вдруг остановился.

— Изабелла Савельевна, я не понял: а почему экспертиза отписана мне? Ведь это больше касается выжившей девушки, и проводить экспертизу имеет смысл через амбулаторный прием.

Сумарокова укоризненно покачала головой:

— Вот и видно, Сергей Михайлович, что вы еще очень неопытный руководитель отделения. Были бы опытным — задали бы этот вопрос в первую очередь, потому как любой начальник сперва обращает внимание на оргвопросы, а уж потом на суть дела. А вы сразу в суть полезли. Мы и хотели провести экспертизу через «живой» прием, но шеф настоял, чтобы ее делали мы в отделении экспертизы трупов.

— Но почему? Какой в этом смысл?

— Смысла никакого, — Сумарокова пожала плечами, — если иметь в виду смысл профессиональный. А вот смысл корпоративный очень даже есть. Дело в том, что на «живом» приеме у нас сидят два эксперта, один из которых в данный момент находится на стационарном лечении и приступит к работе не ранее чем через месяц, а второй — очень принципиальный. Если вы понимаете, что я имею в виду.

— Нет, не понимаю, — признался Сергей. — Почему принципиальность эксперта мешает проведению экспертизы?

— Боже мой, Сергей Михайлович, ну когда же вы повзрослеете! Есть лица, заинтересованные в определенных выводах эксперта. Надеюсь, вам понятно, о ком и о чем идет речь. Эксперт, работающий сейчас на «живом» приеме, уже проводил экспертизу по выжившей девушке, она есть в материалах, которые вам предоставлены, почитайте — получите массу удовольствия. Не хочу никого чернить огульно, но надеюсь, что вам станет понятна хотя бы примерно стоимость этого документа в денежном выражении. Шеф очень недоволен, поскольку денежное выражение никак его не коснулось. Заинтересованные лица сами решили вопрос с нашим принципиальным экспертом. И теперь, когда речь зашла о дополнительной экспертизе, Георгий Степанович хочет, чтобы договаривались лично с ним. Ему так больше нравится. Именно поэтому он отписал постановление следователя в отделение экспертизы трупов. Знает, что со мной договориться нельзя, значит, придется договариваться с ним, а уж он найдет управу на того эксперта, которому я поручу проведение дополнительной экспертизы. Теперь понятно?

Сергей обескураженно молчал. Эк у них все просто! Все обо всем знают, никто ничего не скрывает, полная гласность и демократия. И что, Изабелла Савельевна заранее предупреждает его о том, что на него начнут давить начальник Бюро и заинтересованные лица? Ну, спасибо и на этом.

— Спасибо, — повторил он вслух. — Тронут. А почему именно я? Почему не Филимонов или еще кто-нибудь из ваших сотрудников? Кто вскрывал погибшую девушку? Почему вы ему-то не поручите дополнительную экспертизу? Ведь дополнительную поручают, как правило, именно тому, кто делал первичную экспертизу, разве у вас не так?

— А он в отпуске, — легко засмеялась Сумарокова. — ДТП произошло полтора месяца назад, через восемь дней девушка скончалась, вот тогда и вскрывали. С тех пор много чего произошло. А Филимонову я поручать не хочу. Поработаете у нас годик-другой — сами начнете во всем разбираться. А пока просто поверьте мне на слово. И в дополнение в качестве, так сказать, бонуса выдам вам еще один секрет или, как сказала бы наша Светочка, маленький гадкий секретик: Георгий Степанович, зная, что вы выполняете вскрытия у нас в морге, и вскрытия эти поручаю вам я, лично просил меня отписать эту экспертизу именно вам. Вероятно, он уверен, что с вами у него проблем не будет. Вы человек относительно молодой и относительно недавно у нас работаете, мало в чем разбираетесь, к начальству относитесь трепетно и уважительно и всегда пойдете ему навстречу. Так что смотрите, оправдайте доверие.

Глаза у нее были при этих словах грустными и строгими. Сергей подумал, что она, похоже, знает о его приятельских отношениях с Петром Андреевичем Чумичевым, влиятельным человеком на комбинате «Полярная звезда», и предвидит возможное развитие событий: если на Саблина не удастся надавить при помощи авторитета начальника Бюро, то подключится Чума, то есть в любом случае из Саблина можно будет вытянуть именно такое заключение, какое нужно.

Он забрал весь пакет документов, включая и материалы уголовного дела. Дополнительная экспертиза в данном случае — вещь несложная, потому что является на самом деле экспертизой по материалам дела, то есть не по живому лицу и не по трупу, а по совокупности данных о них обоих. Здесь не надо вскрывать, не надо проводить гистологические исследования, не нужно осматривать живого человека, здесь требуется внимательно изучить материалы уголовного дела в той части, где описаны фактические обстоятельства, и заключения экспертов по погибшей и выжившей участницам ДТП, нарисовать схемы и ответить на вопрос: кто же всё-таки сидел за рулем? Вроде бы ничего на первый взгляд сложного.

Но на самом деле для четкого и недвусмысленного ответа требуется огромная работа, нужно читать литературу, думать, сопоставлять и анализировать. И если первая экспертиза может закончиться всего лишь описанием травм и повреждений без каких-либо выводов, то при дополнительной этот фокус уже не проходит. Задан конкретный вопрос — будь любезен дать конкретный ответ. Везет тем экспертам, которые получают постановление о проведении экспертизы без этих самых коварных конкретных вопросов, тогда есть возможность обойтись без напряга и укрыться за обтекаемыми формулировками. Вот и в случае с этим ДТП повезло обоим экспертам, что танатологу, что эксперту амбулаторного приема. А ему, Саблину, выходит, не повезло. В принципе экспертная задача была интересной, он любил возиться с информацией, читать, сравнивать, делать выводы, искать зацепки. И мог бы получить истинное удовольствие от порученной ему работы, если бы не одно обстоятельство. Обстоятельство противное и грозящее проблемами и нервотрепкой.

Сергей начал готовиться к работе. Это был целый ритуал, разработанный еще во времена студенчества и практикуемый в основном в период экзаменационных сессий: сначала выкуривалась сигарета, потом не спеша заваривался чай, который он пил с лимоном и двумя ложками сахара, маленькими глоточками и непременно вприкуску с сушками, которые можно было купить при любой остроте ситуации с дефицитом. Сушек должно быть съедено определенное количество — от пяти до одиннадцати, причем число обязательно было нечетным.

В противном случае материал «почему-то» не усваивался. После чая следовала еще одна сигарета, посуда тщательно мылась, стол приводился в состояние девственной пустоты, и только потом на нем раскладывались книги, тетради, пособия и прочее. Все делалось неторопливо, со вкусом, и к моменту завершения подготовительных мероприятий мозг приходил в полную боевую готовность. Эту привычку Сергей Саблин перенес и на профессиональную деятельность.

Первую сигарету в этот раз он решил выкурить прямо в кабинете, хотя обычно старался на рабочем месте не курить слишком много: в прокуренном помещении думалось тяжело. Летом, конечно, он постоянно держал окно открытым, и тогда можно было не выходить на улицу, но северогорский климат не баловал жителей длительным теплом, так что приходилось предаваться дурным привычкам на свежем воздухе или в курилке на первом этаже. Сергей позволял себе выкуривать в кабинете не больше пяти сигарет в течение одного рабочего дня: такая степень «прокуренности» ему работать не мешала.

Заварил чай, понюхал и поморщился: неужели нельзя было купить что-нибудь приличное, а не это лежалое сено? Чай ему покупала санитарка отделения гистологии, которой Саблин раз в месяц выдавал деньги с просьбой обеспечить всем необходимым его «чайное место». Но ничего не поделаешь, придется пить то, что есть. Мелькнула, правда, мысль о том, чтобы сходить к лаборантам и попросить хорошего чаю, но была немедленно отвергнута: ритуал нарушаться не должен, а выход из кабинета и разговоры с дамами это именно нарушение, которое приведет к рассеиванию внимания и ослабит сосредоточенность. Зато сушки оказались хорошими, такими, как Сергей особенно любил: крепкими, «неукусными», которые можно было только царапать и соскребать зубами.

Вторая сигарета тоже закончила свой недолгий жизненный путь в стенах кабинета заведующего отделением судебно-гистологической экспертизы. Теперь нужно разложить материалы в определенной последовательности: сначала те, что поступили от следователя, за ними — справочная и научная литература по травмам при дорожно-транспортных происшествиях, далее — собственные записи и конспекты лекций, прослушанных как во время учебы в мединституте, так и на «первичке» по судебной медицине, и только в самом конце — заключение экспертов по участницам аварии. Именно так он привык действовать. Первым делом — представить себе фактические обстоятельства дела, нарисовать схемы, потом посмотреть, что по этому поводу есть в научных разработках, и только потом изучить действительное положение дел: должно быть ТАК, а на самом деле было КАК?

Когда-то, еще во время работы в Московском Бюро его подняли на смех.

— Да кто так работает? — говорили ему более опытные эксперты. — Надо сначала изучить материалы дела и экспертизы, а потом уже смотреть литературу, если что неясно.

— Я работаю так, как мне удобно, — огрызался Сергей.

— Но это же неправильно! Это методологическая ошибка!

— Главное, чтобы выводы оказались правильными, — упорствовал он. — А каким путем я к ним прихожу — это мое личное дело.

Однажды во время подобного «поучения» он добавил сквозь зубы: «Mia tristeza es mia, y nada mas». «Моя печаль — только моя, и на этом все». Этому выражению научила и его, и его маму Юлию Анисимовну тетя Нюта, не знавшая толком ни одного иностранного языка, но благодаря отменной памяти нахватавшаяся разных фраз от своего полиглота-поляка. Коллега, которому посчастливилось услышать произнесенные вполголоса испанские слова, молча пожал плечами и отошел. Больше к Саблину никто с «методологическими ошибками» не приставал.

Итак, первое и основное: при серьезном ДТП именно для водителя характерно относительно небольшое количество телесных повреждений, потому что его тело зафиксировано между рулевой колонкой и сиденьем. А вот множество телесных повреждений характерно в первую очередь для пассажира переднего сиденья, тело которого в салоне автомобиля находится в расслабленном, не фиксированном положении. Стало быть, надо обратить внимание на различия в травмах у обеих девушек.

Второе: какие травмы являются характерными или специфическими для человека, находившегося на водительском месте, и какие — для пассажира? Например, разгибательный перелом лучевой кости в типичном месте является характерным телесным повреждением для пассажира переднего сиденья, когда в момент резкого торможения или столкновения он с целью защиты вытягивает вперед одну или обе руки и упирается ладонями в переднюю панель или ветровое стекло автомобиля. А вот среди условно-специфических повреждений водителя во многих литературных источниках указывается травма в области левого локтевого сустава.

Разобравшись с этим вопросом, он нарисовал, заглядывая в материалы уголовного дела, две схемы в виде человеческих фигурок, над одной сделал надпись «Ирашина», над другой — «Щавелева» и указал на них зеленым фломастером места расположения и виды травм, которые должны были бы иметь место при описанных обстоятельствах и в соответствии с показаниями оставшейся в живых пострадавшей. Чисто теоретически. То есть ответил на вопрос: какие повреждения и у кого должны были быть обнаружены, если все было так, как написано в материалах следствия.

Затем пододвинул к себе акты судебно-медицинских экспертиз, внимательно прочел, сделал выписки и уже красным фломастером отметил на схеме места расположения повреждений у каждой из участниц аварии. А это получилась картинка под названием «КАК было на самом деле». Хмыкнул, потом улыбнулся.

Обе фигурки на схемах оказались двуцветными и почти зеркально отражали друг друга: то, что было размечено зеленым фломастером у одной, оказывалось повторенным у другой, только уже в красном цвете. И наоборот. Если Ирашина находилась на пассажирском сиденье, то у нее должен быть обнаружен косо-поперечный разгибательный перелом дистального метаэпифиза левой лучевой кости (в типичном месте). А ничего похожего у девушки нет. Зато есть почему-то у погибшей Щавелевой.

Даже такой условно-специфический признак, как травма в области левого локтевого сустава, наличествовал. Правда, в «теоретическом» зеленом варианте он был у погибшей Щавелевой, якобы сидевшей за рулем, а в реальности оказался у выжившей Ирашиной. Сразу вспомнился читанный когда-то случай из экспертной практики, когда при тангенциальном столкновении автомобилей произошло размозжение выставленного в окно левого локтевого сустава у водителя. Хотя условия образования повреждения здесь были иными, тем не менее, повреждение выставленного в окно левого локтевого сустава прямо указывало на человека, сидевшего на водительском месте. Такая травма возникает в результате удара согнутой в локте рукой о левую переднюю стойку автомобиля, когда открыто окно со стороны водителя и локоть выставлен в проем окна.

При условии, конечно, что автомобиль был с левым рулем. А искореженная «Мазда» была именно такой. Теперь надо окно проверить.

Сергей взял уголовное дело, отыскал фототаблицу с осмотра места происшествия. Вот «Мазда» европейской комплектации с левым рулем, в деформированном проеме окна дверцы со стороны водителя не заметно ни целого стекла, ни его фрагментов. Почему? Да потому, что в момент аварии стекло окна здесь было полностью опущено внутрь дверцы. Стало быть, вполне можно предполагать, что левый локоть водителя мог быть выставлен в проем окна. И у пострадавшей Ирашиной, как отмечено в экспертизе, «открытый перелом локтевого отростка левой локтевой кости». Появлялись все основания утверждать, что за рулем автомобиля находилась именно дочка директора фабрики.

Он вспомнил разговор с Сумароковой и еще раз внимательно перечитал заключение эксперта амбулаторного приема по оставшейся в живых дочке директора обогатительной фабрики. Эксперт, которого Изабелла Савельевна, не скрывая сарказма, назвала принципиальным, ограничился шаблонными выводами о том, что «...имевшиеся у гр. Ирашиной О.И. повреждения возникли в результате воздействия тупого твердого предмета (предметов). В том числе возможно их образование в условиях дорожно-транспортного происшествия в результате удара (ударов) о детали салона автомобиля, при обстоятельствах и в срок, указанный в постановлении. Данные повреждения в своей совокупности повлекли длительное расстройство здоровья более 21 дня и по данному признаку причинили средней тяжести вред здоровью...». Такие расплывчатые выводы характерны вообще для подавляющего большинства экспертиз живых лиц по всей России, особенно по делам о ДТП. Выводы ни к чему не обязывающие, тяжесть вреда здоровью установлена, отмечено, что повреждения могли образоваться при обстоятельствах, указанных в постановлении. А когда следствие придет к какому-нибудь решению и установит окончательно все фактические обстоятельства дела, то такое заключение эксперта отлично подойдет при всех вариантах. Иными словами, лицо, проводящее расследование, при помощи «советчиков» и «консультантов» из числа заинтересованных граждан принимает решение: кто должен оказаться виноватым. Затем под это решение подгоняются фактические обстоятельства, а если они подгоняются плохо, то их можно подкорректировать, придумать заново или удачно забыть. И вот к этой готовой, всем удобной и, не исключено, что хорошо проплаченной схеме прикладывается, как гайка к болту, расплывчатое заключение судебно-медицинского эксперта.

Большего от «принципиального» специалиста и не требовалось.

А теперь следователь задает дополнительный вопрос, который ранее перед экспертом поставить забыл или не счел нужным: кто сидел за рулем? И разгребать все это поручено Сергею Михайловичу Саблину.

Ах, этот знаменитый вопрос «Кто сидел за рулем?» Саблин вспомнил, что проблема «живые валят на мертвых» далеко не нова. Еще в монографии видного отечественного судебного медика профессора В.Л. Попова «Судебно-медицинская казуистика» он читал случай 1985 года о ДТП с участием мужчины и девушки. Машина совершала хаотичные движения, словно потеряла управление, натолкнулась на большой камень и перевернулась, пострадавших извлекали из-под нее (девушка под багажником, муж-

чина в салоне), девушка через трое суток скончалась, а мужчина, отделавшийся незначительными
повреждениями (внешними, внутренних не было),
утверждал, что за рулем была девушка. Так вот, эксперты мучались-мучались, но сумели-таки установи-
вить, что мужчина, кстати сказать, совершенно голый, сидел за рулем, а девушка, полностью одетая,
полулежала на переднем пассажирском сиденье, и
голова ее была на коленях у мужчины. Немудрено,
что машина словно бы потеряла управление. Кто бы
сомневался! И этот, с позволенья сказать, джигит
хотел сделать вид, что он совершенно голый спал
на заднем сиденье, и девушка сама во всем виновата.

Ну что ж, через какое-то время Сергей был готов
дать окончательный ответ, который лично у него
ни малейших сомнений не вызывал. Прежде чем
приступить к написанию документа, он посидел несколько минут с закрытыми глазами, прикидывая,
успеет ли закончить его сегодня, или лучше вообще
оставить составление акта дополнительной экспертизы на завтра. Он устал, голова побаливала, острота зрения падала, как бывало обычно после длитель-
ной напряженной работы. Нет, он сделает все сегодня.
Почему-то казалось, что готовый и подписанный
им документ словно поставит точку в наглой лжи,
выдаваемой папиной дочкой Ирашиной. Лжи, которую не может опровергнуть несчастная погибшая
девушка по фамилии Щавелева, оказавшаяся совершенно беззащитной перед деньгами директора
фабрики и беспринципностью следователей и экспертов. И кто может теперь ее защитить?

«Таким образом, — писал Сергей в заключитель-
ном пункте выводов дополнительной экспертизы, —
основываясь на изучении характера, количества и
расположения телесных повреждений у пострадавшей гражданки Ирашиной и погибшей гражданки
Щавелевой можно сделать вывод, что в момент

столкновения автомобиля «Мазда 929» государственный регистрационный знак... с препятствием гражданка Ирашина находилась за рулем автомобиля (слева), а гражданка Щавелева на переднем пассажирском сиденье (справа)».

К заключению, помимо текстовой части, Саблин добавил собственноручно нарисованную схему — не обычную, из стандартного набора схем, использующихся в судебно-медицинской экспертизе, а выполненную им собственноручно. Если следователю или судье что-то покажется непонятным в его экспертном заключении, иллюстрация поможет внести ясность. Он изобразил как бы автомобиль без крыши, где при виде сверху один человек был на водительском сиденье с выставленным в оконный проем локтем и лицом, опущенным на рулевую колонку, второй же, пассажир переднего сиденья, правой половиной тела и головы соприкасался с правой передней стойкой, а левая рука его с открытой ладонью была вытянута в направлении ветрового стекла. Расположение повреждений Саблин пометил крестиками.

Вот и все. Он уверен в каждом слове своего заключения, в каждой его букве. И пусть Георгий Степанович Двояк попробует оспорить хоть одну запятую.

О том, что оспаривать его заключение или не соглашаться с ним будет не начальник Бюро, а совсем другие люди, Сергей старался не думать.

* * *

Но первым, кто попытался надавить на Саблина, был, конечно же, начальник Бюро Георгий Степанович Двояк. Действовал он мягко, вызвал Сергея к себе и по-отечески укоризненно стал убеждать его в том, что для столь категоричного вывода при ответе на вопрос «кто находился за рулем» у эксперта оснований нет.

— Ваши выводы сугубо предположительны, — говорил Двояк. — Вы не можете установить достоверно, кто из девушек находился за рулем и является виновником аварии, это просто невозможно. А вы пишете свое заключение с уверенностью. Я попрошу вас переделать заключение и смягчить формулировки в выводах, это будет более корректно с научной точки зрения.

Сергей про себя улыбался и не мог понять, то ли Двояк валяет дурака, делая вид, что никогда не читал существующих научных разработок по определению места пострадавшего в салоне автомобиля, то ли действительно о них не знает.

— Мои выводы научно обоснованы, — твердо ответил он.

— Да как же это может быть, если нет методик...

— Есть, — перебил его Сергей.

— Вы заблуждаетесь, Сергей Михайлович, таких методик нет. Все, что наработано в этой области, дает возможность делать только предположительные выводы. А в вашем заключении они выглядят бесспорными.

— Это не так.

Спорить Саблину не хотелось, потому что он понимал: дискуссия не будет носить характера профессиональной. Здесь наличествует тот самый корпоративный интерес, к которому примешивается и интерес финансовый. Ему не удастся убедить шефа в том, что его выводы основаны на бесспорных доказательствах, потому что у Двояка есть конкретная задача: добиться от эксперта такого заключения, какое нужно дочке директора фабрики.

Разговор тек вяло, Двояк быстро исчерпал имеющиеся у него аргументы и сник. Вероятно, в Бюро привыкли считать начальника самым знающим судебным медиком Северогорска, спорить с ним по судебно-медицинским вопросам никто не осмеливался, и ему всегда удавалось «убедить» непонятливого эксперта. Сергей же с присущей ему самоуверенностью с профессиональным авторитетом шефа считаться не собирался. В конце концов Двояк начал орать, Саблин тут же почувствовал себя в своей стихии, окрысился, мобилизовался, почувствовал кураж и в итоге категорически отказался переписывать заключение.

На следующий день к нему пришли молодые люди, хорошо одетые, наглые, уверенные в том, что у них всегда и все будет получаться. Судя по тому, что один из них называл дочку директора фабрики Оксану Ирашину просто Ксанкой, это был ее бойфренд, а остальные — его дружками-приятелями. Разговаривали парни довольно грубо, напористо и прямолинейно, многозначительно посверкивали глазами, советовали подумать о собственной безопасности, короче, выдавали весь тот набор приемчиков, который был в ходу у «братков» и с которыми Сергей неоднократно сталкивался, еще работая в Москве. Он терпел их присутствие минут пятнадцать, слушая вполуха и просматривая лежащие перед ним на столе материалы, потом озверел, поднял голову и сформулировал свою просьбу покинуть кабинет коротко и совершенно недвусмысленно, используя лексику, понятную такого рода посетителям.

Парни ушли. Им на смену к вечеру того же дня пришли уже другие люди, более респектабельные, более взрослые и более спокойные. Они сделали Саблину очень неплохое финансовое предложение и убедительно просили подумать как следует и тщательно взвесить все выгоды согласия и возможные негативные последствия отказа принять выдвинутые ими условия. Саблин грубить не стал — он не любил повторяться, и две выраженные в нецензурной форме просьбы оставить его в покое в течение всего одного дня казались ему перебором. Он избрал тактику вежливого непонимания.

— Как вы хотите, чтобы я сделал то, о чем вы просите? — спросил он, постаравшись придать глазам как можно более невинное выражение. — Что мне, взять вашу девушку и нанести ей собственноручно другие телесные повреждения, чтобы было похоже, что она сидела на пассажирском месте? Или пробраться к месту стоянки «Мазды» и что-нибудь нахимичить со стеклом левой передней дверцы? Или, может, руль перемонтировать, переместить его на правую сторону? Что я должен сделать-то, по-вашему?

Посетители молчали, но делали это очень выразительно. Сергей выдержал паузу и продолжил:

— Знаете, у меня есть к вам встречное предложение, на мой взгляд — вполне толковое. Вы знаете, чего вы хотите, а я не знаю. Вы знаете, как я должен это сделать, а я — нет. Давайте вы все сделаете сами, а? У вас это получится намного лучше. И вы будете иметь тот результат, который вам так нужен, причем совершенно бесплатно. Зачем вам тратить деньги на меня? Это неразумно.

Эти посетители тоже ушли, а Сергей призадумался. Вообще-то он никогда не слышал, чтобы с экспертами, в том числе и с судебными медиками, расправлялись при помощи насилия или причинения материального ущерба. Запугивали — да, бывает, пытались подкупить — конечно же, и это было неоднократно. Ему были хорошо известны случаи, когда не только пытались подкупить, но и подкупали. Или покупали. Но чтобы кого-то из экспертов избили, ранили или даже убили — нет, о таком он не слыхал. Но, с другой стороны, Изабелла Савельевна Сумарокова рассказывала о том, как сгорел офис ее мужа. Может быть, здесь, в Северогорске, нравы и обычаи другие, принципиально отличающиеся от московских? Да нет, не должно быть, ведь во всем есть своя логика и своя экономика. Зачем трудиться, тратить деньги и силы на то, чтобы причинить физический вред эксперту, когда можно просто договориться тем или иным способом со следствием и судом. Это ведь намного проще, потому что закон, к сожалению, весьма щедр на возможности «повернуть куда надо». И следователь, и судья оценивают каждое доказательство в соответствии со своим внутренним убеждением, и это является поистине спасательным кругом для подобных ситуаций. Не считает следователь заключение эксперта таким доказательством, на которое можно опираться, его внутреннее убеждение подсказывает, что на самом деле все не так, и доказательство, каковым является акт судебно-медицинской экспертизы, не отвечает требованию допустимости, или относимости, или достоверности, или достаточности. Эти четыре требования, предъявляемые к доказательствам в уголовном процессе, Саблин во время специализации вызубрил наизусть. Так что в случае отказа эксперта написать «нужное» заключение, на него даже можно не стараться найти управу, а попытаться решить вопрос через тех процессуальных лиц, которым вменено оценивать доказательства. А вот если и эти лица окажутся не в меру строптивыми, тогда уж, конечно, нужно задавливать или их самих, или эксперта.

Нет, если уж эксперт кому-то не угодит, то счеты с ним будут сводить иным способом: по работе или при решении каких-то вопросов, например устройства ребенка в детский сад, предоставления жилья и так далее.

Заключительным аккордом этого длинного дня стал телефонный звонок Петра Чумичева. Собственно, звонка этого Сергей ждал еще накануне и очень удивлялся, что Чума воздерживается от эксплуатации дружеских связей. Он уже начал было думать о школьном товарище в восторженных эпитетах, дескать, честный, дружбу не предает и так далее, однако, как оказалось, поторопился. Разговор был длинным, тягостным, закончился на повышенных тонах. Бывшие одноклассники, просидевшие десять лет за одной партой, разругались насмерть. Но Саблин не уступил. И не отступил.

В его тетрадке, привезенной из Москвы, так и лежал исписанный красным фломастером листок с цитатой из Шекспира: «Если я потеряю честь — я потеряю себя». Он иногда вытаскивал его и долго смотрел на английские слова. Помогало. Помогло и в этот раз.

Сергей не очень был в курсе ситуации в Северогорске, поэтому не мог ничего предполагать относительно возможности «решить вопрос» на предварительном следствии или в суде. И решил на всякий случай подстраховаться. Первым делом жестко проинструктировал Ольгу, которая совершенно не испугалась, только усмехнулась, но твердо пообещала выполнять все данные Саблиным инструкции по обеспечению личной безопасности. И Сергей точно знал, что слово свое она сдержит. И не потому, что будет бояться, а исключительно потому, что пообещала ему.

С Леной и родителями он решил на эту тему не разговаривать, а просто позвонил добрым приятелям из уголовного розыска и попросил совета: как сделать так, чтобы уберечь оставшуюся в Москве семью от возможных неприятностей. Приятели все поняли с полуслова и обещали помочь, тем более что проблема, как понимал Сергей, носит характер кратковременный: только до момента судебного следствия, на которое эксперта могли вызвать для дачи показаний. После этого давить на него уже бессмысленно.

Однако ребята из розыска сработали не вполне аккуратно, и если Лена и Вера Никитична ничего не заметили и не поняли, то Юлия Анисимовна быстро разобралась, в чем дело, и немедленно позвонила сыну:

— Ты допрыгался! — заявила она с горечью. — А ведь я тебя предупреждала, что твоя профессия не имеет ни одного преимущества, зато обладает необыкновенной способностью создавать трудности и проблемы. Был бы ты хирургом, как папа, — горя бы не знал. А так вокруг тебя только смерть, грязь, кровь и криминал. Но ты этого хотел. И вот ты это получил.

Сергей слушал мать и думал о том, знал бы он это самое «горе» или нет. Вспоминал обезумевшие от горя и ужаса глаза Красикова, жена которого отравилась уксусной эссенцией, вспоминал собственный панический страх в тот момент, когда напортачил, учась в интернатуре, и чуть не стал причиной гибели человека, больного плевритом. Он не хотел больше этого в своей жизни. Ему не нужно персональное кладбище. Пусть лучше смерть, кровь, грязь и криминал. И осознание того, что только ты можешь найти истину, которая расставит все по своим местам и поможет защитить того, кто сам себя защитить уже не в состоянии, и наказать того, кто этого заслуживает.

В течение двух месяцев он напряженно ждал, когда же наступят обещанные негативные последствия, а потом узнал, что уголовное дело, возбужденное по факту ДТП с участием двух девушек, прекращено в связи со смертью лица, виновного в аварии. Лицом этим, надо полагать, была признана погибшая Щавелева.

Значит, вопрос решили на уровне следствия.

«Учтем», — подумал Сергей.

ГЛАВА 4

Он даже не заметил, как миновали полтора года после переезда в Северогорск. Все как-то устаканилось, Сергей перезнакомился со всеми сотрудниками Бюро и уяснил наконец, кто кому и кем приходится. О чем-то ему рассказывали любившие посплетничать лаборантки его отделения, кое о чем — рыженькая Светлана, секретарь начальника Бюро, какие-то наблюдения он делал сам. В итоге к началу 2001 года он уже знал, кто чего стоит, у кого какой характер, а также почему Светлана с такой любовью смотрит на Изабеллу Савельевну и что заставляет Георгия Степановича Двояка брать взятки.

Однажды Саблин стал невольным свидетелем разговора между Светланой и экспертом-танатологом Филимоновым. Двояк в очередной раз находился в отпуске где-то в теплых дальних краях, и обязанности начальника Бюро исполняла, как обычно, заведующая отделением экспертизы трупов. Сумарокова отъехала в горздрав, а Филимонов принес ей на утверждение документ, который полагалось зарегистрировать у секретаря.

— Когда карга обещала вернуться? — спросил Виталий Николаевич. — А то я слинять хотел пораньше на полчасика.

Саблин, сидевший в приемной в ожидании, пока Светлана напечатает для него выписку из приказа по кадрам, увидел, как по ее личику пробежала тень негодования.

— Виталий Николаевич, — раздельно произнесла она, — я вас убедительно прошу в моем присутствии не употреблять подобных эпитетов по отношению к Изабелле Савельевне.

Филимонов фыркнул непонимающе, но было видно, что он изрядно смущен. Когда за ним закрылась дверь, Сергей не совладал с любопытством и спросил:

— Кем вам приходится Изабелла Савельевна? Она ваша родственница?

— Нет, — ровным голосом ответила секретарь.

— Тогда кто она вам? Почему вы так ее защищаете? — И заметив, что девушка болезненно поморщилась, поспешно добавил: — Нет-нет, Светочка, ради бога, я ни во что не лезу, если это ваш секрет — не отвечайте.

Она вздохнула, и Саблину даже показалось, что ее глаза налились слезами. Впрочем, через три секунды он в этом уже сомневался: голос у Светланы был ровным и немного безжизненным, как всегда.

— Когда мне было семнадцать лет, убили моего папу. Его вскрывали здесь. Изабелла Савельевна вскрывала. Мама тогда не пережила удара, ее свалил инсульт. У меня есть еще старшая сестра, но она живет очень далеко, в Украине, у нее там были всякие обстоятельства... В общем, она не смогла вылететь сразу. И первые несколько дней я была совсем одна. Ходила к следователю на допросы, и в морг пришла узнать, когда можно папу хоронить. Ко мне вышел какой-то мужчина, потом я узнала, что это был эксперт «живого» приема, который приехал к начальнику за какой-то надобностью. И вышел он вовсе не ко мне, а просто в коридор, но я подумала, что он вышел, чтобы ответить на мои вопросы. И начала спрашивать, как и что. Знаете, через несколько минут у меня голова страшно закружилась, затошнило... Он такие вещи мне говорил... Про секционные швы, про распиленный череп, про то, что органокомплекс после нарезки для гистологии складывают вместе с мозгом обратно в живот и зашивают, и чтобы я была готова к тому, что папу будет трудно узнать после вскрытия, и если я хочу, чтобы все было культурненько — он именно так и сказал: «культурненько», я это слово на всю жизнь запомнила, — то я должна поговорить с санитарами, заплатить им, и они сделают все в лучшем виде. Короче, я начала валиться в обморок. И тут вышла Изабелла Савельевна. Она так на него кричала! Боже мой, — Светлана усмехнулась, — почти пятнадцать лет прошло с тех пор, а такого крика в ее исполнении я больше никогда не слышала. Я тогда еще больше испугалась, вы же представляете себе Изабеллу, а я-то маленькая совсем, что ростом, что возрастом. Она уже тогда была завтанатологией, обняла меня, увела к себе в кабинет, дала нашатыря нюхнуть, отпаивала чем-то. Но главное не это. Главное — она меня утешала. И про папу объяснила мне все очень деликатно, а про того эксперта сказала, чтобы я забыла раз и навсегда все, что он говорил. Когда она узнала, что я совсем одна, то сама поговорила с санитарами, и с подготовкой тела к похоронам помогла. С меня тогда вообще никаких денег не взяли. Я думала — санитары добрые, пожалели меня, сделали все, что полагается, бесплатно, а потом, через несколько лет, догадалась, что Изабелла Савельевна сама им заплатила за работу. И с мамой она мне помогла, мама же в больнице лежит парализованная, я не знаю, куда кидаться, с кем разговаривать, о чем, как договариваться, как санитаркам деньги дать, чтобы они за мамой ходили как следует... Сестра прилетела на похороны и через два дня вернулась к себе, в Украину, ее с работы отпустили только на три дня, она даже до девятого дня не пробыла. А я школу заканчивала. И мама в больнице. Если бы не Изабелла, я бы пропала тогда. Она мне всех заменила — и мать, и отца, и сестру, и подружек. Взяла меня к себе жить, пока маму не выписали, чтобы я одна в пустой квартире не оставалась. Я тогда решила, что буду служить ей до конца своей жизни, как преданная собака. Спросила, какую нужно иметь специальность, чтобы работать в Бюро, рядом с ней. Хоть санитаркой, хоть кладовщицей, хоть сторожем, хоть кем. Об институте речь, конечно, не шла, я хотела какой-нибудь техникум закончить или училище, чтобы быстрее начать зарабатывать самостоятельно. Мы с ней долго прикидывали, советовались и выбрали специальность делопроизводителя. У начальника Бюро тогда была секретарь очень пожилая, она на пенсию собиралась через два года, все знали, что она уйдет, и Изабелла Савельевна пошла к начальнику Бюро и выбила у него обещание взять меня, когда та сотрудница уволится. Начальник в те годы был другой, с ним можно было договориться, он чужую беду умел понимать. Это уж потом пришел Георгий Степанович. Знаете, — Светлана неожиданно улыбнулась, — я иногда думаю, что если бы Двояк уже тогда сидел на этой должности, то меня здесь не было бы.

— Почему? Думаете, он вас не взял бы?

— Точно не взял бы, — уверенно ответила она. — У него свои девочки на примете были бы. Такие, за трудоустройство которых можно что-то поиметь. А с меня что взять? Нищая, голая, босая, отца нет, мать после инсульта инвалид.

Сергей решил, что сейчас, пожалуй, удачный момент, чтобы задать вопрос, который его интересовал почти с самого начала работы в Бюро, но который казался ему столь неделикатным, что он никак не мог улучить приемлемую ситуацию и подходящую минуту, чтобы спросить. А вот теперь, кажется, можно.

Надо только не в лоб спрашивать, а подобраться из-за угла.

— Георгий Степанович давно пьет? — спросил он.

— Лет восемь примерно, — ответила Светлана, не задумываясь. — С девяносто третьего года. Ну да, восемь лет как раз получается.

Сергей не смог сдержать удивления:

— Вы так хорошо помните, когда это началось?

— Еще бы! От Двояка тогда жена в первый раз ушла, вот он и сорвался в запой. Лихо нам всем тогда пришлось. Он ведь был хорошим начальником, сотрудники его любили, уважали, и когда он запил, мы все взялись за руки и стеной встали, чтобы в горздраве и в администрации ни о чем не догадались. Покрывали его изо всех сил. Жалели. Жена у него такая... Особенная, — Светлана сделала выразительную гримаску. — Ну, вы меня понимаете. У нас ее мало кто знал, но те, кому выпало счастье с ней познакомиться, страшно ее не любили. И до сих пор не любят.

Сергея заинтересовало выражение «жена в первый раз ушла». Она что же, периодически бросает мужа, потом возвращается? Или как?

— Ну да, — весело пояснила рыжеволосая Светлана. — Это у нее воспитательная мера такая. Ей очень не нравится, что Георгий Степанович занимается судебной медициной, она считает эту профессию непрестижной и вообще отвратительной, вот и поставила условие, что она будет жить в областном центре, у них там квартира, а он будет присылать ей деньги, сколько она попросит, чем больше — тем лучше. Только на таких условиях она готова с ним остаться. А откуда у судебного медика деньги? Понятно откуда. Двояк уже давно проблемой денег озаботился, землю рыл, чтобы добиться назначения начальником Бюро. До этого-то он в областном Бюро работал, но там стать начальником шансов никаких не было, а здесь, в Северогорске, у него какие-то связи образовались. Только он думал, что жена вместе с ним сюда поедет, а она отказалась, осталась дома, да еще и условие выставила. Какое-то время ей хватало только «северных» надбавок, и шеф работал спокойно, а потом аппетиты разыгрались, стала требовать все больше и больше, вот и начал наш Георгий Степанович использовать свое кресло для того, чтобы выполнять условия жены.

— Так он что, специально стремился к должности, чтобы взятки брать? — изумился Сергей.

Такая прямолинейность его, надо признаться, шокировала.

— Конечно. Только сначала у него не очень получалось, к этому тоже надо приноровиться, научиться вести себя правильно, организовать утечку информации о том, сколько и за что ты берешь и в какой форме тебе нужно «давать», в общем, коррупция — дело тонкое. И пока он привыкал и приноравливался, жене ждать надоело, и она от него ушла. Потом вернулась, где-то через полгода примерно, когда он впервые по-настоящему большую капусту срубил.

Светлана так и не утратила своей способности говорить все напрямик, выдавая «маленькие гадкие секретики» своего шефа. Правда, своей откровенностью она одаривала далеко не всех, у нее, как и у каждого человека, были свои фавориты, равно как и те, кого она недолюбливала. Сергей так и не узнал, почему он попал в число фаворитов, причем с первого же момента появления в Бюро, но ему и не было особенно интересно: он никогда не удивлялся, если кто-то хорошо к нему относился, считая это само собой разумеющимся. Благосклонная откровенность Светланы выражалась не только в том, что она рассказывала своим любимчикам о тайных сторонах жизни других сотрудников, но и главным образом в том, что им самим резала правду-матку в глаза, не смущаясь и ни минуты не сомневаясь. Те же, кого она не любила, слышали от нее только сдержанные комплименты.

Например, Сергею она залепила такое, что он несколько дней ходил под впечатлением и не понимал, радоваться ему или огорчаться. Дело происходило вскоре после совместного празднования всем составом Бюро наступающего Миллениума — 2001 года. Накрыли стол, приехали из поликлиники эксперты амбулаторного приема, что-то купили в магазине, но в основном угощение состояло из того, что сотрудницы Бюро или жены сотрудников-мужчин наготовили дома. У каждого было свое фирменное блюдо.

Во время застолья царствовал Лев Станиславович Таскон. Он сыпал остротами, раздавал направо и налево сияющие улыбки, рассказывал интересные байки из истории судебной медицины, ухаживал за дамами и говорил им всеразличные приятности. Больше всего Сергея поразило то обстоятельство, что дамы, казалось, обожали Таскона, во всяком случае, его ухаживания и комплименты воспринимались ими с таким явным нескрываемым восторгом, что Саблин только диву давался. Этот маленький корявый «кургузый» мужичонка пользовался огромным успехом у женщин. Разгулявшаяся на празднике и раскрасневшаяся от выпитого шампанского Светлана тут же поведала Сергею, указывая на лаборантку из судебно-химического отделения, что та уже много лет влюблена в Льва Станиславовича, сохнет по нему и с ума сходит. Сергей с недоумением глянул на пышноволосую статную красавицу, которой до сорока лет было еще очень далеко. Этого просто не может быть! Но Света врать не станет, в этом Саблин уже давно убедился: она была зла и остра на язык, но никогда не возводила на людей напраслину.

— Но почему? — шепотом осведомился он, не сводя глаз с лаборантки-химички, которая, в свою очередь, не сводила пылающего влюбленного взгляда с эксперта-биолога. — Что в нем такого? Я не понимаю, честное слово! Он интересный человек, он очень много знает, он хороший специалист в своем деле, но женщинам это, как правило, не нужно. А того, что им нужно, у него нет. Так почему же вы все так его любите?

— Интересно вы рассуждаете, — так же шепотом ответила Светлана. — А что, по-вашему, нужно женщине?

— Деньги, положение, жесткий характер и элегантная внешность, — не задумываясь ответил Саблин.

Он был в этом уверен.

Светлана посмотрела на него неожиданно серьезно, ее смеющиеся изумрудно-зеленые глаза похолодели и стали строгими.

— А знаете, Сергей Михайлович, почему Таскона в Бюро любят, а вас — нет?

— И почему же? — с веселой иронией осведомился он, ожидая какой-нибудь забавной шутки или веселого каламбура.

— Потому что Лев Станиславович добрый и обаятельный, у него есть харизма. А вы злой и необаятельный, и харизмы у вас нет никакой. Вы противный, Сергей Михайлович. Женщины не любят таких, как вы.

Саблин опешил. Ну, злой — это ладно, это правда, с которой не поспоришь. Ну, харизмы у него, вероятно, действительно нет, хотя он и не очень хорошо представляет себе, что это такое и как должно проявляться. Но необаятельный? И даже противный?

Он попытался как-то вылезти из дурацкого положения, которое его смущало, и решил пошутить:

— Ой, Светочка, а мне-то казалось, что я вам нравлюсь и вы ко мне хорошо относитесь! Как же я заблуждался-то!

— И ничего вы не заблуждались, — возразила молодая женщина. — Я к вам действительно хорошо отношусь, потому что вы честный, прямой, как палка, и дело свое знаете, любите и делаете на «отлично». За это вы мне нравитесь. И потом, лично я люблю противных и злых, у меня плохой вкус. Но как мужчина вы мне абсолютно не нравитесь, и замуж за вас я бы ни за что не пошла. Я бы даже в любовницы к вам не пошла, если бы вы позвали. Быть вашей подчиненной — всегда пожалуйста, с нашим удовольствием, и вообще работать вместе с вами я бы хотела. А вот жить — лучше сразу под расстрел.

— Ну Света, — с упреком протянул окончательно растерявшийся Саблин. — Что вы такое говорите? Неужели я настолько плох, что лучше умереть, чем жить со мной? Вы уж из меня прямо монстра какого-то сделали.

Она посмотрела внимательно, окинула его взглядом с головы до ног и усмехнулась:

— Да нет, Сергей Михайлович, монстра из вас сделали давным-давно. Уж не знаю кто, родители или вы сами таким сделались. Но к нам в Бюро вы пришли уже монстром, это точно.

Настроение у Саблина испортилось, и он ушел с вечеринки, не дожидаясь ее окончания. У Ольги в патанатомии тоже в этот день отмечали наступление Нового года, и, сидя в пустой квартире, Сергей злился, вспоминая слова Светланы, пытался чем-нибудь заняться, чтобы скоротать ожидание, но ничего не привлекало — ни телевизор, ни книги, ни компьютер, за которым он обычно проводил каждую свободную минуту, перепечатывая разные интересные материалы и создавая собственный архив.

Когда Ольга пришла, он налетел на нее с вопросами, даже не дав толком раздеться.

— Ты не сказал мне ничего нового, Саблин, — улыбнулась она, стягивая с ног высокие зимние сапоги. — Чему ты так удивляешься? Твоя Светочка совершенно права, я готова подписаться под каждым ее словом.

Сергей отступил и в изумлении уставился на нее.

— Ты что хочешь сказать? Что я действительно такой? Злой, противный и вообще монстр? И необаятельный?

Ольга всунула ноги в мягкие теплые тапочки и чмокнула его в нос.

— Нет, Саблин, ты не такой. Ты намного хуже. Твоя Светочка просто проявила деликатность и выбрала более мягкие выражения.

Она направилась в комнату, чтобы переодеться в домашнюю одежду — брюки и свитер из кашемира сливового цвета, Сергей поплелся за ней следом.

— Как же ты со мной живешь? — требовательно и сердито спросил он. — Если я такой плохой, как ты меня терпишь? И зачем?

— А я люблю тебя, — весело ответила Ольга, стягивая через голову нарядную трикотажную тунику, которую надевала в тот день ради праздника. — И я пошла на отношения с тобой с открытыми глазами.

— То есть?

— Да я с самого начала все про тебя поняла, — засмеялась она. — Поняла, что ты авторитарная личность, что ты можешь меня замордовать окончательно. И кстати, я тебе об этом сразу же сказала, если ты не забыл. Так что я еще тогда поняла, что легко мне с тобой не будет.

— Все поняла? — переспросил он. — И не побоялась со мной связаться? Знала, какой я, знала, что я буду невыносим в близком общении, и все равно рискнула? Почему?

— Ну я же сказала: я тебя люблю. А все остальное значения не имеет. На мне твой авторитаризм никак не сказывается.

— Ну слава богу, — Сергей изобразил демонстративный вздох облегчения. — Значит, я хотя бы тебя не истязаю. И на том спасибо.

Ольга обошла его, чтобы пройти в дверь, ведущую из комнаты в прихожую.

— Нет, милый, — донесся из кухни ее низкий грудной голос, — ты пытаешься меня истязать, ты со мной точно такой же, как и с другими. Просто я не поддаюсь. Но имей в виду: это исключительно моя собственная заслуга. Выпьем, Саблин? У нас есть хороший коньяк, давай по рюмочке в честь праздника, поздравим друг друга, посидим, поговорим.

Она так непринужденно и гладко ушла от развития темы, что Сергей и в самом деле испытал облегчение. Раз она не хочет больше это обсуждать, значит, это не настолько значимый для Ольги вопрос. А коль не значимый, стало быть, живется ей рядом с Саблиным вполне комфортно.

Он с обиженным недоумением вспоминал о словах Светланы еще несколько дней, а потом выбросил их из головы.

* * *

Ватрушки были свежести и пышности прямо-таки необыкновенной, и Сергей, несмотря на то, что всего полчаса назад вернулся от лаборантов, вместе с которыми пил обеденный чай с бутербродами, вонзал зубы уже в третье по счету изделие, вышедшее из-под умелых ручек Лялечки, жены Льва Станиславовича Таскона. Сам Таскон, принесший Сергею угощение, сидел напротив и с насмешливым удовольствием наблюдал за заведующим гистологией.

— Нравится? — спросил он скорее утвердительно, ибо ни минуты не сомневался в кулинарных талантах супруги.

— Еще как, — кивнул Сергей с набитым ртом. — А что это вы такой сияющий сегодня, Лев Станиславович?

— Радуюсь успешно проведенной работе, — поделился эксперт-биолог. — Принесли от следователя рубашку подозреваемого в убийстве, якобы он потерпевшего истязал и избивал, да так, что у того рвота началась. Подозреваемый, естественно, в отказе, ничего не знает, ничего не делал и вообще на месте происшествия не был. Вот следователь и решил задать вопрос: а нет ли на одежде подозреваемого следов рвоты, и если есть, то могла ли эта рвота произойти от потерпевшего.

Сергей покачал головой.

— Трудно, — заметил он. — Хорошо разработанных методик нет, приходится из головы выдумывать.

— Вот! — Таскон назидательно поднял указательный палец. — Но прежде чем выдумывать из головы, надо хорошо изучить чужой опыт. Это вы, молодые, чужим опытом пренебрегаете, считаете себя самыми умными да удалыми, а мы, старики, чужой опыт уважаем и ценим. Вы думаете, я для чего на прошлой неделе просил у вас подборку «Экспертной практики»?

Действительно, дней девять-десять назад Лев Станиславович, как обычно, зашел к Сергею и попросил на пару дней вырванные из журналов «Судебно-медицинская экспертиза» за много лет и тщательно подобранные страницы раздела «Экспертная практика». Эти страницы Саблин собирал всюду, где находил «бесхозные» журналы, нумеровал, надписывал и складывал в папки. Чужой опыт он уважал не меньше Льва Станиславовича, но спорить не стал. Обычно упрямый и строптивый, не терпящий замечаний, особенно несправедливых, и не упускающий возможности огрызнуться и даже нагрубить, с Таском Сергей становился покладистым и уступчивым. Неужели это и есть то самое обаяние, та самая харизма, о которой говорила Света и которая напрочь отсутствовала у самого Саблина?

— В литературе, само собой, методик я не нашел, тут вы совершенно правы, — продолжал между тем биолог, — но зато в «Практике» обнаружился совершенно замечательный случай, очень похожий. И описано, как ребята вышли из положения. Я и подумал: а что бы не попробовать повторить их придумку?

— И как? — заинтересовался Сергей. — Повторили? Получилось?

— О-о-о! Еще как получилось! Нашли на рубашке участки, содержащие слюну, вырезали из них кусочки ткани, залили двенадцатипроцентной уксусной кислотой и выдержали сорок восемь часов при комнатной температуре. Потом пробирки — в центрифугу, а из осадков приготовили обычные цитологические препараты.

— Фиксировали? — спросил Сергей. — Красили?

— А то как же! — некрасивое лицо Таскона расплылось в довольной улыбке. — По Романовскому, азур-оэзином. И под микроскоп! А там...

Саблин терпеливо ждал, не желая портить эксперту эффектную концовку.

— Там непереваренные фрагменты растительной клетчатки, крахмальные зерна, элементы желчных кислот, клетки слизистой рта — короче, весь джентльменский набор рвотных масс. Ну, уж групповую и половую принадлежность слюны и клеток слизистой мы как-нибудь и сами одолели. Конечно, и подозреваемый, и потерпевший — мужики, так что половая принадлежность не больно-то помогла, а вот группа выделительства у них, слава богу, разная. Так что никуда этот изувер теперь не денется. А вы сами-то помните тот случай из «Экспертной практики»?

— Конечно.

Он действительно помнил, потому что случай был совсем свежим, из журнала за 2001 год. Правда, речь там шла о мужчине, изнасиловавшем извращенным способом тринадцатилетнюю девочку, которую от страха и отвращения вырвало прямо ему на рубашку.

Сергей не смог сдержать гримасу брезгливого омерзения, которое всегда накатывало на него при упоминании о насильниках и особенно о педофилах. От Таскона не укрылось выражение его лица.

— Согласен, голубчик, полностью согласен, — закивал он головой, приделанной, казалось, прямо к плечам. — Половые преступления — гадость редкостная, это даже наши пращуры признавали. Вот насчет клеветы, оскорблений, побоев и налогов — тут не все просто, а с половыми преступлениями ясно было с давних времен: не прощать!

— Так уж и с давних? — с деланым недоверием задал Сергей провокационный вопрос.

Он приготовился к тому, что Лев Станиславович начнет сейчас рассказывать, и рассказы его будут безумно интересными и познавательными. Саблин не уставал восхищаться тем, как много знает эксперт-биолог об истории судебной медицины и с каким тщанием подходит к сбору и компоновке материалов, которые он неизвестно откуда выкапывал. О чем бы ни зашла речь — о комплектации учебных классов на кафедре судебной медицины Императорского Московского университета в первой половине девятнадцатого века или о судебно-медицинской экспертизе по делу об убийстве, в котором обвинялся композитор Алябьев, автор знаменитого романса «Соловей», — Лев Станиславович мог поделиться своими знаниями, накопленными за долгие годы. И надо честно признать, многое — да что там многое! почти все — было Сергею в диковинку. Например, в полный восторг привела его «Опись инструментов для вскрытия мертвых тел при судебно-медицинских исследованиях», датированная 1835 годом, но особенно — «Опись инструментов для оживления мнимоумерших, как то: утопших, удавившихся, задохшихся и от других случаев умерших». В этой описи Сергей с изумлением нашел «раздувательный мех для наставления клистира из табачного дыма», а также «табак курительный простой 1/4 фунта в жестяной банке», «огниво, кремни, наполненные селитрою», «три кусочка разной величины проволоки для прочищения чубука и клистирных трубок». Особенно же умилили его «два полотенца» и «жестянка для ромашки». Рассказчиком эксперт Таскон был отменным, и, если выпадала свободная минутка, Саблин не упускал возможности прослушать очередной экскурс в историю судебной медицины, которая, к его удивлению, оказалась наукой и практикой куда более «старой», чем он самоуверенно предполагал.

Именно поэтому и задал он свой «провокационный» вопрос об отношении наших далеких предков к половым преступлениям в надежде услышать еще что-нибудь новое и любопытное.

Лев Станиславович упрашивать себя не заставил и немедленно вывалил на Сергея целую уйму презанятнейших фактов. Еще во времена Киевской Руси существовали наказания за половые преступления и детоубийства. Однако относительно четкая полная регламентация этих преступных деяний была проведена только при Петре Первом. Для проведения так называемых «врачебно-судных изысканий» по делам о половых преступлениях и о детоубийстве приглашались врачи, хотя специального закона об этом тогда еще не было. Нередко освидетельствования потерпевших или матерей, обвиненных в убийстве новорожденного, проводились повивальными бабками, а в Сыскном приказе беременных женщин осматривали «колодничьи старостихи».

Специалистов акушерско-гинекологического профиля катастрофически не хватало в те годы. А директором Медицинской канцелярии в тот период был архиатор Кондоиди, и вот в 1754 году он подал в Правительственный Сенат Проект об учреждении «бабичьих школ». Проект был одобрен, но, как и водится на Руси, воплощен в жизнь далеко не сразу. Первые две «бабичьи школы» были открыты в Москве и Петербурге только спустя три года. Обучение в школах велось ни шатко ни валко, без специально разработанных и утвержденных программ, нередко — прямо на дому у преподавателя. Да и преподавать-то, в сущности, было некому. Из Германии пригласили врачей, в том числе и знаменитого доктора Иоганна Эразмуса, и когда через полгода после начала занятий архиатор Кондоиди поинтересовался у него успехами учениц в овладении акушерской наукой, ответить именитому медику оказалось нечего. И с учебными пособиями была полная беда: единственным доступным учебником оказалось «Наставление» Горна, переведенное помощником Эразмуса доктором Пагенкампфом, но недостатков у сего источника знаний было куда больше, нежели достоинств. Во-первых, оно само по себе было изрядно устаревшим, ибо издавалось аж в 1687 году, а во-вторых, перевод на русский язык, осуществленный специалистом, языком сим плохо владеющим, далеко не всегда был аутентичным и достоверно излагал непростую науку гинекологию. В общем, в середине восемнадцатого века в России обучались акушерско-гинекологическому искусству уровня конца XVII столетия.

Но даже при всех имеющихся недостатках преподавания будущие акушерки все-таки получали необходимые знания о судебной медицине и о «врачебно-судных изысканиях», учились определять наличие беременности, следов насилия, а также получали сведения об анатомии плодов и новорожденных.

— Так что наука наша с вами еще триста лет назад озаботилась тем, чтобы насильники не могли избежать ответственности, — завершил свою минилекцию Лев Станиславович. — А вы небось думали, что вся наука только с вашим приходом в нее начала развиваться? А до вас непаханое поле стояло?

В общем, примерно так Сергей Саблин и думал, когда пришел впервые на работу в Бюро судебно-медицинской экспертизы. Потом, спустя несколько лет, пришлось осознать, что судебно-медицинская наука как-то существовала и до него на протяжении примерно лет пятидесяти-семидесяти, и существовала очень даже неплохо. Во всяком случае, множество теоретических постулатов и практических методов, которыми пользовались сегодняшние судмедэксперты, были придуманы и разработаны еще в первой половине XX века. Однако смириться с тем, что умные и знающие специалисты жили и работали триста лет назад, более того, специалисты эти во многих областях были не глупее самого Сереги Саблина, было как-то трудно.

ГЛАВА 5

И все-таки вскрывать криминальные трупы Саблину было интересно. Поэтому, дабы не зависеть от доброй воли милейшей Изабеллы Савельевны Сумароковой, он попросил ставить его в график дежурств в составе следственно-оперативной группы: по сложившейся традиции криминальный труп вскрывал тот эксперт, который осматривал его на месте происшествия. Северогорск — не Москва, где суточное дежурство в составе группы означало двадцатичетырехчасовое пребывание вместе со следователями, оперативниками и дежурными экспертами-криминалистами. Здесь, на Крайнем Севере, город не так велик, и дежурный судебно-медицинский эксперт просто должен постоянно находиться в зоне досягаемости: либо на работе, в Бюро, либо дома, на телефоне.

Дежурства бывали разными, то совсем спокойными, позволяющими ночью полноценно выспаться, то суматошными и тяжкими, когда не то что поспать — чаю выпить некогда. Но Саблина это не смущало: за годы работы в реанимации он привык не спать по ночам и после этого целый день бодрствовать, и не просто бодрствовать, тупо созерцая стену над диваном, а учиться, слушать лекции, запоминать, конспектировать, соображать, а потом еще предаваться приятному времяпрепровождению с приятелями и девушками. Дежурил он с удовольствием, несмотря на то что ни с кем из следователей, оперов и криминалистов близких отношений у него не сложилось. Не то они сторонились заносчивого и грубоватого судебного медика, не то он сам избегал дружеских контактов с кем бы то ни было. У него была Ольга, с которой он по-настоящему дружил, и ему было вполне достаточно. Даже с Петькой Чумичевым они почти не виделись, а после того разговора по поводу дочки директора фабрики даже и перезваниваться перестали.

Суточное дежурство начиналось и заканчивалось в восемь утра. В этот день Сергей в половине девятого уже подходил к зданию Бюро, когда в кармане зазвенел мобильный телефон. Звонил дежурный горотдела внутренних дел.

— Сергей Михайлович, труп в адресе, надо ехать.

— Мне не надо, — Саблин был, по обыкновению, не особо вежлив. — Я дежурство закончил полчаса назад. Звоните следующему по графику эксперту, пусть он выезжает.

— Да звонили мы, — с досадой крякнул дежурный. — Домашний телефон не отвечает, а мобильный вне зоны. Где-то он застрял, а там срочно надо, вся группа уже на месте. Выручайте, Сергей Михайлович. Ребенок ведь умер, смерть на дому. А вдруг чего...

Сергей развернулся и ринулся к служебной машине, на которой только что приехал Георгий Степанович Двояк. Слава богу, водитель еще копался в салоне, пытаясь что-то найти в вечно забитом всякой ерундой «бардачке».

— Так вы поедете, Сергей Михайлович? — доносился из трубки настойчивый голос дежурного.

— Да, — бросил он на ходу.

— Может, за вами машину прислать? Вы где сейчас?

— Не надо машину, — он рывком распахнул дверь автомобиля. — Адрес говорите.

Водитель Сеня, тот самый, что встречал его когда-то в аэропорту, ничего спрашивать не стал. Молча кивнул, когда Саблин назвал адрес, слегка посторонился, чтобы Сергей мог поставить на заднее сиденье «экстренный чемоданчик», который он брал с собой на дежурство, а выруливая на трассу и объезжая здание Бюро с той стороны, куда выходили окна начальника, просто показал на эти окна глазами. Сергей уже научился понимать Сеню без слов и снова достал телефон из кармана. Двояк был человеком неоднозначным, но все, связанное с дежурствами и острой необходимостью, обычно понимал правильно.

— Конечно, конечно, — ответил он. — Поезжайте. Мне все равно до двенадцати никуда ехать не нужно.

Через четверть часа Сергей уже был на месте. Еще на улице он увидел возле подъезда желто-красную машину педиатрической БИТ-бригады — Бригады интенсивной терапии, дежурную машину горотдела и черную «Волгу» с надписью «Прокуратура» на дверцах. У входа в лифт он столкнулся с выходящими врачами «Скорой». Одного из них Саблин видел впервые, а вот второго — молодого симпатичного корейца с совершенно русским именем и отчеством и с пикантной фамилией Ню — встречал во время дежурств много раз.

— Что там? — спросил Сергей.

Врач-кореец пожал плечами и поднял на Саблина печальные умные глаза.

— Сам не пойму, Сергей Михайлович. Какая-то странная внезапная смерть на фоне полного здоровья. Здоровенький мальчик, ничем не болевший, за исключением респираторных заболеваний, на диспансерном учете не состоял. А вот взял и умер...

— Мальчик маленький?

— Да что вы, подросток, четырнадцать лет.

Доктор Ню сделал паузу, о чем-то напряженно думая, и добавил совсем тихо:

— Это-то и странно.

— Кто из следователей выехал? — спросил Сергей. Вопрос не был праздным. Если уж не повезло лично ему и пришлось работать за следующего по графику эксперта, то дежурный следователь наверняка был «свежим», не тем, с кем Саблин провел на дежурстве минувшие сутки. Надо было узнать, кто именно. Доктор назвал фамилию. Все понятно, от этого следака толку не добьешься, надо постараться получить максимум информации у врача «Скорой».

— А что вообще произошло? Что мать рассказывает?

Выяснилось, что около семи утра мальчик по имени Миша Демин сел завтракать на кухне вместе с мамой. За завтраком он пожаловался маме на боли в спине, где-то между лопатками. «Опять твой остеохондроз, — вздохнула мать. — Ведь только что к мануальщику на массажи отходил, столько денег заплатили — и все без толку». Поев, подросток отправился к себе в комнату собираться в школу. Минут через десять мать, мывшая на кухне посуду, услышала из ванной крик, полный ужаса и боли. От этого крика волосы на голове вставали дыбом. Она бросилась в ванную. Миша сидел возле стены на корточках, полнокровный и обычно румяный, сейчас он был бледен как полотно. Объяснить, что с ним, подросток не смог, только прохрипел с трудом: «Больно, не могу дышать...» Мать бросилась к телефону вызывать «неотложку», которая приехала через четыре-пять минут — подстанция была недалеко. Бригада врачей констатировала: холодные влажные кожные покровы, с мраморным колоритом, отсутствие сознания, сердцебиения и самостоятельного дыхания, отсутствие артериального давления. Проводимые реанимационные мероприятия результата не дали. Четырнадцатилетний мальчик внезапно умер на фоне полного здоровья спустя менее чем полчаса после появления первых непонятных симптомов непонятного заболевания.

«Скорая» уехала, а Саблин поднялся в квартиру. В прихожей толпились люди в форме и в гражданской одежде: вся дежурная следственно-оперативная группа плюс какой-то прокурорский чин. Всех их, за исключением одного — мужчины средних лет, — Саблин так или иначе знал. Незнакомый мужчина, судя по выражению лица, был в шоке. Вероятно, это отец мальчика.

Отыскав глазами дежурного следователя, он спросил, что здесь случилось. Не мог не спросить, хотя и без того уж все знал от доктора Ню. Но не объяснять же этому вполне добропорядочному, но туповатому следаку, что он уже и без него все выяснил, потому как на умственные способности славного представителя правоохранительной структуры особо не рассчитывает. В целом Сергей оказался прав: ничего путного следователь ему рассказать не мог, более того, он ухитрился растерять по мере рассказа больше половины того, о чем Саблина проинформировал врач «Скорой помощи». И почему в юридических вузах будущих оперативников и следователей никто не учит запоминать, систематизировать и грамотно излагать информацию?!

Подросток лежал на полу в «детской» голый по пояс, на груди виднелись кольцевидные ожоги от электродов дефибриллятора, в правой и левой локтевых ямках — циркулярные марлевые повязки, прикрывающие точечные ранки — следы внутривенных инъекций. Эксперт-криминалист закончил фотосъемку, после чего Саблин приступил к осмотру трупа. Следователь присел за небольшой письменный столик и стал писать протокол под диктовку Сергея. «Еще вчера вечером за этим столиком сидел мальчик Миша и делал уроки, — подумал Саблин с неожиданной тоской. — И кто мог предположить, что пройдет каких-нибудь 12—14 часов — и за этим столиком будет сидеть чужой дядька и записывать то, что ему скажет другой чужой дядька, осматривающий мертвое тело этого мальчика... Господи, что ж ты творишь-то? За что и кого наказываешь так страшно?»

— Кожные покровы влажные и бледные... — диктовал Сергей, но внезапно поднял голову и уже обычным тоном произнес: — А вот трупные пятна отсутствуют.

Следователь оторвался от протокола и вопросительно взглянул на судебного медика.

— Не понял... Вроде рано еще для трупных пятен-то, меньше часа прошло, как парень умер. Или я чего-то не знаю?

— Да я и сам не знаю, — вздохнув, признался Саблин. — Но у такого крупного и рыхлого мальчика они могли бы уже и появиться, хотя бы на отдельных участках. Впрочем, может, я мудрю слишком... Ладно, поехали дальше.

Закончив осмотр и подписав протокол, он собрался было ехать на работу, но остановился и снова подошел к следователю:

— Не возражаете, если я пару вопросов матери задам?

— О чем? — следователь недовольно нахмурился.

— Да по медицинской части. Мне не все понятно... В конце концов, в любом случае нам нужно будет анамнез собирать, не сейчас — так потом.

— Валяй, — разрешил следователь. — Только толку от нее... Ее лепилы со «Скорой» накачали чем-то, а то уж очень она кричала и билась, боялись, как бы с собой чего не сотворила.

— Я попробую, — скупо улыбнулся Сергей.

Мать Миши Демина лежала на диване в большой комнате, свернувшись калачиком и уставившись в одну точку мертвыми неподвижными глазами. Рядом с ней на самом краешке дивана сидел, сгорбившись, тот самый незнакомый Саблину мужчина, который действительно оказался отцом мальчика. Он согласился поговорить с экспертом и отвечал на вопросы монотонно, каким-то серым тусклым голосом. У Миши был диагноз «остеохондроз грудного отдела позвоночника I-II степени», выставленный детским травматологом-ортопедом. Дополнительных обследований, как утверждал отец подростка, никаких не проводили, диагноз выставили только на основании жалоб на боли в межлопаточной области и первичного осмотра. К тому же мальчик был сутулым, и это давало врачу еще одно основание для постановки диагноза. Учился Миша хорошо, а вот спортом не увлекался, равно как и подвижными играми, был неуклюжим и склонным к полноте. Всё тот же травматолог-ортопед посоветовал обратиться к мануальному терапевту, якобы очень хорошему, работающему в частном медицинском центре. Миша прошел курс массажей, после которого боли между лопатками исчезли. Но миновало чуть больше трех месяцев — и боли появились вновь.

— Жена думала, что это из-за учебы, — говорил отец Миши, — ведь парень часами сидит за уроками, задают-то много, он ведь в частной гимназии учится, там и преподаватели строгие, и программа большая. Ортопед рекомендовал Мише в бассейн ходить, а он не ходил, и мы вот все собирались абонемент купить, да так и не купили... Жена говорила: надо плавать, а уж если не поможет — снова к мануальщику тому на массажи начнем ходить.

Он не осознал еще смерть сына и говорил о нем в настоящем времени, как о живом.

* * *

Тело Миши Демина доставили в морг, Сергей заручился обещанием Изабеллы Савельевны отписать труп на вскрытие именно ему и занялся своими делами. Однако вскоре раздался звонок следователя, того самого, туповатого, но добродушного и порядочного.

— Мальчика вскрывали? — озабоченно спросил он. — А то меня зампрокурора дергает.

— Ребенок умер всего несколько часов назад, — недовольно ответил Сергей. — Труп еще теплый, а без крайней нужды теплые трупы мы не вскрываем.

— Но... — следователь замялся, подыскивая наиболее убедительные аргументы. — Сергей Михайлович, она мне весь мозг вынесет, она как про детскую смерть слышит — так все, пиши пропало. Она хочет, чтобы вскрытие провели сегодня и чтобы результаты ей до конца дня доложили.

Она. Кто это «она»? Саблин, конечно, не мог бы утверждать, что знает всех заместителей прокурора города, но он никогда не слышал, что среди них есть дама. Впрочем, мало ли чего он тут не знает или не слышал! Северогорск не такой уж маленький городишко, как можно было подумать, народу в нем живет немало, и немудрено, что с кем-то из представителей правоохранительной системы судебно-медицинский эксперт Саблин еще ни разу не встретился.

— Да Каширина, — с непонятной злостью выпалил следователь. — Она у нас недавно, до этого была следователем по особо важным делам в областном центре.

— В ссылке, стало быть, — недобро усмехнулся в трубку Сергей.

— Нет, она наша, северогорская, в том смысле, что начинала карьеру у нас, потом пошла в рост и перевелась в область, а теперь ее к нам вернули опять с повышением. Ну так что, Сергей Михайлович? Сделаете?

— Значит, так, — твердо произнес Сергей. — Вскрытие будет завтра. Сегодня никакого вскрытия не будет, пока труп не остыл. И если ваша, как ее там...

— Каширина, — безнадежным тоном подсказал следователь.

— Вот эта ваша Каширина чего-то не поймет, то пусть позвонит мне сама, и я прочитаю ей короткую лекцию о правилах вскрытия трупов.

— Но она же мой начальник, — взмолился следователь. — Она меня с какашками скушает! Ну Сергей Михайлович, ну войдите в положение!

Саблин тяжело вздохнул. Может быть, это и хорошо, что люди, не причастные к судебной медицине, не имеют ни малейшего представления о вскрытии трупов и производстве исследований и экспертиз. Уж больно все эти подробности страшны и неаппетитны для обывателя. Но как же трудно бывает объясняться с людьми, которые этих самых деталей и подробностей не знают! Вот поди растолкуй такому специалисту, что такое вскрытие теплого трупа. Или не поймет ничего, или с приступом рвоты вылетит пулей из комнаты, а то и вовсе в обморок грохнется.

— При всем моем уважении к вам, — сердито сказал он, — ничем помочь не могу. Повторяю еще раз: вскрывать тело Демина я буду не раньше завтрашнего дня. А если ваша зампрокурора не в курсе, то напомните ей, что она не является моим начальником и не может мне указывать, как мне выполнять свои профессиональные обязанности.

Но никакая Каширина Сергею так и не позвонила. То ли следователю удалось ее убедить, то ли она сама сообразила, что давление на эксперта не только бессмысленно, но и откровенно глупо. Но поработать в свое удовольствие Сергею в этот день так и не дали. Сперва ему задавали вопросы чиновники из департамента здравоохранения — ну а как же, каждый случай детской смерти рассматривался под микроскопом и в обязательном порядке обсуждался на клинико-анатомических конференциях. Потом позвонила Нестерова, заведующая детской поликлиникой, на территории обслуживания которой проживал Миша Демин. Ее тоже можно было понять: если вдруг окажется, что у мальчика было заболевание, которое пропустил участковый педиатр, и от этого заболевания ребенок скоропостижно скончался, то... Головы ей, как и педиатру, не сносить. Она поделилась с Саблиным всем тем, что узнала у участкового врача: ребенок первый от второй беременности; беременность протекала с токсикозами во второй половине срока; мать рожала путем экстренного кесарева сечения. Миша Демин родился недоношенным, рос и развивался соответственно возрасту, профилактические прививки получал по возрасту, аллергических реакций не было. В раннем возрасте перенес острые респираторные инфекции без осложнений. В трехлетнем возрасте перенес ветряную оспу. В последние годы респираторные заболевания были редкими. Состоял на диспансерном учете у невропатолога с шести лет с диагнозом «вегето-сосудистая дистония по гипотоническому типу», в последние два года — на учете у травматолога-ортопеда с диагнозом «остеохондроз грудного отдела позвоночника».

А кто из детей сейчас без остеохондроза?! Все сидят неправильно, у всех столы и стулья под рост не подогнаны, а мальчик крупный, высокий, ясное дело, что ему в школе парта всегда была мала, и Миша вынужден был горбиться и скособочиваться, к тому же ребенок учился в «продвинутой» гимназии, где очень много задавали уроков и приходилось носить с собой тяжеленные сумки с учебниками. Сегодня остеохондроз уже в детсадовском возрасте многим выставляют. А больше ничего...

— Вы, конечно, амбулаторную карту запросите у нас и сами все прочитаете, — заискивающим голосом говорила Нестерова, — но я подумала, что, если вы пораньше получите от меня информацию, это как-то поможет вам во время вскрытия... Кстати, вы не возражаете, если я поприсутствую? И участковый педиатр тоже хотела бы прийти, она очень переживает, вы же понимаете...

Сергей все понимал и не возражал. Это была не назначенная следователем экспертиза, а всего лишь судебно-медицинское исследование трупа, по результатам которого и будет приниматься решение: есть криминал или нет, и нужно ли возбуждать уголовное дело. А пока никакого дела еще нет, следователь эксперту не указ, и Саблин имеет право принимать любое решение о том, кто будет присутствовать при вскрытии.

К вечеру список желающих прийти на следующий день в секционную пополнился заведующим Центральной подстанцией скорой медицинской помощи, а также врачом бригады интенсивной терапии, тем самым корейцем по фамилии Ню, обладателем таких умных и печальных глаз, выезжавшим на вызов к мальчику.

Спал Сергей плохо. Несмотря на то что детских трупов он вскрыл за свою профессиональную жизнь немало, привыкнуть он так и не смог и прекрасно понимал тех экспертов, которые либо всячески уклонялись от этой неимоверно тяжкой процедуры, либо набирались нахальства и наотрез отказывались, рискуя навлечь на себя гнев начальства. Ольга, знавшая о том, что ему предстояло, благоразумно не лезла с разговорами и молча занималась своими делами, с готовностью откликаясь каждый раз, когда Сергей находил в себе силы попросить чаю или задать какой-нибудь вопрос. «Ленка ни за что не поняла бы моего состояния, — то и дело мелькало у него в голове. — Она бы щебетала, требовала что-нибудь, предлагала сходить в кино или ныла, что я ничем не помогаю по дому. А если бы я попытался объяснить ей, как страшно и больно вскрывать трупы детей, она бы фыркнула и посоветовала мне отказаться, как это делают многие, взять больничный, сослаться на занятость, выставить заведующему отделением бутылку коньяку за изменение решения, одним словом, как-то выкрутиться. А кто же будет вскрывать детей, если все начнут уклоняться? Кто будет искать ответ на вопрос: отчего умер человечек, который ну никак не должен был умирать? Кто его защитит? Оля это понимает. Хорошо, что она у меня есть».

Утро прошло в таком же молчании, только если вечером тишина в квартире была тягостной, мрачной и мутно-плотной, то с утра она уже стала сосредоточенной и какой-то прозрачной, будто готовой в любой момент прорваться тихими короткими командами, отдаваемыми командиром своим солдатам. Сергей готовился к работе.

Вскрытие было назначено на десять часов, и за пятнадцать минут до начала в морге собрались заведующая детской поликлиникой вместе с участковым педиатром и врачи «Скорой помощи». Лица у всех четверых были напряженными и тревожными: сейчас эксперт вскроет труп, и может оказаться, что кто-то из них виновен в смерти мальчика. Либо не диагностировал вовремя тяжелое заболевание, либо не сделал все возможное во время реанимационного пособия.

Санитар сделал секционный разрез, вскрыл черепную коробку и отошел в ожидании указаний. Сергей, как обычно, постоял несколько минут возле стола, ничего не делая, пристально глядя на приготовленное для исследования тело и мысленно разговаривая с умершим: «Ну что, Миша, расскажешь мне, что с тобой случилось? Отчего ты так кричал? Почему тебе было так больно? Чем ты болел таким таинственным, чего не заметили лечившие тебя доктора? Или ты ничем не болел, а просто что-то случилось? Тебя избили? Ранили? Отравили? Ты сам что-то проглотил? Если кто-то, кроме самой природы, виноват в твоей смерти, помоги мне найти истину, чтобы наказать виновного. Миша, не молчи, открой мне тайну твоей смерти».

Присутствующие с недоумением поглядывали на эксперта, молча стоящего перед секционным столом. Но Сергей не собирался никому ничего объяснять. Мысленные разговоры с умершими — это его личное дело. Он, как обычно, перевел взгляд на оставленное кем-то когда-то масляной краской синее пятно на стене, глубоко вдохнул и приступил к исследованию.

При вскрытии трупа Миши Демина никаких телесных повреждений, кроме следов от внутривенных инъекций в локтевых ямках, обнаружено не было. В плевральной полости слева — более 1725 мл жидкой темно-алой крови с мелкими рыхлыми свертками и один сплошной массивный темно-алый сверток. Налицо признаки профузного артериального кровотечения. На задней стенке грудной полости пристеночная плевра была отслоена от ребер, образуя нечто вроде «кармана» с мелкими рыхлыми темно-алыми свертками, у нижнего края «кармана» — разрыв пристеночной плевры длиной до 16 см. Оба легких уменьшены в размерах, спавшиеся, смещены вправо большим количеством крови в левой плевральной полости. Обширное кровоизлияние в жировую клетчатку заднего средостения и очаговые кровоизлияния в жировую клетчатку переднего средостения. В полости сердечной сорочки — небольшое количество жидкой крови без свертков. По ходу аорты сплошное, неравномерной плотности темно-красное кровоизлияние. Сама аорта находится в своеобразном «ложе» из рыхлой серо-желтой ткани, которое, как выяснилось, было наружной оболочкой, или адвентицией, аорты. На отдельных участках имело место расслоение стенки аорты по средней оболочке на протяжении примерно 20 см. На 7 см ниже устья левой подключичной артерии имелся практически полный поперечный разрыв стенки аорты.

Механизм наступления смерти понятен. Причина — нет. Миша Демин хранил свои секреты.

— Ну что, Сергей Михайлович? Что это — синдром Марфана? — спросил заведующий подстанцией СМП, когда Сергей дал указание санитару шить.

Он оказался самым «крепким» из всех присутствующих и единственным, кто не отвел глаза, когда Саблин выделял органокомплекс. Остальные этого зрелища не вынесли.

— Да что вы, — живо откликнулась Нестерова, заведующая детской поликлиникой, — какой же он «марфанист»? Там хабитус такой, который ни с чем не спутаешь — астеник, очень длинный и худой, пальцы паучьи! А здесь парень нормального телосложения, даже немного полноват, рыхлый. Не понимаю, что могло послужить причиной разрыва аорты. Вы такое раньше встречали? — обратилась она к Саблину.

Сергей отрицательно покачал головой, не сводя глаз с санитара, накладывавшего на труп секционные швы.

— У детей — никогда. У взрослых — приходилось видеть, но в основном у пожилых. Людей с синдромом Марфана я в своей практике не встречал, но готов с вами согласиться: у мальчика этого синдрома нет, потому что хабитус отнюдь не тот.

— Ну а все-таки, — настаивала Нестерова. — У вас есть хоть какие-нибудь соображения?

Сергей понимал, что ей необходимо услышать от него какие-то слова, которые ее успокоят: дескать, ничего врачи вверенной вам поликлиники не упустили, и никакие кары небесные вам не грозят.

— Пока нет, — ответил он задумчиво. — Травмы нет. Грубой аномалии развития, видимой невооруженным глазом, тоже нет. Макроскопически я ничего не нашел, значит, будем искать на микроуровне. Если наступили такие катастрофические последствия, то у них должна же быть какая-то причина, а если есть причина, то она обязательно отражена в каких-нибудь изменениях. Поищем. Бог даст — найдем.

Он повернулся к участковому педиатру, приятной женщине, примерно его ровеснице, простоявшей во время вскрытия молча и с напряженным лицом.

— Вы амбулаторную карту мальчика принесли?

Та кивнула, по-прежнему не говоря ни слова.

— Я более или менее в курсе анамнеза, но может быть, вы мне что-то сможете добавить?

Он старался говорить негромко и не напористо, как привык, потому что отчаянно сочувствовал этой женщине. Ничего она не пропустила, не было у Миши Демина никаких патологий или грубых аномалий, которые она могла и должна была бы увидеть. Он это отчетливо понимал, но понимала ли она? Или ей казалось, что вот сейчас случится самое страшное, эксперт произнесет свой вердикт, и ее жизнь окажется сломанной раз и навсегда.

Педиатр облизнула пересохшие губы и начала говорить неуверенным, слегка надтреснутым голосом:

— Ребенок родился недоношенным, 37 недель, с массой тела 2050 г. В трехлетнем возрасте перенес ветряную оспу, при профилактическом осмотре у невропатолога в шестилетнем возрасте ему был выставлен диагноз «вегетососудистая дистония по гипотоническому типу». И при этом мама жаловалась на нарушение осанки, сидит ссутулившись, портфель носит тяжелый, от ранца отказывается.

Она говорила, не глядя в карту, которую держала в руках, и Сергей понял, что весь вчерашний день эта бедолага просидела над записями в карте, пытаясь найти хоть что-нибудь, хоть какую-нибудь зацепку: либо собственную ошибку, либо недосмотр, либо спасительное оправдание, и все, что написано в амбулаторной карте, уже выучила наизусть. И по-прежнему продолжает считать вегетососудистую дистонию болезнью, хотя давно уже принято определять ее как синдромокомплекс.

— А эхокардиографию ему когда-нибудь делали? — спросил он. — Не выявлялись пороки развития сердца, аорты, другие нарушения?

— Я на этом участке недавно, раньше Мишу вел другой педиатр, она отметила у мальчика шумы в сердце и направила к кардиологу. Шумы подтвердились.

— Сколько ребенку было лет? — быстро спросил Сергей.

— Пять. Провели плановое обследование, и «эхо» делали, и ЭКГ — никаких отклонений не выявили. Ни поражений клапанов, ни аномалий развития сердца. Вот в итоге и выставили «вегетососудистую дистонию».

Голос ее при этих словах зазвучал отчего-то смущенно, и Сергей вдруг понял, что она знает насчет синдромокомплекса, но не может и не хочет критиковать свою предшественницу. Нарушение этики, будь она неладна.

— Ну что ж, — вздохнул Сергей, — следствие мы с вами видели своими глазами, а причина пока не ясна. Будем искать.

Врач-реаниматолог с печальными глазами что-то быстро записывал в блокноте. Сергей краем глаза видел, что тот открыл свой блокнот в самом начале вскрытия и постоянно делал записи. «Вот специалист — так специалист, — одобрительно подумал Саблин, — не зря он мне нравится. Не просто смотрит, как идет вскрытие, а делает пометки, чтобы потом обдумать, проанализировать. Уважаю».

Реаниматолог оторвался от записей и проговорил, не то спрашивая, не то уточняя:

— Значит, мы бы все равно мальчика не спасли? Разрыв аорты, профузное внутреннее кровотечение... Сколько бы мы в него ни вливали, кровопотерю не восполнить.

— Мы свои реанимационные мероприятия провели в полном объеме, — нервно вмешался заведующий подстанцией «Скорой помощи». — Сделали всё, как положено по протоколам лечения. Или вы будете утверждать, что мальчика можно было спасти?

И с вызовом уставился на Сергея. Тот пожал плечами и ответил, глядя при этом только на доктора Ню: он всегда предпочитал иметь дело с человеком, любящим свое дело и болеющим за него, нежели с тем, кто любит только свое кресло и болеет исключительно геморроем.

— Нарастающий объем кровоизлияния сдавливал легкие и сердце, препятствовал легким дышать, а сердцу сокращаться. Обсуждать здесь больше нечего, непосредственная причина смерти — обильное внутреннее кровотечение, в этом у меня нет никаких сомнений, а вот что именно привело к разрыву стенки аорты — пока не ясно. Но совершенно точно, что это не результат травмы: я не обнаружил никаких признаков внешнего воздействия. Значит, речь может идти только о заболевании, а вот о каком именно — может быть, будет видно из результатов гистологического исследования.

— Стало быть, случай можно признать инкурабельным, — в голосе завподстанцией «Скорой помощи» зазвучало нескрываемое облегчение. — К реаниматологам претензий быть не может, что бы они ни делали — это не привело бы к положительному результату.

Это понимали все.

Действительно, пока не установлена причина разрыва стенки аорты, рассуждать можно о чем угодно, включая сглаз и порчу.

* * *

Выписывая медицинское свидетельство о смерти Миши Демина, Саблин в качестве основного заболевания поставил и закодировал «Расслоение и разрыв грудной части аорты», а непосредственной причиной смерти — геморрагический шок, обусловленный профузным кровоизлиянием в грудную полость. Поколебавшись, в пункте «II» он указал сопутствующим состоянием «Неуточненную диспластическую болезнь соединительной ткани», хотя не был в этом уверен.

Ольга ждала его дома, хотя, насколько Сергей помнил, должна была идти в фитнес-клуб, где она занималась дважды в неделю.

— Расскажешь? — спросила она коротко, вешая его куртку на крючок в прихожей.

Она не спросила больше ничего. Помнила, какое вскрытие было назначено. Помнила, что произошло накануне во время затянувшегося дежурства. И понимала, что должна быть дома к моменту прихода Сергея.

Он кивнул. Именно этого ему и хотелось сейчас больше всего на свете — разговора с собеседником, понимающим не только каждую его эмоцию, но и каждое слово. Смерть четырнадцатилетнего мальчика, в целом здорового и вполне благополучного, не давала ему покоя, а Ольга — это тот человек, который не только поймет его, но и может реально помочь, подсказать что-то дельное.

Она внимательно выслушала его рассказ о находках на вскрытии.

— Оль, можешь принести мне справочник по коллагенозам? И еще том Большой медицинской энциклопедии, в котором описаны заболевания сосудов. Я знаю, у вас в патанатомии есть.

— Конечно, — кивнула она. — Не понимаю, почему у вас-то в судмедэкспертизе ничего этого нет. Как вы работаете?

— Молитвами патанатомов, — усмехнулся Сергей. — Только на вас и надеемся. А кстати, меня всегда удивляло, откуда у вас там такая шикарная библиотека? Вам большие деньги на приобретение литературы выделяют, что ли?

— Да нет, — рассмеялась она, — денег у нас — как у всех: что по нормативам патанатомии положено, то и выделяют.

— Ну да, рассказывай, — недоверчиво хмыкнул он. — А как же старые учебники судебной медицины, которые ты мне с работы принесла? И «Ушибы мозга» Сингур? Это же невероятный раритет! Уж точно не на бюджетные денежки вы его приобрели. Признавайся: украла у кого-нибудь?

Ольга приподняла брови и лукаво посмотрела на него:

— Ну и мнение у тебя обо мне, Саблин! Значит, не зазорно с воровкой жить? Шучу. У нас, как мне рассказывали, был очень дельный заведующий, руководивший отделением, а потом центром патанатомии на протяжении пятнадцати лет. Так вот, этот легендарный человек собрал огромную библиотеку, потому что понимал, что в силу специфики работы патологоанатомы постоянно используют литературу не только по своей специальности, но и практически по всем остальным разделам медицинской науки. Уж какими путями он эти книги собирал — мне неведомо, но знаю точно, что активно пользовался списаниями. Как где старую литературу списывают — он ее цап-царап — и на работу тащит. У него друзья по всей стране, он с ними договаривался, чтобы держали руку на пульсе и следили за библиотеками там, где работают. Ему со всех концов России посылки со списанными книгами шли, он сидел и отбирал то, что нужно или может даже чисто теоретически пригодиться для работы. К нам теперь даже клиницисты то и дело заглядывают, просят литературу по своей специальности. Больничная библиотека намного беднее. Я могу еще что-нибудь для тебя сделать?

Сергей был благодарен ей за предложение, потому что и сам собирался просить помощи.

— Оль, я там много чего нарезал для гистологии, мои девчонки покрасят по ван Гизону, по Зербино, по Шабадашу, и даже конго красным на амилоид. А вот на эластические волокна у нас окраски нет. Я тебе сухие блоки отдам, ладно? Сделаешь?

— Для тебя? — усмехнулась она. — Разве есть на этом свете что-то, чего я для тебя не сделаю, Саблин? Конечно, неси. Кстати, а на ШИК ты красить собираешься?

Реактив Шиффа и йодная кислота использовались для окраски на слизь. Перечисляя Ольге предстоящие исследования, Сергей его как-то упустил из виду, хотя в направлении на гистологию, конечно же, указал.

На следующий день Ольга принесла ему книги, и Сергей углубился в изучение научной литературы, чтобы потом, когда будут готовы стеклопрепараты и он начнет их смотреть, уже иметь в голове хотя бы самое приблизительное направление поиска. Он проштудировал руководство по коллагенозам, пытаясь сопоставить клиническую картину в случае Миши Демина с каким-либо определенным заболеванием или синдромом. Ничего не получалось: клиническая картина не совпадала, и при всех синдромах, описанных в руководстве, имелись специфические внешние признаки — нарушения со стороны костей скелета, особенности строения тела, которые выявлялись обычно в раннем возрасте и довольно часто приводили к инвалидизации еще в детстве. Ни одного из этих признаков у Миши Демина не было.

В Большой медицинской энциклопедии Сергей также ничего полезного для понимания причин разрыва аорты у мальчика не обнаружил.

Ольга принесла ему еще и вырезки из «Архива патологии» — толстую пыльную папку, валявшуюся невесть на каких полках. Но Сергей решил просмотреть ее после того, как изучит стеклопрепараты. От длительных ночных бдений над набранными мелким шрифтом книгами снова стали «садиться» глаза, а острота зрения ему понадобится для гистологии, так что он решил пару дней поберечься, чтобы при микроскопическом исследовании ничего не пропустить.

Просматривая получившиеся многочисленные стеклопрепараты, Саблин обнаружил признаки острого фибриноидного некроза среднего слоя стенки аорты. При рутинных окрасках в стенке аорты он увидел мелкие очажки продуктивного воспаления, а на отдельных участках — мелкие щелевидные кисты. Откуда здесь взяться кистам у подростка? Вероятно, это новообразованные сосуды.

В конце, пересмотрев все «стекла» по нескольку раз, когда глаза уже слезились, а спину ломило тянущей непрекращающейся болью, он мог смело утверждать, что некроз стенки аорты у мальчика возник не перед смертью, а развивался медленно, незаметно в течение нескольких часов, пока ребенок спал. Некроз повредил стенку аорты, из просвета начала выделяться кровь, которая скапливалась в заднем средостении и в результате начала отслаивать, буквально «отрывать» от ребер пристеночную плевру. Вот в этот момент и возникла та острая, чудовищная боль, заставившая мальчика так страшно закричать. Потом кровь прорвалась через саму плевру в левую плевральную полость и привела к острому коллапсу и смерти от обильной кровопотери.

Ну что ж, по крайней мере, механизм установлен. Теперь бы еще понять причины, запустившие этот механизм. И еще сосуды эти новообразованные, так похожие на кисты... С ними тоже надо бы разобраться. Сергей покрутил головой и с досадой почувствовал, что помимо спины ноющая боль охватила шею, которая с трудом поворачивалась. И кто сказал, что работать в гистологии легко и просто?! Попробовали бы сами.

Он достал телефон, закурил, открыв настежь окно, и позвонил Ольге.

— Оль, окраска на эластику не готова еще?

— Готова. Я как раз собиралась тебе звонить. Сам заедешь к нам? Или хочешь, чтобы я домой «стекла» принесла?

Он замер. Ехать сейчас на другой конец Северогорска в патанатомию не было никаких сил, спина болела так, что он не мог встать со стула, из измученных воспаленных глаз беспрерывно текли слезы. Но ему нужен был результат! Ему нужно было разобраться, наконец, в том, почему же так внезапно умер здоровый, ничем серьезным не болевший подросток.

— А ты... — осторожно начал он. — Ты сама не посмотришь?

— Уже посмотрела, — ровным голосом ответила Ольга, как будто смотреть «стекла» для судебно-гистологической экспертизы было ее прямой обязанностью. — Тебе интересно, что я там нашла?

— Ну да, да! — почти выкрикнул он. — Что там? Говори скорее!

— А там дегенеративные изменения эластических волокон в стенке аорты, — невозмутимо проинформировала его Ольга. — Толщина разная, распределены неравномерно, местами хаотично, местами вообще отсутствуют.

— То есть все-таки дисплазия соединительной ткани? — уточнил он.

— Похоже, да. Других объяснений у меня нет.

— Спасибо, Оль, — с чувством поблагодарил Сергей. — Ты — лучшая.

— Я знаю, — все так же спокойно ответила она и повесила трубку.

Он включил компьютер, описал все свои находки в акте судебно-гистологического исследования, которое предполагал закончить на следующий день, когда сам посмотрит принесенные из патанатомии препараты. Домой он явился около девяти вечера, приволакивая ногу: «лампасная» боль, которую он «насидел», в течение нескольких часов работая с микроскопом, не давала возможности идти ровно.

Открывшая ему дверь Ольга ахнула и вместо того, чтобы обнять его, как обычно, непроизвольно сделала шаг назад.

— Саблин, что с тобой? — с ужасом спросила она.

— А что? Я в порядке, — с недоумением ответил Сергей, хотя и чувствовал себя преотвратно.

— В порядке? Ты себя когда в последний раз в зеркале видел?

— Сегодня утром, когда брился.

— Да? Ну так посмотри еще раз, только не любуйся своей неземной красотой, а посмотри как врач.

Он разделся и послушно похромал в ванную, где освещение было получше, чем в прихожей. Из глубины зеркала на него смотрел чудовищный тип с опухшим лицом и красными воспаленными глазами под набрякшими веками, вокруг которых так удачно смотрелись черно-желтые круги. Картина! А если еще добавить к этому боль в спине, не позволяющую толком разогнуться и идти прямо, боль в ноге, вынуждающую хромать, боль в шее, не дающую повернуть голову ни вправо, ни влево, и вдобавок разламывающую боль в самой голове из-за пережатого шейными позвонками нерва, то результат получался более чем впечатляющим.

Он помыл руки, сполоснул лицо холодной водой — не помогло, и вышел из ванной.

— Оль, я просто не спал несколько дней, устал очень с этим случаем, — пробормотал он, — я закончу завтра экспертизу и высплюсь. Ты мне «стекла» принесла? Пустишь за микроскоп? Хочу посмотреть, чтобы завтра с утра уже экспертизу дописать.

— Иди ужинать, — очень серьезно сказала Ольга. — Пока ты будешь питаться, мы решим, что с тобой делать.

— Да не надо со мной ничего делать, — вяло сопротивлялся он. — Я поем, посмотрю «стекла», почитаю «Архив патологии» и...

— И что? — с нескрываемым сарказмом спросила она.

— И спать лягу, — Сергей искренне верил в свои слова.

— Нет, Саблин, ты не ляжешь спать, потому что к этому моменту уже настанет утро. И завтра на работе тебя подкосит инсульт, потому что у тебя артериальная гипертензия. Ты этого добиваешься? Ты что вообще творишь? Ты же врач, Саблин!

— Я не врач, — угрюмо пробормотал он, набрасываясь на жареную курицу, залитую его любимым чесночным соусом, и жареную же картошку. — Я судебно-медицинский эксперт, а не клиницист.

— Не валяй дурака! — Ольга уже всерьез начала сердиться. — Ты прекрасно понимаешь, о чем я говорю. Если ты будешь так относиться к своему здоровью, ты и года не протянешь на своей работе.

Сергей поднял на нее злые глаза.

— Ты что, хочешь, чтобы я меньше работал, или что? Или чтобы халтурно относился к тому, что делаю?

— Нет, я хочу, чтобы в то небольшое время, когда ты все-таки НЕ работаешь, ты вел себя правильно и старался сохранить здоровье, вот и все.

— И что ты предлагаешь?

Ему хотелось выгрызть самые вкусные кусочки мяса, но для этого нужно было хотя бы немного поворачивать голову. Голова не поворачивалась, и от этого голодный Саблин злился еще больше.

— Я предлагаю, чтобы ты хотя бы минимально занимался собой. Думаешь, я так сильно люблю ходить в фитнес? Думаешь, у меня нет занятий поинтереснее? Да я точно так же, как и ты, ненавижу всякую физическую нагрузку, но я понимаю, что если хочу сохранить себя для своей любимой профессии, то я должна чем-то пожертвовать. Если я хочу оставаться здоровой и вменяемой, то приходится делать иногда и то, чего делать совсем не хочется. Ладно, ты не будешь ходить со мной в фитнес, это я уже поняла, но ты можешь хотя бы гимнастику делать? Гулять перед сном? Высыпаться пусть не каждый день, но как минимум два раза в неделю? Ты можешь, работая с микроскопом, отрываться каждые сорок пять минут и давать глазам отдых? А заодно и пару упражнений для спины сделать? Это ведь несложно, Саблин. Кому будет лучше, если ты к сорока годам превратишься в глубокого инвалида? Твоей работе, которую ты не сможешь больше выполнять? Мне? Или, может, твоей семье?

— My duty, then, will pay me for my pains, — пробубнил он раздраженно, жуя картошку. — Переводить надо?

— Не надо, — усмехнулась Ольга, — моего знания английского вполне достаточно, чтобы понять. «Мой долг, таким образом, будет платой за мои страдания». Правильно?

— Ну, в принципе, да, — кивнул он. — Правда, у Щепкиной-Куперник это звучит красивее: «Что ж, мне награда — исполненье долга».

— Саблин, Саблин, — она присела напротив него за кухонный стол и подперла подбородок рукой, — я обожаю тебя за твою преданность профессии. И уважаю за это же. Но я не могу допустить, чтобы ты из-за собственной глупости лишился возможности заниматься единственным интересным тебе делом. Значит, так: растирание, укол диклофенака, аппликатор с иголками, компрессы на глаза, массаж шеи, если не поможет — дам таблетку от головной боли. Что с твоим отеком делать — я еще подумаю, но пока никаких препаратов давать не буду, не хватало еще почки напрягать, ты и так еле дышишь, так что походишь пока отекшим. И лежать. На жесткой поверхности с закрытыми глазами.

Он подумал и кивнул.

— Принято. Но с поправкой. Я пью чай, потом сам смотрю «стекла», а потом все, что ты напланировала. Посплю часов до четырех утра, а потом буду разбираться с «Архивом патологии». Оль, я не понимаю, чем болел мальчик. Я понимаю, от чего он умер, но я не могу понять, почему это произошло. Я должен разобраться. Ну не будет мне покоя, пока я не разберусь.

Ольга подошла к нему вплотную, положила пальцы ему на веки, оттянула, наклонилась и посмотрела внимательно.

— Голова сильно болит?

Он собрался было соврать, но отчего-то передумал. Молча кивнул, не смея встретиться с ней взглядом. Ольга подумала несколько секунд, потом снова села за стол.

— Сделаем так, Саблин: ты смотришь «стекла», потом я тебя лечу, а потом ты лежишь и не дергаешься, а я читаю тебе вслух материалы из «Архива патологии».

— Но...

Он попытался было протестовать, однако Ольга перебила его:

— Саблин, у тебя жуткий блефарит вместе с конъюнктивитом. А «Архив патологии» валялся Бог знает где, там полно аллергенов, даже просто книжной пыли, которая тебе сейчас категорически противопоказана. На микроскоп я готова согласиться, но на чтение старых материалов — нет. Я буду читать их тебе сама, а ты будешь слушать.

— Но я плохо воспринимаю на слух, — заныл он, — мне надо глазами...

— Ничего, приспособишься, — безмятежно ответила она и налила ему чай.

Просмотр стеклопрепаратов не принес ничего нового по сравнению с тем, что ему сказала Ольга по телефону. Но теперь Сергей мог описывать результаты микроскопического исследования с полной уверенностью. Ольга измерила ему давление и укоризненно покачала головой — цифры оказались просто устрашающими, заставила положить под язык гипотензивный препарат, сделала ему массаж шеи, от которого он чуть не визжал — настолько это было больно, потом укол диклофенака, растерла спину специальной противовоспалительной мазью, наложила на поясницу полиэтиленовый пакет и сверху повязала широким поясом из собачьей шерсти, промыла глаза каким-то снадобьем, приготовленным из подручных средств, и уложила на пол, подстелив толстое одеяло. Сергей лежал на спине, чувствуя на глазах приятную влагу компресса и тепло, растекающееся по всему телу от подложенного под затылок аппликатора с острыми иголками из разных сплавов, а Ольга сидела на диване и неторопливо просматривала материалы из старой папки, читая вслух заголовки и отдельные выдержки.

Он лежал неподвижно, но чувствовал себя ужом на раскаленной сковороде. Как это так: он, Серега Саблин, молодой мужик, здоровый как бык, — и болеет?!?! Да как же это возможно? Лежит и не может делать свою любимую работу! Лежит с компрессом на глазах и не в состоянии прочитать такой важный и нужный материал, чтобы закончить наконец поиск ответа на вопрос: от какой болезни умер Миша

Демин? И можно ли было это предвидеть и предотвратить? Есть ли виноватые в том, что произошло?

— Оль, ты ничего не пропускаешь? — тревожно спрашивал он то и дело.

— Успокойся, Саблин, — мягко отвечала она, — я читаю тебе все подряд.

— Нет, — упрямился он, — ты читаешь только заголовки, а они далеко не всегда отражают содержание. Ты можешь что-то пропустить.

— Я ничего не пропускаю, не волнуйся, я просматриваю каждый материал.

— Но ты просматриваешь по диагонали! Вот ты мне сейчас прочитала... Дай я сам посмотрю! Мне кажется, там может быть кое-что важное.

— Лежи тихо! Не трогай компрессы! Там нет ничего важного, Саблин, поверь мне. Ты же давно уже убедился, что я достаточно профессиональна.

— Ну Оль, не обижайся, но ты живой человек, ты можешь чего-то не увидеть, что-то пропустить...

— Саблин, вот ты только что смотрел «стекла». Ты нашел хоть что-нибудь, чего я не увидела, пропустила, не заметила?

— Нет, но...

— Вот и лежи смирно. Будешь ерепениться — следующий укол диклофенака сделаю так, что неделю на попу не сядешь.

Он умолкал на некоторое время, напряженно вслушиваясь в голос Ольги, потом снова начинал нервничать и дергаться. Ну почему, почему все эти болячки обрушились на него одновременно и именно сейчас, когда нужно заканчивать экспертизу по случаю Миши Демина! Он не может просто так валяться на полу, как бесчувственная колода, он должен что-то делать, что-то предпринимать, ну хотя бы просто читать, думать и анализировать... Это невыносимо, в конце концов!!!

— Саблин, — голос у Ольги был севшим, — я пойду теплого молочка с маслом выпью, ладно? А то уже горло болит, не привыкла я так много вслух читать, а тем более пыли в этой папке — видимо-невидимо. Сделаем перерыв, ладно?

— А что, мы уже давно читаем? — недовольно спросил он. — Что-то быстро ты устала.

— Саблин, — рассмеялась она хрипловато, — имей же совесть, мы читаем уже три с половиной часа, время — третий час ночи, между прочим. Я имею право на пятнадцатиминутный перерыв?

— Ладно, — проворчал он, — только побыстрее.

Он услышал, как Ольга пошла через комнату к двери.

— И не вздумай вставать или снимать компресс, — строго предупредила она.

Разумеется, именно это он и собрался сделать. Как только из кухни раздался звук открывшейся и закрывшейся дверцы холодильника, Сергей снял с глаз компрессы и с трудом повернулся. Встать на ноги пока не удавалось. Он перекатился на полу, подобрался к дивану и протянул руку к заветной папке. Просмотренные и прочитанные Ольгой материалы были аккуратной стопочкой сложены на журнальном столе, в папке оставалось совсем немного. Его внимание привлек файл с несколькими потемневшими от времени листками.

Это были статьи разных лет, посвященные крайне редкому заболеванию — кистозному медианекрозу аорты, или синдрому Эрдхейма. Кистозный медианекроз! Вот оно! Значит, никакие это были не новообразованные сосуды, а самые настоящие кисты! У Миши Демина был синдром Гзелля-Эрдхейма, названный так по имени двух немецких патологов, впервые его описавших.

— Оль! — закричал он. — Оля! Иди сюда, я нашел!

И тут же осекся. Как это — он нашел? Ольга же запретила ему снимать компрессы и брать в руки папку, не говоря уж об аппликаторе, на котором ему полагалось лежать аж до самого утра, хотя лично он считал, что вполне достаточно было бы и четверти часа. Но у Ольги было собственное мнение на этот счет и свои методы лечения. Ох, что сейчас будет!

Но ничего не произошло. И по тому, как спокойно и неторопливо Ольга вошла в комнату, Сергей сразу все понял.

Она нашла этот материал. Она его просмотрела и поняла, что это как раз то, что нужно. И подарила ему возможность найти самому. Он так долго, так мучительно искал ответ на вопрос о том, что же случилось с мальчиком, что любящая женщина просто не смогла лишить его радости открытия. Она специально ушла на кухню, хорошо зная Саблина и отлично понимая, что без надзора он в неподвижности и слепоте не останется, наверняка кинется читать сам. И прочтет. И обрадуется своей находке.

Ольга...

Оля...

В горле встал ком.

А в памяти всплыли слова матери о том, что медику нужна жена, которая будет ему соответствовать. Он тогда злился и ехидно спрашивал, в чем должно заключаться это соответствие: в норковых шубах и лайковых перчатках? Он считал себя правым, непогрешимым и искренне обвинял мать в снобизме и высокомерии. Значит, вот о чем она говорила...

А Ольга стояла в дверях комнаты, смотрела на него и молча улыбалась.

* * *

До самого утра Сергей так и пролежал на полу с компрессами на глазах. Иногда ему удавалось заснуть, и он просыпался каждый раз, когда Ольга меняла смоченные лечебным раствором салфетки. Он видел, как мерцает в углу комнаты экран включенного компьютера. А утром Ольга, сделав Сергею очередной укол и заставив промыть глаза, протянула ему дискету:

— Здесь все, что мне удалось найти в Интернете по синдрому Гзелля-Эрдхейма. Если будет нужно — прочти на работе.

Он буквально вцепился в волшебный квадратик. Она не спала всю ночь, подбирая для него материалы, пока он валялся на полу и спал! Стыд и позор! А он-то думал, что у Ольги бессонница и она пишет бесконечные письма своим многочисленным друзьям, разбросанным по всему миру...

— Я прочту сейчас, — сказал он, пряча глаза.

— Ты не успеешь, тебе нужно идти на работу.

— Я позвоню и скажу, что задерживаюсь. Двояку позвоню, и пусть только попробует хоть слово вякнуть, — с неожиданной для себя самого злой решительностью заявил Сергей.

Ольга только пожала плечами, оделась и ушла. Он открыл материалы, быстро просмотрел их, и в голове сложился четкий план диагноза и экспертного заключения.

И только подъезжая на автобусе к зданию Бюро, оно вспомнил, что даже не сказал Ольге «спасибо».

Чувствовал он себя не намного лучше, чем вчера. Правда, уже не хромал и по-прежнему опухшие и красные глаза хотя бы не слезились, но спина болела, а лицо было одутловатым от отека. Зато не болела голова. И шея поворачивалась более или менее свободно.

Нужно было сначала закончить заключение по гистологии, а потом написать экспертное заключение. Клавиатура компьютера легко пощелкивала, и на экране одно за другим появлялись слова и фразы, словно сами по себе: Сергей не задумывался ни минуты, все было продумано, все аргументы подготовлены, литература подобрана.

«...Обнаруженные микроскопические изменения в стенке аорты по литературным данным более всего соответствуют морфологической картине синдрома Гзелля-Эрдхейма (или идиопатического кистозного медианекроза аорты)...»

«...Данное заболевание является наследственным, наследуется по аутосомно-доминантному типу, частота его в популяции населения 4:10000...»

«...Синдром Гзелля-Эрдхейма диагностируется обычно посмертно, как находка на вскрытии. Среди умерших преобладают мужчины (до 84%) в возрасте от 40 до 60 лет, при далеко зашедшей кистозной дегенерации стенки аорты. Смерть в более раннем возрасте является редкостью. Случаи смерти подростков в доступной литературе не описаны, однако отмечено, что острое развитие расслоения и разрыва аорты может быть спровоцировано пубертатным (подростковым) периодом или беременностью...»

«...Таким образом, в данном случае у подростка Демина М.А., 14 лет, страдавшего не диагностированным при жизни синдромом Гзелля-Эрдхейма с начальными дегенеративными изменениями среднего слоя стенки аорты, тотальное расслоение и разрыв аорты с фатальным внутренним кровотечением могли быть спровоцированы гормональным дисбалансом, характерным для периода полового созревания, а также нарушениями со стороны опорно-двигательного аппарата. Об этом свидетельствуют имевшееся у подростка ожирение I-й степени (гормональный дисбаланс) и искривление (сколиоз) грудного отдела позвоночника, отмеченные в амбулаторной карте...»

Несчастный мальчишка, несчастные родители... Кому могло прийти в голову, что заболевание, характерное для мужчин среднего и пожилого возраста, наличествует у четырнадцатилетнего подростка! Конечно, в этом направлении педиатр и другие специалисты даже и не думали. Они и слыхом не слыхивали о том, что у ребенка может быть синдром Гзелля-Эрдхейма. И как поставить такой диагноз мальчику, если даже у взрослых данное заболевание выявляется, как правило, только при вскрытии?

Никто не виноват. Кроме природы. И почему считается, что она мудра?

* * *

Закончив случай, Сергей позвонил заведующей детской поликлиникой Нестеровой, которая все никак не успокаивалась и буквально терроризировала его ежедневными звонками с одним и тем же вопросом:

— Сергей Михайлович, вы выяснили, от какого заболевания умер Миша Демин?

Сперва Сергей раздражался, потом попривык, и, если к концу рабочего дня вдруг спохватывался, что звонка из поликлиники не было, даже слегка удивлялся. Но причины волнения заведующей хорошо понимал, поэтому проявил великодушие и позвонил ей сам, как только закончил составление всех документов.

— Вы можете забрать амбулаторную карту Демина, — с деланым равнодушием сообщил он. — Выписку из акта судебно-медицинского исследования я туда вклеил.

В трубке повисла звенящая от тревоги пауза.

— И... и что там написано? — осторожно спросила завполиклиникой.

— Синдром Гзелля-Эрдхейма.

— Синдром Эрдхейма? — переспросила она чуть удивленно и явно успокоившись. — Я занимаюсь детской патологией всю жизнь, но такого заболевания не встречала. Оно ведь характерно для старшей возрастной группы, насколько я помню. Или я ошибаюсь?

Нестерова не ошибалась, и это неприятно задело Сергея. Выходит, она знала про то, что такой синдром существует. А он не знал. Узнал только из статей, забытых кем-то в папке «Архива патологии».

— Да нет, вы правы, этот синдром обычно встречается у людей постарше, но бывают, как видите, исключения. У мальчика идиопатический кистозный медианекроз аорты, это вне всякого сомнения. Вся клиническая картина полностью соответствует, гистология подтверждает.

— Невероятно! — выдохнула заведующая. — Это же чистая казуистика! Погодите, Сергей Михайлович, но тогда получается, что жалобы на боли в грудном отделе позвоночника связаны не с остеохондрозом, а как раз являются первыми признаками этого заболевания.

— Ну конечно, — подтвердил Саблин. — В стенке аорты развивались мелкие очаги некроза, которые потом заживали самостоятельно, а клинически это проявлялось какими-то непонятными болями в грудном отделе позвоночника. Ведь аорта — она вплотную прилежит к грудному отделу позвоночника. Но догадаться, конечно, было трудно, практически невозможно. Даже у взрослых мужчин этот синдром диагностируется, как правило, только после вскрытия, а уж у мальчика... Ваших врачей нельзя обвинять в том, что они проглядели заболевание.

— Ну да, ну да, — со вздохом сказала завполиклиникой. — Спасибо, Сергей Михайлович.

— Не за что.

Но на самом деле Саблин понимал: есть за что.

Неожиданная для него осведомленность Нестеровой грызла его самолюбие, и он не утерпел — позвонил Ольге.

— Ты представляешь, — начал он с места в карьер, — Нестерова знала про Гзелля-Эрдхейма!

— Нестерова? Кто это?

— Заведующая детской поликлиникой, — нетерпеливо пояснил Сергей. — Я ей сказал про синдром, а она даже не переспросила, что это такое. Сразу заявила, что он встречается в старшей возрастной группе.

— А она что, молоденькая совсем? — спокойно спросила Ольга. — Вчерашняя студентка?

— Ты что! Ей вокруг пятидесяти, какая студентка!

— Тогда я не понимаю, чему ты так удивляешься. Человек в практической медицине четверть века, да плюс шесть лет в институте, да интернатура, да ординатура. Конечно, она много чего знает.

— Да, но я-то не знал! — с досадой почти выкрикнул Сергей.

Ольга расхохоталась.

— Саблин, Саблин, твоя самовлюбленность родилась на сто лет раньше тебя самого и после твоей смерти переживет тебя в веках! Уймись уже. Нестерова — знающий специалист. Ты — молодой. Она знает намного больше тебя. Все нормально.

Но он еще долго не мог успокоиться.

* * *

Прошло еще два дня, в течение которых Сергей полностью погрузился в текущую работу, сильно запущенную из-за того, что он много времени посвятил случаю Миши Демина. Он опять до глубокой ночи просиживал за микроскопом, и снова начал хромать, и еще больше воспалились глаза, и опять ущемился нерв и не поворачивалась шея, и невыносимо болела голова, особенно в затылочной области. Но он сделал все, что запланировал, и даже провел вскрытие, хотя Изабелла Савельевна, отписывая ему случай, внимательно посмотрела на Саблина и спросила, не лучше ли поручить вскрытие другому эксперту: уж больно болезненно выглядел заведующий гистологическим отделением.

— Я в порядке, — процедил Сергей. — Все нормально, Изабелла Савельевна.

— Но, голубчик, у вас явные проблемы, я же вижу, как вы отекаете, — она выразительно посмотрела на кисти его рук. — Вам не нужно стоять у секционного стола.

— Все нормально, — раздельно повторил он.

Сумарокова пожала плечами и молча протянула ему направление на судебно-медицинское исследование.

Однако заведующая отделением экспертизы трупов оказалась права: стоять у стола Сергею не следовало. Вскрытие он провел, как и всегда, тщательно и неторопливо, но выйдя из секционной, почувствовал себя совсем плохо. Пальцы рук превратились в толстые сардельки, которые почти ничего не чувствовали и которыми не то что секционный нож — палку не удержишь, ноги гудели, голова кружилась, спину ломило, а хромота усилилась.

— Господи, какой вы бледный-то! — испуганно воскликнула секретарь Двояка, рыжеволосая Светлана, столкнувшись с Саблиным в коридоре. — Заболели?

— Нет-нет, — он вымученно улыбнулся, — просто устал.

У себя в кабинете он плюхнулся в кресло и закрыл глаза. Как же ему хреново! Ольга права, профессия гистолога опасна для здоровья. Ему всего тридцать четыре года, через несколько месяцев исполнится тридцать пять, а он уже превратился в развалину. С этим надо что-то делать... Но не бросать же любимую работу! Значит, надо...

Но он не успел додумать мысль и сформулировать решение, призванное спасти его подорванное здоровье: в дверь робко постучали, и на пороге появилась женщина, которую он уже однажды видел, хотя и не разговаривал с ней. Мать Миши Дёмина.

— Можно, доктор? Мне сказали, что вы мне можете объяснить...

Это было обычной практикой. Если родственники покойного не могли разобраться в том, что написано в предварительном или в окончательном свидетельстве о смерти, и начинали задавать вопросы, их направляли к тому эксперту, который проводил исследование и формулировал заключение.

Сергей приготовился дать объяснение, попытался сесть прямо, но не удалось, и он снова бесформенным кулем осел в кресле. Почему-то закружилась голова, но он решил не обращать внимания. Предложив женщине присесть, он собрался с мыслями, чтобы изложить такую непростую фактуру максимально понятно для человека, несведущего в медицине. Сначала Демина слушала с напряженным вниманием и даже кивала, словно понимая каждое слово.

— Так почему же в поликлинике-то не распознали болезнь? — спросила она.

Сергей снова принялся растолковывать:

— Понимаете, эта болезнь нетипична для детей и подростков, никому и в голову не могло прийти, что это она. Это примерно то же самое, что подозревать беременность у заведомо неполовозрелой девочки. Симптомы такие, какие бывают у великого множества заболеваний, и чтобы понять, с каким именно заболеванием имеешь в дело в конкретном случае, нужно проводить специальные исследования.

— Так почему их не проводили? — требовательно спрашивала мать Миши.

— Проводили, в том-то и дело, что проводили, но синдром Гзелля-Эрдхейма тем и коварен, что при обычных исследованиях не выявляется ничего. Это можно увидеть только на вскрытии.

Он хотел добавить еще что-то о чрезвычайно редкой встречаемости заболевания, но внезапно с удивлением понял, что не может вспомнить нужные слова. «Частичная моторная афазия, — машинально пронеслось у него в голове. — И голова покруживается. Черт, и кисти рук онемели, я обратил внимание после вскрытия. И Света сказала, что я бледный. И эта головная боль, распирающая... Только этого не хватало».

Он глубоко вдохнул, набрал в грудь побольше воздуха, ускользающие слова нашлись, но возникшая пауза не прошла мимо внимания Деминой и вызвала у нее подозрения вполне определенного плана.

— Я поняла, — медленно проговорила она, — я все теперь поняла. Вы их покрываете.

— Кого — их? — не понял Саблин.

— Врачей из детской поликлиники. Они пропустили болезнь, они поставили неправильный диагноз, они лечили Мишеньку не от того, чем он был на самом деле болен, и этим своим неправильным лечением загубили моего сына. И вы это знаете. Ведь так? Я угадала?

— Да ну что вы...

— Значит, я права, — она стала говорить чуть быстрее и увереннее. — Они — живодеры, коновалы, им только свиней лечить, а вы с ними — одна шайка-лейка, покрываете друг друга.

— Что вы говорите...

Он еще пытался как-то убедить несчастную мать, потерявшую единственного сына, но с ужасом понял, что язык не слушается. «А теперь еще и дизартрия», — отметил он отстраненно, словно речь шла не о нем самом, а о совершенно постороннем человеке. Симптом аккуратно подбирался к симптому и ложился в стройный ряд диагноза, который никого обрадовать не мог.

— Господи, да что я тут с вами... — она всхлипнула и заговорила громко и быстро: — Вы же алкоголик! Вы или пьяны, или с тяжелого похмелья! Как вам не стыдно? Вы пользуетесь тем, что я ничего не понимаю в этих ваших специальных словах, и морочите мне голову, чтобы отвязаться от меня и прикрыть своих дружков-педиатров из поликлиники. Небось с ними водку три дня квасили, радовались, что можно их ошибки списать, простым людям лапши на уши навешать, обмануть и никого не наказывать, да? Чтобы все было шито-крыто. Знаю я вас! Посмотрите на себя, вы же законченный алкоголик, на вас пробу ставить негде...

Сергей открыл было рот, чтобы возразить, но вдруг испытал острый приступ обиды. Он столько лет учился, осваивал профессию, набирался опыта, он положил здоровье на то, чтобы правильно выставить диагноз сыну этой женщины, он не спал, забывал поесть, всю голову сломал, стараясь придумать, где бы еще поискать и что бы еще посмотреть и поисследовать.

«Стоп, — одернул он себя, — не вздумай вступать с ней в пререкания. Ты же знаешь, человек не в состоянии смириться с мыслью о том, что в его несчастье никто не виноват, ему обязательно, обязательно нужно найти конкретного виновника, конкретного врага. И Демина его нашла. Педиатры и ты, Саблин. Да, она несет чудовищную чушь, обидную и несправедливую, но ты должен понять ее и простить. Как там у Шекспира в «Ричарде Втором»? «...Если скажешь ты «Прощу!»

Будь нянькой я твоей, — ты это слово
Узнал бы раньше всякого другого.
О, как услышать мы его хотим!
Пусть жалость даст его устам твоим!
В нем много мягкости, хоть звуков мало.
Как это слово королю пристало!»

Ты что, мнишь себя королем, Саблин? А не много ли на себя берешь? «Пусть жалость даст его устам твоим...» Жалость... Жалость... Тошнит. И левую ногу будто иголочками покалывает. Все сходится. Я должен ее пожалеть. А кто меня пожалеет? Или никто не должен этого делать? Зачем меня жалеть? Я — мужик, здоровый, сильный, молодой, у меня живы родители и ребенок, чего меня жалеть? Господи, да я весь мокрый от пота... Ну почему, почему именно сейчас?»

Мысли брели в голове нестройно, пошатываясь, теряясь по дороге. Звук голоса Деминой то пропадал, то вновь появлялся, то проникал только через правое ухо, то через оба. Еще симптом. Ряд становился длиннее и плотнее, теперь он уже неумолимо вел к диагнозу, в котором Саблин не сомневался. Но верить в него упорно не хотел. Врач и мужик боролись в нем не на жизнь, а на смерть. Врач все понимал, мужик все отрицал и цеплялся за иллюзию здоровья и благополучия.

— Да вы посмотрите на себя! Морду нажрал — поперек себя шире, даже сидеть ровно не можете — так вас крутит с похмелья, отечный весь, потный, вонючий...

«Если ты не примешь меры, тебя завтра увезут с работы с инсультом, у тебя артериальная гипертензия...»

— У вас у всех круговая порука, вы только и можете водку пить и с непотребными девками шляться, а вам доверяют людей лечить!

«Ей надо дать выговориться, выкричаться, спорить с ней и что-то доказывать бессмысленно. Пусть орет на меня, пусть обзывает, пусть обвиняет во всех смертных грехах — я ее понимаю и прощаю. Она слабая, раздавленная горем женщина. А я — мужик, сильный и здоровый...»

— Немудрено, что вы тут в трупорезах застряли, больше-то вы ни на что не годитесь, ничего не можете. Отовсюду выгнали, наверное, за пьянку или за то, что больных угробили, а сюда взяли, чтобы чужие грешки прикрывать. Да еще деньги на этом зарабатывать. Думаете, я не понимаю, почему вы их всех покрываете? Думаете, я поверю, что за красивые глаза? Да вы с них деньги за это берете! Признайтесь, сколько вам наш участковый педиатр сунула на карман, чтобы вы ее отмазали и от тюрьмы спасли? Ну? Сколько? Пять тысяч? Десять? А может, двадцать? Или вы за бутылку работаете, как настоящий алкаш?

«Прости ее, — слабо билась вялая мысль, — прости, пойми ее и не огрызайся, пусть выговорится. Но до чего же больно, когда тебя обвиняют несправедливо! Никто не знает и не хочет знать, сколько труда нужно приложить, чтобы работать там, где я работаю, сколько книг нужно прочитать, сколько знаний усвоить, сколько всего нужно уметь! И никто не знает, сколько здоровья тратится и губится на этой неблагодарной работе, сколько болезней обрушивается на экспертов, работающих в тяжелейших и вредных условиях. Один только морг чего стоит! И дело даже не в трупах, смертях и крови, хотя и в них тоже, дело в химикатах, которые там применяются в огромных количествах и буквально убивают работающих в моргах людей. А работа с микроскопом? Мы слепнем раньше времени, у нас у всех полный набор болезней, связанных с сидячей работой в одной и той же позе: варикоз, межпозвоночные грыжи, люмбаго, ишиас, мигрени — да всего не перечислишь. И не пожалуешься никому: сам профессию выбирал. И разве я виноват, что внешне произвожу впечатление пьяного? Такие симптомы... Может, попробовать объяснить ей, что у меня... Нет, ни за то. Получится, что я оправдываюсь. Значит, признаю свою вину и пытаюсь отбрехаться, наврать что-то. Она мне все равно не поверит, потому что ей нужен враг. И почему я должен оправдываться? В чем? В чем я виноват? Унизительно. Не буду. Пусть кричит. Лучше я потерплю. Прощу ее и потерплю. Я сильный. Я справлюсь. Если не сдохну прямо здесь и сейчас...»

— Молчите?! Стыдно?! Значит, нечего ответить! Выходит, я права, во всем права, вы даже возразить ничего не можете! Будьте вы прокляты! Чтоб вы сдохли вместе со своими педиатрами! Никогда вас не прощу!

Она выскочила из кабинета, хлопнув дверью.

«У меня транзиторная ишемическая атака, — всплыла холодная и четкая мысль. — Допрыгался. Надо срочно что-то делать, пока сознание не потерял».

Сергей потянулся к телефону и набрал номер приемной Двояка.

— Света, у кого-нибудь в Бюро есть магнезия?

Светлана медиком не была, но видела полчаса назад, как плохо выглядел Саблин, поэтому выводы сделала правильные и лишних вопросов задавать не стала. Она, собственно говоря, и магнезию искать не стала, понимала, что может упустить время. Она просто вызвала «Скорую».

Врачи приехали, приступ начал сглаживаться, Саблин от госпитализации отказался и испытал облегчение: значит, он все-таки еще достаточно здоров, и до по-настоящему опасных проявлений — до инсульта — дело пока не дошло. Он вспомнил позорный эпизод тех времен, когда был интерном и принял симптомы инсульта за признаки транзиторной ишемической атаки. «Вот и догнал меня мой ошибочный диагноз», — подумал он.

Он взял больничный, три дня спал и гулял, и молодой организм восстановился довольно неплохо.

А вот душа продолжала неприятно ныть. Сергей Саблин постоянно вспоминал сцену с матерью Миши Демина и понимал, что никогда в жизни ему не было так больно и обидно.

* * *

Как же я люблю толпу! В ней всегда можно затеряться, можно остаться анонимным и невидимым, и при этом видеть всех. Толпа — это самая благодатная среда для того, чтобы выбрать объект и осуществить задуманное. Здесь множество самых разных людей, и выбор поистине огромен.

Я свой выбор сделал. Вот этот человек, на которого все смотрят восхищенными глазами и буквально в рот заглядывают. Мне удалось протиснуться поближе и послушать. Умен, ничего не скажешь. Много знает. Много повидал. Много поездил в своей жизни, набрался впечатлений и сделал из них неординарные выводы. Хорошо рассказывает, заслушаться можно. Обаятелен, глаза сверкают, улыбка во все тридцать два зуба. Дамы млеют, мужики завидуют. У него, оказывается, есть хобби: помимо основной профессии, в которой он, судя по всему, очень и очень успешен, он еще и «баранятник». Это слово я слышу впервые, сразу делаю «ушки на макушке» и пытаюсь уловить суть. «Баранятники» — это охотники на горных баранов. Охотники-одиночки, которые по полгода готовятся к охоте, уезжают в горы, везут с собой немыслимо тяжелый груз, в том числе и специальные приборы дальнего видения. Весь этот груз они таскают по горам на себе. Сутками ждут, выслеживая жертву, которая появляется на огромном расстоянии вдалеке. И с этого расстояния ее нужно убить.

Как это похоже на меня! Я сразу понял, что должен разрушить именно этот мир. И потом прийти на похороны и смотреть на всех тех, кто будет прощаться. Эти люди — часть мира, который я разрушил и который вместе с гробом рухнет в глубокую могилу. Я уже предвкушаю наслаждение, которое накроет меня с головой в этот сладостный момент.

У меня с собой вещество — моя новая разработка, мое орудие. Я его несколько раз испытал на животных и остался доволен результатом. Правда, не уверен, что правильно рассчитал дозировку для человека. Ну что ж, вот сегодня и попробую. Это будет моя первая попытка подойти к главному. Раньше были только животные, да пару раз — вокзальные бомжи для разминки и тренировки. Но бомжи не в счет, у них нет мира, который интересно разрушать. Просто мясо для проверки действия вещества.

А вот сегодня, наконец, я испытаю то, к чему давно стремился.

Толпа — замечательная среда для незаметного приближения к объекту. Легкое, отработанное часами тренировок движение пальцами — и вещество в бокале. Теперь только ждать.

Расчетное время — пятнадцать минут. Смотрю на часы, считают секунды. Пятнадцать минут проходит — и ничего, он по-прежнему улыбается и что-то громко рассказывает.

Двадцать минут — ничего. А ведь бокал уже пуст. Что-то пошло не так.

Двадцать пять минут — улыбка на его красивом лице становится какой-то натужной, он бледнеет, со стороны заметно, что у него начинает кружиться голова и появляется подташнивание. Началось.

Через сорок минут он уже лежит на полу, вокруг него суетятся какие-то люди, еще через пятнадцать минут появляется «Скорая». Что-то больно быстро, я на такое не закладывался. Обычно время прибытия — не меньше получаса, машин на дорогах много, быстрее просто не проедешь. Похоже, я не учел время суток: поздний вечер, дороги свободны. Ну что ж, вот и еще одна деталь в мою копилку того, что необходимо предусмотреть заранее. Дальше я буду действовать только днем или в «час пик».

Его увезли живым. Я буду ждать, когда общие знакомые с ужасом и горечью сообщат мне, когда и куда прибывать для прощания и похорон.

Я обязательно приду.

ЧАСТЬ ЧЕТВЕРТАЯ

ГЛАВА 1

В феврале морозы в Северогорске стояли лютые, и Саблину, как и на протяжении двух предыдущих зим, прожитых на Крайнем Севере, все время хотелось лечь в постель и укрыться потеплее, вытянуть ноги и лежать, и уж ни в коем случае не выходить на улицу. А если добавить к этому, что зима в северных широтах — не просто холода, но еще и полярная ночь, когда дневного света почти совсем нет, то понятно, что ему хотелось не только лежать в постели, но и спать. Чем крепче и дольше — тем лучше.

Однако режим трудового дня здесь был точно таким же, как и во всех прочих местностях необъятной России. Все ходили сонными, как мухи, но жаловаться никому и в голову не приходило — привыкли.

В конце февраля 2002 года Сергей, придя на работу в Бюро, заглянул в приемную к начальнику: ему как исполняющему обязанности заведующего отделением судебно-гистологической экспертизы нужно было решить с Георгием Степановичем чисто производственный вопрос. Рыжеволосая Светлана, как обычно, сидела за огромным столом, только теперь ее крохотную фигурку скрывала не электрическая пишущая машинка, а стационарный компьютер.

— У себя шеф? — спросил Сергей.

Светлана выглянула из-за монитора и прижала палец к губам.

— Тише, Сергей Михайлович, — прошептала она. — Вам туда сейчас лучше не соваться.

— А в чем дело? — удивился он. Посмотрел на часы, прикинул — вроде он и не опоздал, так что нагоняй получать не за что, а других грехов за ним пока не водится. Кроме, конечно, случая с экспертизой по ДТП с дочкой директора фабрики, но это когда было... Двояк уже свое откричал по этому поводу и слюной отбрызгал.

— Там Василенко. Шеф ей правила жизни объясняет.

— Василенко? — Сергей удивился еще больше. — А что она тут делает? Она же в декрете.

Светлана укоризненно покачала головой:

— Ну Сергей же Михайлович, вы на каком свете вообще живете-то? Вы вот на часы посматриваете, а на календарь забываете. Валентина Юрьевна в декабре девяносто восьмого ушла в декрет, в феврале девяносто девятого родила, три года просидела с ребенком, вот теперь, в феврале второго года, она и вышла на работу. Вы считать сами не пробовали?

Он действительно не пробовал. Валентина Юрьевна Василенко заведовала отделением судебно-гистологической экспертизы до ухода в декрет, потом, летом девяносто девятого года, приехал Саблин, которого назначили исполняющим обязанности завотделением, объяснив, что до тех пор, пока Василенко находится в декретном отпуске, никого на ее место назначить нельзя. Сергей как-то очень быстро забыл о том, что он — всего лишь «исполняющий обязанности», а не полноценный завотделением. Он работал, не покладая рук, налаживая бесперебойную работу лаборантов-гистологов, выбивая у руководства деньги на приобретение более современного оборудования и реактивов, требуя материального поощрения для своих подчиненных к каждому празднику и в конце года, висел над душой Георгия Степановича, заставляя его звонить в мэрию и в прочие органы власти и управления и добиваться то улучшения жилищных условий для многосемейной лаборантки, то места в детском саду для другой сотрудницы, то льготной путевки в санаторий для третьей. Это было ЕГО отделение, он, Сергей Михайлович Саблин, был в нем хозяином и повелителем, стало быть, он и отвечал за кадровую политику и за благополучие личного состава, усилиями которого выполнялся колоссальный объем работы, требующей точности, внимания и терпения. Именно так ему это виделось.

И вот сегодня ему напомнили, что все не совсем так. У отделения есть другой хозяин, вернее, хозяйка, которая в свое время развалила всю работу и фактически ее парализовала, а теперь, когда все отлажено и работает как часы, пришла на готовенькое и собирается выдернуть из-под Саблина кресло руководителя.

— Мне что, готовиться сдавать дела? — холодно спросил он у Светланы.

Та засмеялась и отрицательно покачала головой.

— Да вы что, Сергей Михайлович, кто ж вас отпустит с заведования? Шеф Валентине Юрьевне популярно объясняет, что если она считает свой материнский долг выше профессионального, то он относится к этому с уважением и вниманием и не смеет загружать ее функциями руководителя. Проще говоря: он не выпустит Валентину из кабинета до тех пор, пока она не напишет заявление о переводе ее на должность эксперта-гистолога. Так что спите спокойно.

Но спокойно спать Сергею как-то не удавалось. Двояк действительно выбил из Валентины Юрьевны Василенко заявление о переводе на нижестоящую должность, но трудно было бы ожидать, что ей это сильно понравится. С Саблиным, немедленно назначенным на должность завотделением, она разговаривала сквозь зубы и взглядом старалась не встречаться. Но Сергею было на это по большому счету наплевать: пусть смотрит в глаза, пусть не смотрит, лишь бы работу делала добросовестно.

А гистологом Валентина Юрьевна была очень даже неплохим, так что со временем, спустя несколько месяцев, отношения у них стали если не теплыми, то, по крайней мере, ровными и вполне деловыми.

В августе Сергей улетел в Москву, а оттуда — в Турцию, в отпуск, вместе с Леной и Дашенькой, которой через два месяца исполнялось уже десять лет. В прошлом году они во время отпуска ездили в Египет, провели там чудесные десять дней, а остальное время — сперва под Ярославлем у Лениной родни, потом в Подмосковье на даче у родителей Сергея. Если жизнь в одной квартире с Леной казалась ему когда-то совершенно невыносимой, то проживание на огромном расстоянии друг от друга сделало ее прекрасной женой, чего Саблин ну никак не ожидал. Лена почти не звонила ему сама, не теребила, не требовала, чтобы он приехал, не настаивала на том, чтобы он либо возвращался в Москву, либо забирал семью к себе в Северогорск. Она с удовольствием принимала от мужа ежемесячно посылаемые отнюдь не маленькие деньги, с удовольствием отвечала на его вопросы о дочери и вообще о том, «как дела», когда он соизволял сам ей позвонить, с удовольствием же ездила с ним в отпуск и с не меньшим удовольствием предавалась телесным утехам в объятиях законного супруга. Супруг же давно уже перестал корить себя за то, что изменяет любовнице, которую любит глубоко и искренне, с собственной женой, которую не любит совсем, но против сексуальной притягательности которой устоять не может. Да и не хочет. В конце концов, он — муж. Имеет право.

Накупавшись и наплававшись в теплом прозрачном Средиземном море, находившись за грибами в Подмосковных лесах и «наспавшись» с Леной, Сергей вернулся в Северогорск. И сразу же узнал, что за время его отсутствия эксперт-гистолог Василенко поступила в заочную аспирантуру по судебной медицине в одном из медицинских вузов Санкт-Петербурга. Значит, она собирается писать и защищать диссертацию, получать ученую степень кандидата наук, после чего у нее появятся отличные шансы столкнуть Саблина с места заведующего. Понятно, что в таком деле, как экспертиза, ученая степень позволяет претендовать на более высокую должность. Значит, война еще не окончена, была всего лишь временная передышка.

Но войны, собственно говоря, никакой и не было, Валентина Юрьевна добросовестно работала, хотя и частенько брала больничный по уходу за ребенком: в детских садах малышня болеет постоянно. Саблина это раздражало ужасно, он готов был сутками не отходить от микроскопа, что-то придумывать, искать и анализировать литературу по непонятным ему случаям, брал «стекла» домой, чтобы показать Ольге и посоветоваться с ней, появлялся в Бюро и в выходные дни, и ему претило такое отношение к работе, когда ровно минута в минуту с окончанием рабочего дня выключался электронный микроскоп и эксперт уходил. Сделать с этим он ничего не мог, трудовая деятельность судебно-медицинской экспертизы регламентировалась трудовым кодексом, а не Положением о прохождении службы, как у милицейских или военных экспертов-криминалистов, которые носили погоны и рабочий день которых считался ненормированным. Здесь, в Бюро, можно было уповать только на сознательность сотрудников и их преданность профессии. Однако эти качества встречались не у всех. Далеко не у всех.

* * *

Помещение, в котором проходили клинико-анатомические конференции, было рассчитано человек на шестьдесят, но на сами конференции врачей собиралось не более тридцати, от силы — сорока человек. Саблин и эксперт-танатолог Филимонов пришли одними из первых, заняли места в третьем ряду и стали с любопытством оглядывать всех, кто заходил в зал после них. Кто придет? С кем выпадет в этот раз схватиться? И кто встанет на их сторону?

Собственно, Сергей приехал на конференцию не по своему почину, а по просьбе Виталия Николаевича Филимонова, который попросил гистолога, выполнявшего исследование по случаю, ставшему предметом разбора на конференции, поддержать его и дать необходимые разъяснения. В общем-то, Саблин не обязан был это делать и, если бы речь шла о вскрытии взрослого человека, почти наверняка отказался бы, в резкой, как обычно, форме посоветовав танатологу самому вникнуть в результаты гистологической экспертизы и приготовиться к отстаиванию своего диагноза. Сергей терпеть не мог профессиональной некомпетентности, но чего уж он совершенно не выносил, так это лени и нежелания ее преодолевать.

Но здесь случай был особым. Ребенок. Пятимесячная девочка, которую вскрывал Виталий Николаевич и предварительным диагнозом выставил СВС — «Синдром внезапной смерти». Как только Саблин прочитал эти ненавистные слова в направлении на гистологическое исследование, у него перед глазами поплыли темно-красные пятна. Опять! Да сколько же можно! Нет, он не оставит этот диагноз без внимания, для него это дело принципа. В Москве он свою войну проиграл, и проиграл бесславно. Но он не сдался. И теперь, когда и опыта побольше, и возможностей, он костьми ляжет, но доведет дело до победного конца. Он добьется, чтобы хотя бы здесь, в Северогорске, перестали прикрывать этим «тупым», на его взгляд, словосочетанием нежелание или неумение разобраться в истинных причинах смерти детей. И особенно недопустимо, если при помощи пресловутого СВС окажется «прикрытым» криминальное насилие и преступник останется безнаказанным.

Именно поэтому, закончив гистологию и придя к определенным выводам по поводу диагноза, он пошел в ординаторскую к танатологам.

— Виталий, ты девочку как вскрывал? — они давно уже были на «ты». — Особенно мягкие ткани шеи и лица? По Медведеву?

В глазах Филимонова промелькнуло удивление, быстро сменившееся настороженностью, готовой перейти во враждебность.

— Нет, как обычно.

Сергей почувствовал, как поднимается из груди и готовится ударить в голову закипающая ярость, но усилием воли заставил себя сдержаться.

— Слушай, друг мой, тебе никогда не объясняли, что для вскрытия детских трупов разработана специальная методика? Нельзя детей вскрывать так же, как взрослых!

Он все-таки не удержался и сорвался на крик.

— Не ори на меня, — суховато произнес Филимонов. — Ты пришел с результатами гистологии? Давай обсудим. А голос повышать тут не надо.

Виталия Николаевича можно было обвинить в чем угодно, но только не в трусости. Он, пожалуй, был единственным сотрудником Бюро, кто не боялся Саблина, когда тот позволял себе повышать голос.

Сергей перевел дух и постарался говорить более спокойно.

— Объясни мне, пожалуйста, почему ты выставил СВС? На каком основании?

Филимонов пожал плечами:

— Тимус увеличен. Если я правильно помню, девятнадцать граммов. Раз вилочковая железа увеличена, то она могла сдавить сердце и легкие, и от этого ребенок умер. Какого тебе еще камня нужно для диагноза? Типичное тимико-лимфатическое состояние.

— Виталий, ты что, только взвешивать умеешь? — зло спросил Сергей. — Ты не знаешь о том, что при тимико-лимфатическом статусе в тканях вилочковой железы должны быть и микроскопические изменения в виде гиперплазии и, кроме того — гипоплазия коры надпочечников? Знал, да забыл? Или вообще не знал?

Филимонов посмотрел на него с интересом.

— Ну и? Ты нашел?

— Ничего я не нашел. Не было там тимико-лимфатического статуса и в помине. И что ты все цепляешься к тимусу? Это теория девятнадцатого века, от которой давным-давно отказались. Ты молодой мужик, учился по современным учебникам, что ж ты такой дремучий-то! Ты литературу по специальности хоть когда-нибудь читаешь? Или все больше боевики по телевизору смотришь?

— Как я провожу свое свободное время — это мое личное дело, — спокойно ответил эксперт-танатолог. — Если у тебя есть что сказать — говори, уточним диагноз. А если ты пришел орать на меня и учить жизни, то извини. Мне есть чем заняться в рабочее время.

При гистологическом исследовании Сергей обнаружил микроскопические изменения, которые могли свидетельствовать о том, что у ребенка была смешанная инфекция — парагрипп и аденовирус. Кроме того, он увидел признаки хронического неспецифического воспаления слюнных желез — сиалоаденита. В конечном итоге он пришел к выводу, что имеет место еще и затяжная локализованная цитомегаловирусная инфекция, к которой присоединилась «микст-инфекция» из парагриппозной и аденовирусной инфекций, что и привело к смерти малышки. И ни о каком синдроме внезапной смерти речь идти не могла в принципе.

Разумеется, как и всегда в сложных или неоднозначных случаях, Сергей отнес стеклопрепараты Ольге, чтобы она не только посмотрела дома сама, но и показала их у себя в патанатомии. И она, и все ее коллеги дружно сошлись во мнении, что Саблин прав, поэтому к моменту разговора с Филимоновым ни малейших сомнений у Сергея уже не было.

Он постарался не выходить из себя и детально изложить танатологу свои результаты. Филимонов слушал внимательно, его красивое лицо было серьезным, от недавней враждебности не осталось и следа.

— Понял, — резюмировал он в конце. — Но в вашей науке я слабоват. Детская смерть — значит, неизбежна клинико-анатомическая конференция, и если я пойду туда один, от меня только мокрое место останется. Ты же понимаешь, Серега, врачи удавятся, но не признают, что ребенок умер от инфекции, потому что это прямой их недосмотр. Дети в нашей стране имеют право умирать от чего угодно, только не от инфекций, в противном случае педиатрам головы сносят.

Да, именно это Саблину и говорила когда-то Юлия Анисимовна. Ничего нового, что Москва — что Северогорск, что 1997 год — что 2002, никакой разницы. Правда, в тот раз речь шла о смерти после вакцинации, но разве в этом суть?

— Они на меня нападут и разгрызут на мелкие кусочки, — продолжал между тем Виталий. — Так что придется тебе пойти со мной и помогать отстаивать диагноз, один я не справлюсь.

— А ты амбулаторную карту ребенка запрашивал? Что там было написано?

— Да карту до сих пор не привезли, — махнул рукой Филимонов. — Бюрократию развели, каждая бумажка по две недели из кабинета в кабинет ходит.

— Твою мать! — в сердцах бросил Сергей. — А сам съездить не мог? Корона упадет? Ты с матерью ребенка разговаривал?

Тот отрицательно покачал головой.

— Почему? Ты должен был в первую очередь с ней поговорить, все вопросы задать, а не карту ждать. Слушай, ну почему ты такой урод, а? Тебе что, в самом деле по барабану, какой диагноз выставить? Тебя не колышет, что он неправильный?

Он опять начал срываться на крик, но тут Виталий миролюбиво улыбнулся:

— Ладно, Серега, не кипятись, я все понял и все принял, напишу в заключении генерализованную цитомегаловирусную инфекцию. Пойдет? Но только на конференцию — вместе. Если ты такой принципиальный и для тебя важно, какой будет стоять диагноз, то ты уж мне помоги, а то мне не отбиться.

Сергей пообещал прийти вместе с ним на конференцию. И вот теперь он сидел в зале, смотрел на собирающихся медиков и выискивал знакомые лица. Увидев Нестерову, заведующую детской поликлиникой, он приветственно кивнул ей. Заведующая радостно улыбнулась и стала пробираться к ним поближе.

— А вы какими судьбами здесь, Сергей Михайлович? Разве это вы вскрывали? Мне казалось, речь шла о другом эксперте.

— Вы не ошиблись, — улыбнулся Филимонов, — труп вскрывал я, но на диагнозе настоял именно гистолог, вот я и попросил его поприсутствовать, чтобы дать разъяснения, если понадобится.

— Разъяснения? — Нестерова не скрывала недоумения. — А разве девочка умерла не от СВС? У нас все считают...

— И неправильно считают, — резко проговорил Саблин. — У меня другое мнение, и я искренне надеюсь, что мне удастся убедить в его правильности нашу медицинскую общественность.

Нестерова тяжело опустилась на стул рядом с ним и вопросительно взглянула на Сергея.

— Неужели криминал? Вот ужас-то! Такая кроха...

— Нет, не криминал. Хотя как посмотреть. Если считать это преступной халатностью, то и на криминал потянуть может, — злорадно проговорил Саблин.

Он все никак не мог забыть нервозность заведующей детской поликлиникой во время экспертизы по случаю Миши Демина. Как она боялась, что виновными в смерти мальчика окажутся врачи вверенного ей медучреждения! Как она этого не хотела! Как звонила Саблину каждый день с вопросом о причине смерти и диагнозе! В те дни он ее почти начал ненавидеть, потому что считал, что хороший руководитель должен биться не за собственное благополучие, а за то, чтобы неприятная правда всегда выплывала наружу, давая возможность принимать необходимые меры к исправлению ошибок и улучшению ситуации с диагностикой и лечением. Страусиная политика всегда вызывала у него изжогу.

И еще он с чисто мальчишеской, какой-то детской обидой не мог простить заведующей поликлиникой ее багаж знаний: он, Сергей Саблин, оказался не единственным, кто знал про синдром Гзелля-Эрдхейма!

Но в данном случае волноваться Нестеровой было не о чем: умершая девочка проживала в другой части города и наблюдалась в другой детской поликлинике.

К ним подошла педиатр — участковый врач Миши Демина, которая тоже натерпелась тогда страху и чуть невроз не заработала. Они сидели вчетвером, обсуждая назначенный к разбору случай. Вдруг педиатр подняла голову и махнула кому-то рукой.

— Это Лариса Баядина, она как раз была участковым педиатром у девочки, — пояснила она. — Хотите с ней поговорить?

— Нет, — быстро ответил Саблин, — не нужно.

— Но ведь она...

— Вот именно, — жестко произнес он. — Не нужно.

Конференция началась, председательствовала на ней Чернова, заместитель по лечебной работе городской детской больницы, дама строгая, безапелляционная и не склонная менять однажды принятые собственные решения. Виталий Николаевич Филимонов зачитал протокол вскрытия и диагноз, в том числе огласил выписки из амбулаторной карты, которую все-таки получил из детской поликлиники, после чего присутствующие педиатры стали засыпать его вопросами. Филимонов не кривил душой, когда признавался Сергею в том, что в гистологии слабоват. Еле-еле отбившись от первых двух-трех вопросов, он «поплыл» и заявил:

— Диагноз «цитомегаловирусная инфекция» выставлен заведующим отделением судебно-гистологической экспертизы Саблиным Сергеем Михайловичем. Вот он здесь присутствует, у него и спрашивайте.

И быстро сел на место.

— Сергей Михайлович, мы вас слушаем, — в голосе Черновой послышался вызов: она не любила, когда на конференциях выступали не те, кого она сама запланировала.

Саблин тяжело поднялся, отметив про себя, что лишний вес, который он набрал за последние два года, не только провоцирует боли в позвоночнике, но и вообще мешает легко двигаться.

Обведя глазами присутствующих, он остановил взгляд на Ларисе Баядиной, участковом педиатре, которая вела умершую девочку.

— Я доложу собравшимся результаты своих исследований и обосную диагноз, но сперва, если позволите, я хотел бы задать несколько вопросов педиатру, у которого наблюдалась умершая.

Чернова недовольно скривилась:

— Я не вижу в этом никакой необходимости. Все, что известно участковому педиатру, должно быть изложено в амбулаторной карте, карту ваш эксперт получил, изучил и привел выписки в экспертном заключении. Что еще вы хотите здесь услышать? Какие откровения?

— И тем не менее, — настойчиво повторил Саблин, — я прошу дать мне возможность задать вопросы. В докладе коллеги Филимонова прозвучало далеко не все, что кажется мне важным для постановки и обоснования диагноза. Кроме того, я обратил внимание, что выступление коллеги Филимонова присутствующие здесь специалисты слушали не особенно внимательно. Боюсь, кое-что они упустили.

Повисла настороженная тишина. Саблин ударил по больному. Давно уже было известно, что все решения клинико-анатомических конференций по «детским» случаям готовились заранее, в них про писывалось то решение, которое устраивало департамент здравоохранения, и что бы ни происходило в дальнейшем, какие бы аргументы ни приводились, решение все равно принималось единогласно. С заместителем главного врача детской городской больницы ссориться никто не хотел. А уж вступать в конфронтацию с департаментом желающих и вовсе не находилось. Поэтому немудрено, что на таких «подготовленных» конференциях никто особо не напрягался и не слушал: какой толк вникать, если все уже решено и подписано?

Чернова задумчиво оглядела Сергея, потом выразительно посмотрела на Баядину, некрасивую худенькую молодую женщину с бесцветными волосами, собранными в жидкий «хвостик» на затылке. Анемичная особа, отметил про себя Сергей. Вялая. Апатичная. Ей все равно. У нее ни на что нет сил, у нее ни к чему нет интереса. И что ей стоило лишний раз поинтересоваться здоровьем малышки, повнимательнее ее осматривать, побольше вопросов задавать маме ребеночка? Ничего не сделала, упустила цитомегаловирус, который могла бы определить уже давным-давно, если бы приложила хоть минимум стараний, а уж микст-инфекцию как следует пролечить...

— Хорошо, — кивнула заместитель главврача детской больницы, — прошу вас, Лариса Николаевна, ответить на вопросы эксперта.

Баядина поднялась и уставилась на Сергея глазами, полными невыразимого ужаса. Она отлично понимала, что сейчас произойдет. Ее заверили, что решение конференции будет безопасным для нее, потому что так лучше для всех, и она шла сюда спокойной и уверенной в том, что все обойдется. Собственно говоря, уже обошлось. И вдруг что-то пошло не так.

— Лариса Николаевна, — начал Саблин, — мать ребенка обращалась в поликлинику незадолго до смерти девочки?

Баядина молча кивнула.

— Я не слышу, — противным голосом произнес он. Именно таким голосом и теми же самыми словами учительница физики в школе переспрашивала учеников, которые, уставясь глазами в пол, еле слышным шепотом признавались в том, что урок не выучили и отвечать не готовы.

— Обращалась. С жалобами, что заболел ребенок.

Для того чтобы ответить, Баядиной пришлось откашляться.

— И что сказала мать ребенка?

— Она сказала, что девочка накануне стала немного беспокойной, слабости и снижения аппетита не было, слезки текут, появился редкий сухой кашель. Небольшая температура, около тридцати семи и пяти. И небольшой насморк.

— То есть мать обратилась к вам на второй день заболевания, так? — уточнил Сергей. — И что вы сделали?

— Я осмотрела ребенка.

— Не сомневаюсь, — саркастически бросил он. — И к какому выводу пришли?

— ОРВИ средней степени тяжести.

Баядина отвечала коротко, точно, строго в рамках поставленного вопроса, ни слова лишнего. То ли ее тщательно проинструктировали, то ли она так напугана и зажата, что просто не может говорить пространно. Но Сергей с удовлетворением отметил, что она хотя бы не лжет, не пытается ничего скрыть и закамуфлировать. Уже хорошо.

— Какое лечение вы назначили ребенку?

— Симптоматическое.

— И...

— Ребенок отправлен домой на амбулаторное лечение.

— Вы объяснили матери, что у маленького ребенка состояние может измениться ввиду особенностей детей этого возраста? Вы ее предупредили, чтобы она наблюдала за девочкой очень внимательно и при малейшем ухудшении немедленно обращалась к врачам или вызывала «Скорую»?

— Нет.

— Почему?

— Состояние ребенка было относительно удовлетворительным, слабости и снижения аппетита не было. На момент осмотра ребенок был активен.

— А то, что у педиатра в отношении ребенка в возрасте до одного года всегда должна быть настороженность, вам не объясняли, нет? И то, что детей такого возраста необходимо посещать активно, тоже не объясняли? — подчеркнуто вежливо спросил Саблин. — Когда вы собирались посетить девочку в следующий раз?

Баядина заметно побледнела, хотя было непонятно, как ей это удалось: при ее анемичности молодая женщина и без того не выглядела цветущей.

— Я собиралась посетить ребенка на следующий день.

— И вы обратили бы внимание на то, что у ребенка был не только насморк, но и кашель?

Вопрос был провокационным. О кашле в амбулаторной карте не было сказано ни слова. А мать девочки уверяла, что кашель был, и она специально спрашивала у доктора, какое лечение нужно применить, а доктор сказала... Собственно, Баядина и не отрицала, что мать ребенка о кашле говорила. Но в карту врач почему-то этого не внесла. Вот интересно, признается она сейчас в этом или нет?

— Кашля не было, — твердо произнесла Баядина.

Значит, ее все-таки проинструктировали. Ну что ж, не такая уж ты хорошая девочка, Лариса Баядина, и мало тебе не покажется.

— Кашель был, — как можно более ровным голосом заметил Сергей. — И мать ребенка спрашивала у вас, почему вы назначаете лечение только от насморка, а от кашля — ничего. Вам напомнить, что вы ей ответили?

Тишина в зале стала давящей и какой-то мертвенной. Здесь сидели врачи. Люди, которые прекрасно понимали, что происходит и к чему все идет.

Баядина молчала.

— Вы, — уже не сдерживая гнева, продолжал Саблин, — сказали, что ребенок просто поперхнулся слюной и откашливается. С чего вы это взяли? Вы недооценили тяжесть состояния больного, вы не предупредили мать о возможных осложнениях, вы не проявили настороженности, и в результате спустя полтора суток после визита к вам у ребенка состояние стало резко ухудшаться на глазах. Появилось выраженное беспокойство, сопровождающееся чувством страха, оно сменилось заторможенностью, потом сонливостью. Голос осипший, кашель вначале был грубый, громкий, но по мере нарастания сужения просвета гортани стал тихим, поверхностным. Одышка постоянная, смешанного характера. Дыхание частое, поверхностное, с периодическими апноэ. На фоне длительного апноэ произошла потеря сознания и полная остановка дыхания. Вам это ни о чем не говорит?

— Сергей Михайлович, — вмешалась Чернова, — вам не кажется, что здесь все-таки не институтская аудитория, а вы — не экзаменатор? К чему этот допрос? Если вам есть что сказать по вашей специальности, то мы готовы вас выслушать. А проводить тут с нами коллоквиум по педиатрии я считаю совершенно неуместным.

— Хорошо, — неожиданно покладисто согласился он. — Тогда у меня последний вопрос к коллеге Баядиной. Лариса Николаевна, вы когда-нибудь сталкивались с цитомегаловирусной инфекцией?

— Нет, — она отвечала по-прежнему кратко и негромко.

— Девочка болела ангинами?

— Нет...

Твердость из ее голоса ушла, в этом ответе Лариса Баядина явно не была уверена.

— А чем она болела?

— У нее были частые простудные заболевания.

— В чем они проявлялись?

— Бронхиты. ОРВИ.

— Значит, ангин не было? Вы уверены?

Она не была уверена. Она просто тупо ставила диагноз ОРВИ, включающий в себя несколько различных инфекций, в том числе вирусы гриппа А и В, парагрипп трех типов, аденовирус, респираторно-синцитиальный вирус — самые распространенные инфекционные агенты. Можно предположить, что на самом деле у ребенка были герпетические ангины. И если бы она чуть больше знала, была чуть более опытной или хотя бы просто неравнодушной, она обратила бы на них внимание, направила ребенка к инфекционисту, и тот после исследований обязательно выявил бы цитомегаловирус и назначил соответствующее лечение. И сейчас пятимесячная девочка была бы жива. Потому что бурное развитие «микст-инфекции» привело к летальному исходу именно из-за того, что протекало на фоне затяжной цитомегаловирусной инфекции.

— У меня больше нет вопросов, — констатировал Сергей и приступил к изложению результатов гистологического исследования. Все эти результаты четко и однозначно свидетельствовали о правильности выставленного им диагноза.

Но устроило это далеко не всех присутствующих.

— Мы по двадцать пять лет тут работаем, — раздавались со всех сторон возмущенные возгласы, — и никто у нас ни разу не умирал от вирусной инфекции!

Сергей все ждал, когда же из зала прозвучит заветное слово, вот уж тогда он развернется во всю ширь, вот уж тогда он скажет им все, что думает, все то, что не услышали в Москве. Или не захотели услышать. Он чувствовал, как нарастает в нем веселый азарт, наливается силой злой кураж, ему нравилась эта ситуация, когда все ополчились против него. Он уверен в своей правоте, потому что он — лучший гистолог в Северогорске. Лучше него только Ольга, но ей он препараты показывал, и она полностью с ним согласилась. Он хотел войны. Он чувствовал себя вооруженным до зубов, и ему не терпелось пустить свое оружие в ход. А потом любоваться полем, усеянным мертвыми телами поверженных врагов.

И вот оно прозвучало, это слово, которого он так ждал:

— Может быть, ребенок умер все-таки от синдрома внезапной смерти, а не от вирусной инфекции?

Сергей сделал паузу, словно к прыжку готовился. Что там есть у Шекспира? На ум пришла только одна цитата из «Генриха Пятого»: «O God of battles! Steel my soldiers' hearts». «О Бог войны! Сделай стальными сердца моих солдат!»

— Синдром внезапной смерти детей, — начал он медленно, со вкусом выговаривая каждое слово, — это диагноз исключения. Мы имеем право говорить об этом диагнозе только тогда, когда при вскрытии и микроскопическом исследовании не обнаружено ничего. Вообще ничего. Когда мы не видим никаких признаков механической травмы или механической асфиксии. Когда мы провели бактериологическое исследование и ничего не нашли. Провели вирусологическое исследование и тоже ничего не обнаружили. Когда судебно-химическое исследование ничего не показало. Вот когда мы провели все-все дополнительные исследования, какие только существуют, и в результате всё-таки ничего не нашли, вот тогда — да, я согласен, что можно выставить диагноз СВС. Но только в качестве исключения. А не в качестве правила, как принято в педиатрии, и не только у нас, но и за рубежом.

Поднялась со своего места Главный педиатр города.

— Но ведь диагноз СВС есть в международной классификации болезней, — непонимающим тоном произнесла она. — Почему же мы не должны им пользоваться, если он официально существует?

— И вообще, — раздалось откуда-то из последнего ряда, — почему вы так уверены, что ребенок погиб из-за вирусной инфекции? А может, он слюнями подавился или рвотными массами.

Саблин всмотрелся в говорящего и чуть не прыснул. Это была чудовищного вида тетка, необъятно толстая, с немытыми волосами и золотыми зубами. Одним словом, такая, каких, как говорила Ольга, «сейчас не делают». У нее было совершенно замечательное выражение лица, свойственное торговкам на базарах советских времен: вот вам моя цена, не хотите — не берите, больше вам взять все равно негде, еще ко мне прибежите или даже на коленях приползете, а я еще подумаю, продавать ли вам по той же цене или подороже взять за вашу строптивость. В общем, как-то так. Сергей понял, что это и есть легендарная в своей профессиональной неграмотности и бездарности врач-педиатр, о которой судачила вся медицинская общественность Северогорска. Над ней потешались, истории, связанные с ней, пересказывали как анекдоты. Никто не мог понять, почему ее до сих пор не уволили и какая мохнатая «лапа» удерживает ее на должности завотделением в той самой детской поликлинике, на территории обслуживания которой как раз и проживала умершая от вирусной инфекции девочка. Саблину не приходилось до сегодняшнего дня с ней сталкиваться, но наслышан он был об этой даме немало. И даже вспомнил ее фамилию: Мокина.

Он открыл было рот, чтобы дать ей язвительную отповедь, но не успел: со своего места заговорила Нестерова.

— Вы плохо слышите? Или плохо понимаете то, что нам тут только что доложил эксперт? Он же ясно сказал: в гистологическом материале множество вирусных инфекций, как острых, так и хронических. Какой здесь может быть синдром внезапной смерти? И потом, если вы слабо владеете медицинской терминологией, то примите мой совет: избегайте публичных выступлений. Какие еще слюни? Медики не употребляют такой термин, точно так же, как не говорят «сопли».

— Ну ладно, я не так выразилась, — сердито отпарировала Мокина. — Но аспирация-то рвотных масс могла же быть! Почему нет?

Нестерова все-таки поднялась с места, хотя до этого подавала реплики, не вставая. Она медленно развернулась назад, чтобы видеть Мокину, сидящую в последнем ряду.

— Уважаемая госпожа Мокина, почему мы должны всерьез обсуждать смерть от аспирации рвотных масс, если нам только что на пальцах показали и доказали наличие морфологически подтвержденной и обоснованной вирусной инфекции? А? Если бы вы читали научную литературу, а не только сопливые дамские романы, — при этих словах по залу прокатился смешок: одной из баек, передаваемых из уст в уста о Мокиной, была история о том, как она всюду прячет и при любом удобном случае почитывает «розовые» романчики в мягких обложках, и однажды такая книжица выпала у нее прямо из-под халата во время прохода по коридору поликлиники, на глазах у изумленных мамочек с детишками, сидящих в очередях к врачам, — вы бы понимали, что все эти аспирации рвотных масс или, как вы изволили выразиться, слюней, — неубедительны патогенетически. Сначала возникает вирусная интоксикация, затем возникает отек вещества мозга как реакция на эту интоксикацию, а это, в свою очередь, может вызвать нарушения со стороны расположенного в продолговатом мозге дыхательного центра в результате гипоксии. И вот эти самые нарушения в продолговатом мозге и обусловливают подавление кашлевого рефлекса. Рефлекс подавлен — при возникновении рвоты у ребенка рвотные массы могут попасть в дыхательные пути и не выкашливаются. Вот так происходит аспирация рвотных масс и никак иначе. В основе, в самом начале этой длинной цепочки — вирусная инфекция и последующая интоксикация. Никакой здоровый ребенок не погибнет от аспирации, потому что у него нет нарушений со стороны центральной нервной системы и продолговатого мозга. Даже если ребенок случайно срыгнет, это сразу же вызовет кашлевой рефлекс, и пищевые массы будут удалены из дыхательных путей. Мне странно, что вы, заведуя отделением в детском лечебном учреждении, этого не понимаете.

Саблин слушал и усмехался про себя. Ему было приятно, что он нашел единомышленника в лице Нестеровой. Никакой поддержки он ни от кого не ожидал и ни на что подобное не рассчитывал. Все-таки она грамотная тетка, ничего не скажешь, грамотная и знающая. Но будучи человеком циничным, он отдавал себе отчет в том, что заведующая детской поликлиникой Нестерова стала его союзником только на сегодняшний день и только на этой клинико-анатомической конференции. Просто потому, что разбираемый случай смерти ребенка имел место не на ее территории и к нему не имеют отношения врачи ее поликлиники. Если бы речь шла, как в случае Миши Демина, о «ее» врачах, то она бы сейчас глотку рвала за диагноз «синдром внезапной смерти».

Педиатры еще какое-то время задавали вопросы, пытаясь поставить под сомнение аденовирусную инфекцию, но в конце концов председательствующая замглаввача детской больницы поставила в дискуссии точку:

— Ну все, мы выслушали мнение Сергея Михайловича и его ответы на ваши вопросы, выслушали мнение лечащих врачей и других присутствующих, давайте послушаем рецензента.

Рецензент, дама солидного возраста, незнакомая Саблину, вышла на трибуну с тоненькой папочкой красного цвета в руках, достала из нее листочки с текстом и начала зачитывать рецензию, общий смысл которой сводился к тому, что здесь не было вирусной инфекции, а была, скорее всего, механическая асфиксия из-за того, что ребенка «приспали». Сергей на несколько секунд потерял дар речи, а когда пришел в себя, ткнул локтем в бок сидящего рядом Филимонова:

— Ты слышал? Это вообще что? Это как такое может быть? Или я сплю?

— Серега, ты что, вчера родился? — хмыкнул Виталий. — Ты что-нибудь видишь на этом свете, кроме окуляров своего микроскопа?

— А что я должен был видеть? — сердитым шепотом спросил Сергей.

— Две папочки на столе перед рецензентом. Красненькую и синенькую.

— Да я и не смотрел на нее, — признался Саблин. — Чего мне на нее смотреть? Что я, баб не видел?

— Таких — нет, — заверил его танатолог. — У нее были подготовлены две рецензии, одна в красной папочке, другая — в синей. Одна на СВС, вторая — на асфиксию. Они ж предусмотрительные, суки, что Главный педиатр, что ребята в аппарате департамента. Сначала они подготовили рецензию и, соответственно, решение на СВС, потому что таков был мой первоначальный диагноз, а потом, когда узнали, что на конференцию придет гистолог, на всякий случай подстраховались и наваляли бумажку на асфиксию. Вот эта рецензентша и прикидывала всю дорогу, пока ты выступал, с какой папочкой ей на трибуну выходить. Сначала-то она все бумажки в синей папке листала да на тебя поглядывала, а как только поняла, что СВС никак не прокатит, синюю папочку закрыла, а красную открыла. С ней и на трибуну пошла.

— Да не может быть! — не поверил Сергей.

Филимонов пожал плечами:

— Чего не может-то? В нашей стране все может быть. А уж у нас в Северогорске — и подавно. Да ты посмотри на нашу разлюбезную Чернову, вон перед ней тоже две папочки лежат, одна красная, другая синяя. Тоже два решения. Видно, у них в секретариате папки только двух цветов закупили.

Сергей напряг зрение, прищурился — давно пора начинать носить очки, а то с этой работой скоро ослепнешь! — и всмотрелся в то, что лежало на поверхности длинного стола, за которым восседали председательствующая на конференции врач, рецензент и ведущий протокол секретарь. Перед Черновой действительно маячили два пятна — красное и синее. И точно такое же синее пятно виднелось на том месте стола, где сидела вышедшая на трибуну рецензент. Неужели Филимонов прав? Какая мерзость! Какая подлость по отношению и к умершему ребенку, и ко всем детишкам, которым еще предстоит умереть от врачебной халатности, и по отношению к экспертам, которые тратят силы и здоровье на то, чтобы установить истину. Нет, война. Только война. Но Виталик-то каков!

— Ты, я смотрю, в аппаратных игрищах здорово поднаторел, — ехидно заметил Сергей. — Сечешь поляну с полувзгляда. Ты бы лучше на вскрытии научился так внимательно смотреть и выводы делать. А еще лучше — применил бы свою наблюдательность в гистологии и освоил хотя бы минимум необходимых знаний.

— А ты у нас на что? — довольно хохотнул Филимонов.

— Ага, на чужом горбу собираешься в рай въезжать, — пробурчал Саблин. — Не понимаю я, Виталий, неужели тебе все равно? Ведь опровергают твой диагноз. ТВОЙ! А ты сидишь и не чешешься.

— Да больно надо! — фыркнул эксперт-танатолог. — Пусть принимают любое решение, какое им понравится. Мне-то что? Я акт судебно-медицинского исследования закончил, свидетельство о смерти выписал, в свидетельстве указал в качестве диагноза ОРВИ. Свидетельство передано в ЗАГС для регистрации смерти. Что может измениться? Какое бы решение они ни приняли сейчас, в документах все равно останется ОРВИ. Ты же понимаешь, для того, чтобы изменить запись в учетных документах ЗАГС, необходимо судебное решение. А суд свое решение вынесет только на основании комиссионной судебно-медицинской экспертизы. Ты представляешь, сколько это возни? Ну и кому надо всем этим заниматься?

Пока они обменивались репликами, председательствующая спросила, будут ли у кого-нибудь из присутствующих какие-либо свои мнения и нет ли желающих выступить? Естественно, желающих не нашлось. Видимо, разноцветные папочки были среди этой публики далеко не в новинку, все умели их видеть и понимать суть происходящего.Чернова открыла красную папочку и сказала, что сейчас зачитает решение клинико-анатомической конференции. Саблин обвел глазами зал. Стыдно никому не было. Какое может быть решение, вынутое из принесенной заранее папки? Почему оно было готово заранее? А если нет, то когда его успели подготовить, если секретарь из-за стола не вставала и вообще ничего, кроме собственно протокола, не писала? Позорище! Цирковое представление для идиотов!

— ...смерть ребенка, скорее всего, наступила от механической асфиксии при закрытии отверстия рта и носа, то есть при «присыпании»... С данным решением клинико-анатомической конференции согласились все ее участники, — быстро и напористо читала по бумажке заместитель главного врача детской больницы.

Саблин вскинул руку и, не дожидаясь, пока ему предоставят слово, выкрикнул с места:

— А Баба-яга против!

Лицо Черновой покрылось красными пятнами, глаза метали молнии.

— Сергей Михайлович, здесь вам не детский сад. Что вы имеете добавить?

Сергей поднялся.

— Да, здесь действительно не детский сад, а ясли для несмышленышей, — усмехнулся он. — Вы хоть понимаете, что творите? Ладно, вы не согласны с моим диагнозом — имеете право выставить другой. Но вы же прямо обвиняете меня в уголовном преступлении. И как я должен на это реагировать? Естественно, я против. И решение ваше подписывать не намерен.

— Объяснитесь, будьте любезны, — потребовала Чернова.

— А вам нужно еще и объяснять подобные вещи? — Саблин, как умел, изобразил искреннее удивление. — Вы разве не знаете, что асфиксия считается разновидностью насильственной смерти? Не можете не знать, иначе грош вам цена как педиатру. Итак, вы принимаете решение о том, что в смерти ребенка виновата мать. Имеет место криминал. А глупый гистолог Саблин решил этот криминал прикрыть, закамуфлировать и придумал целую историю с вирусами, инфекциями, интоксикацией, он даже не пожалел усилий и написал в своем заключении умные слова про клетки по типу «совиного глаза» и клетки-«чернушки», а также про прочие тонкости. Зачем Саблин это сделал? А ему взятку дали. То есть он мало того что дал заведомо ложное заключение эксперта, что само по себе дело подсудное, так еще и взяточником оказался. И пойду я отсюда прямо по этапу. А вы, счастливые и довольные, потирая ручонки, разойдетесь по домам кофий кушать с конфетками. Так вот, господа хорошие, уважаемые коллеги! Ставлю вас в известность прямо здесь и прямо сейчас: я это решение подписывать отказываюсь, а если у меня начнутся проблемы с прокуратурой из-за этого случая, я перечислю всех, кто здесь сидит, в качестве свидетелей того, что произошло на самом деле. И пусть вас вызывают, пусть треплют вам нервы, берут с вас объяснения, грозят ответственностью за дачу ложных показаний. В общем, массу приятно проведенных часов и дней я вам гарантирую. И не говорите потом, что я не предупреждал вас и действовал исподтишка.

Он решительно протолкался через ноги сидящих в третьем ряду врачей и вышел из конференц-зала, не сказав больше ни слова. Филимонов потянулся за ним. Он тоже не стал подписывать решение.

— Ну и чего скажешь? — спросил Виталий, когда они, одевшись в гардеробе, вышли на улицу. — Победа это или поражение?

— С одной стороны, победа, конечно, — улыбнулся Саблин. — Все-таки они не посмели впарить в решение СВС. И это уже первый шаг.

— Но с другой стороны, они же и на ОРВИ не согласились, — заметил Филимонов. — Значит, мы на своем настоять не смогли. И нам с тобой придется считать это поражением.

— Мне нравится это твое «мы не смогли» и «нам придется», — саркастически усмехнулся Сергей. — Да ты с трибуны соскочил, как перепуганный заяц, а меня выставил на линию огня. Ты должен был сам готовиться к конференции, ты бы лучше в гистологию вникал поглубже, а не за моей спиной прятался. Для тебя это, может быть, и поражение. А для меня — победа. Особенно если дело дойдет до прокуратуры. Вот уж повеселимся!

— Не понимаю я тебя, — вздохнул Филимонов. — Чему ты радуешься? Тебе мало неприятностей и проблем? Даже если ты затеешь с педиатрами войну против СВС и выиграешь ее, ты хоть представляешь, каким геморроем для тебя это обернется? Тебе Москвы мало?

Сергей поднял голову. Небо было черным и глубоким, как бездна. Полярная ночь. Такая же мрачная и нескончаемая, как... Нет, никаких тяжелых мыслей. Он вступил на тропу войны и пойдет по ней до самого конца. Даже если придется расплатиться за победу немыслимой ценой. А что говорил по этому поводу старик Шекспир? «Nothing can seem foul to those that win». «Для победителей нет мрачных дней».

ГЛАВА 2

— Сергей Михайлович, голубчик, выручите старуху, — Изабелла Савельевна издала короткий смешок, — у меня Филимонов свалился с тяжелейшим гриппом. Возьмете труп мужчины? Из ночного клуба привезли.

Мужчина из ночного клуба был Саблину не интересен. Если молодой — то почти наверняка наркотики, если в возрасте — то, скорее всего, изношенный организм не выдержал «радостей» ночного веселья с водкой и девочками. Но отказать Сумароковой он не мог — слишком уважал ее.

— Так я отпишу вам, ладно? — обрадовалась заведующая отделением экспертизы трупов. — Возьмете потом направление в регистратуре.

Сергей закончил исследование, которым занимался с самого утра, накинул пуховик и пошел в плохо отапливаемую «курилку», а на обратном пути заглянул в регистратуру, чтобы взять направление на вскрытие. Медрегистратор Анна Антоновна, постоянно сидевшая здесь, выдававшая свидетельства о смерти и обычно первой вступавшая в контакт с родственниками умерших, разговаривала со стоящими по другую сторону окошка мужчинами. Подходя, Саблин услышал обрывки фраз:

— Нет, мы не даем номера телефонов наших сотрудников... Ну я же вам сказала: он болен! Его нет в Бюро.

Один из троих мужчин, среднего роста, очень худой, с длинным, крупно и грубо вылепленным лицом, что-то сказал, но так тихо, что Саблин не разобрал ни слова.

— Очень хорошо! — снова зазвучал высокий резкий голос Анны Антоновны. — Тогда у вас должен быть номер его телефона. Вот и звоните ему сами.

И опять едва слышный бубнеж длиннолицего — и голос медрегистратора:

— Я ничем не могу вам помочь.

Заметив Сергея, вошедшего в регистратуру со стороны морга через служебную дверь, она, не глядя, протянула руку и сняла со стопки бумаг верхний лист.

— Это вам от Сумароковой с сердечным приветом, — улыбнулась она.

Он уже переступил порог, чтобы вернуться в помещение морга, когда Анна Антоновна окликнула его:

— Кстати, вот тут люди пришли по трупу Цыбина, который вам дали. Требуют Виталия Николаевича. Может, вам имеет смысл с ними поговорить, раз вы вскрывать будете?

Сергей слегка пригнулся, чтобы через невысокое стекло разглядеть посетителей, с которыми разговаривала медрегистратор. Ну, ясно. Униформа криминалитета, только не откровенно бандитского, как раньше, а вставшего на путь обретения благообразности. Все очень дорогое — кожа, мех на воротниках, перчатки, зажатые в ладонях, шарфы с фирменным знаком Версаче, хорошие стрижки, сразу видно, сделанные в лучшем салоне Северогорска. Только глаза-то куда спрячешь? И выражение лица? Хоть ты из самых дорогих домов моды одевайся...

Но поговорить с ними надо. Возможно, эти люди были вместе с Цыбиным в момент смерти и могут рассказать о симптомах, о том, что предшествовало смерти. Эти сведения обычно бывают полезными при оценке того, что обнаруживается на вскрытии.

— Хорошо, — кивнул он, — скажите им, чтобы вышли в вестибюль.

Он вышел через служебную дверь, прошел по коридору и, открыв кодовый замок, оказался в вестибюле, куда посетители попадали через центральный вход в Бюро.

Мужчины уже ждали его. Говорил длиннолицый, остальные молчали. Сергей иногда задавался вопросом о том, откуда взялась эта странная манера водить с собой людей, от которых все равно никакого толку? Он неоднократно сталкивался с такими вот «группами», в которых весь разговор вел один человек, а остальные исполняли роль мебели. Для устрашения, что ли? Ну, это еще можно было бы понять, если бы за спиной у ведущего переговоры маячили накачанные мальчики с пистолетами в руках. Или, на худой конец, с нунчаками. Но вот такие молчаливые, серьезные, ничего не решающие спутники «главного говоруна» всегда вызывали у него недоумение. Может, «главному» в дороге скучно, и он возит их с собой, чтобы «пулю расписать» в машине или анекдоты травить?

— Вы вместо Филимонова, — «главный говорун» не спрашивал, он утверждал.

— Я не вместо, я сам по себе. Саблин Сергей Михайлович, — сдержанно представился Сергей. — Чем могу служить?

Длиннолицый внимательно оглядел его с головы до ног, потом, сделав, вероятно, какие-то выводы, основываясь на стоимости саблинской одежды, обуви и часов, кивнул удовлетворенно.

— Не надо Цыбина вскрывать. Договоримся?

«А как же! Сейчас! Мне вот делать в этой жизни больше нечего, кроме как договариваться с тобой, — подумал Сергей. — Но просто интересно: почему? Криминал? Или какие-то другие соображения?»

— Вряд ли, — ответил он вполне дружелюбно. — Так не положено. Есть направление — я должен провести исследование. По-другому не бывает. А в чем проблема-то? Вскроем, посмотрим, как там и что, определим причину смерти, зашьем, выдадим тело для захоронения. Не вижу никаких трудностей.

Он обожал «включать дурака». Это его развлекало.

— Не надо, Сергей Михайлович, — очень серьезно, настойчиво, но пока еще без угроз в голосе произнес «говорун». — Не надо вскрывать нашего парня.

— Объясните почему?

— Мы не хотим, вот и все. Таково наше желание. И наша просьба, если хотите.

«Да, путь обретения благообразия тернист, но короток, — с усмешкой подумал Сергей. — Вот уже и по имени-отчеству научились обращаться, и разговаривают более или менее вежливо. И даже относительно грамотно, по-русски, без фени. Прогресс!»

— Но я не могу нарушать закон только потому, что вы меня об этом просите. Мне назначено исследование, и я должен его провести, составить заключение и выдать его тому лицу, которое это исследование назначило. По-другому просто не бывает.

— Бывает, — длиннолицый посмотрел прямо ему в глаза, твердо и одновременно насмешливо. — Бывает, Сергей Михайлович. И мы это очень хорошо знаем.

Сергей пожал плечами:

— В таком случае могу только посоветовать вам обратиться к тому человеку, от которого вы это узнали. Если он такой умный и ловкий и умеет безопасно и безнаказанно обходить закон, то пусть он и организует вам выдачу тела без вскрытия.

— А мы и обратились, — теперь в глазах длиннолицего плясали вооруженные до зубов агрессивно настроенные чертики. — Только он, понимаете ли, заболел. И вот мы хотим вас попросить, чтобы вы обратились к нему и спросили, как это делается. И сделали. А мы, в свою очередь, в долгу не останемся и тоже сделаем что-нибудь приятное и полезное. Для вас.

Ах ты, черт возьми! Значит, Филимонов... И получается, что уже не в первый раз. Далеко не в первый. Да, Сергей давно уже оценил способность Виталия Николаевича «просекать поляну», то есть четко видеть расстановку сил, оценивать ситуацию и извлекать из нее максимальную выгоду. И в плане карьеры, и в плане зарабатывания денег. Ну Виталик, ну мастер! И давно он этим пробавляется? А может, и не только этим? И главное — как не боится-то! Ведь игнорировать направление на исследование невозможно никак, есть направление — должно быть заключение. А как составить заключение, если труп не вскрывался, материал для дополнительных исследований не набирался и сами эти дополнительные исследования не назначались и не проводились? Ясно как: из головы. Один раз напрячься, переписать какой-нибудь старый протокол вскрытия, где установлена хроническая ишемическая болезнь сердца, переписать заключения по всем дополнительным исследованиям в акт и держать его как образец. И при необходимости только дату вскрытия, имя и возраст умершего и обстоятельства дела переписывать. Кто сличать-то будет? Кто вспомнит, что год или даже полгода назад из-под пера судебно-медицинского эксперта Филимонова уже выходил точно такой же акт с точно таким же диагнозом ХИБС и со слово в слово повторенными результатами исследований и выводами? Да никто и никогда!

Ну ладно, допустим, липовый акт составить можно. Но все равно есть множество людей, которые будут точно знать, что тот или иной труп выдали без вскрытия. Да те же самые санитары! А если спросить у гистологов, химиков, биологов? Они посмотрят свои записи и сразу скажут, что препараты по случаю гражданина Эн к ним на исследование не направлялись. Только вот кто спрашивать будет? Чтобы задать такой вопрос, нужно что-то заподозрить. А кто заподозрит? Вот то-то и оно. Не следователь же и не участковый, выписавшие направление на исследование для решения вопроса о возбуждении уголовного дела. Они прочитают только одну строчку, в которой будет стоять некриминальная причина смерти, и с облегчением вздохнут: не надо дело возбуждать, не надо статистику портить и мозг напрягать, занимаясь раскрытием и расследованием убийства.

А вот санитары — эти да, эти могут и заложить, ведь все у них на глазах происходит. И кто как не санитар точно знает, какой труп вскрывали, а какой — нет? Но санитара можно «заткнуть» при помощи купюр. Причем даже не очень большого номинала.

— Единственное приятное и полезное, что вы можете для меня сделать, — сказал Сергей, — это перестать предлагать мне нарушить закон. Я этим заниматься не буду. Всего вам доброго.

Он повернулся, чтобы выйти из вестибюля, но длиннолицый с таким завершением переговоров согласен не был.

— Сергей Михайлович, — он чуть повысил голос, — я настоятельно прошу вас подумать. Наш мальчик умер по совершенно некриминальной причине. Более того, мы все знаем, от чего он умер, для нас это не является секретом. Но нам бы хотелось избежать огласки истинной причины его смерти. Вы посмотрите сами и убедитесь, что ничего криминального там нет. Мы не призываем вас скрывать убийство. Вам ничего не грозит, если вы выполните нашу просьбу. А деньги вы можете заработать очень хорошие. Они ведь не будут для вас лишними, правда?

Он улыбнулся тонко и многозначительно, переводя взгляд с дешевых часов Сергея на его еще более дешевые ботинки.

— Деньги лишними не бывают, — согласился Сергей. — А вот головная боль — бывает. И угрызения совести тоже жить мешают. Одним словом, я вам свою позицию озвучил. И менять ее не собираюсь. Всего доброго.

Он снова сделал шаг назад, чтобы уйти, но длиннолицый «говорун» и на этот раз не сдался.

— Хорошо, я объясню вам суть проблемы. Гена Цыбин — боевик, исполнитель. Был долгое время на хорошем счету. Потом начал позволять себе... ну, вы понимаете, о чем я. Начал покуривать, потом таблетки в ход пошли, потом героин. Но работал по-прежнему хорошо. И когда к нам обратились серьезные люди с просьбой дать надежного парня, мы послали Гену. А он работу запорол. Нам выкатили предъяву. Мы отбились, сумели представить дело так, что заказчики сами виноваты, не всю информацию собрали, не все предусмотрели. Дело вроде сладилось. И теперь, если станет известно, что Гена Цыбин умер от передоза, они поймут, что мы подсунули им вместо надежного парня ненадежного наркомана. И полетят головы. Может даже начаться криминальная война местного масштаба. Вы видите, Сергей Михайлович, я с вами предельно откровенен. И прошу вас пойти нам навстречу. У Виталия Николаевича в подобных случаях люди умирали от ишемической болезни сердца. Никому не станет хуже, если Гена Цыбин тоже окажется сердечником. Вы можете даже вскрыть его, если без этого никак нельзя, но в документах слово «наркотики» употребляться не должно.

— Ой, спасибо, — с дурашливой ухмылкой протянул Саблин. — Вы мне даже вскрыть вашего мальчика разрешаете. Доброта ваша поистине беспредельна. А что я буду делать со вскрытым телом? Я должен выделить органокомплекс, набрать материал для дополнительных исследований, назначить эти исследования, потом дождаться результатов и изложить их в заключении. Вам ваш друг Филимонов этого не объяснял? Или, может, вы думаете, что я провожу вскрытие один? Так должен вас разочаровать: со мной вместе в секционной присутствуют и медрегистратор, и санитар. А бывает, что и другие люди. И что мне делать? Как я должен потом превращать наркомана в кардиологического больного при таком количестве свидетелей? Вы как себе это представляете? Или вы собираетесь ходить по всему Бюро и каждому нашему сотруднику предлагать деньги за молчание и слепоту? Так это вы разоритесь, сотрудников у нас много, и все хотят кушать. Так что, повторяю, я не вижу реального способа оказать вам содействие в решении вашей, безусловно, серьезной проблемы.

Длиннолицый «говорун» пытался сказать что-то еще, но Сергей больше слушать не собирался. Ему стало скучно. И противно.

На следующий день он провел вскрытие Геннадия Цыбина, сразу же обратив внимание на свежий след от инъекции в левой локтевой ямке с подкожным кровоизлиянием. И еще несколько старых следов от инъекций по ходу вен на обеих руках. Но все равно, пока не придут результаты судебно-химического исследования, нельзя с уверенностью говорить о причине смерти, в том числе и о передозировке наркотиков. В медицинском свидетельстве о смерти придется написать: «Причина смерти временно не установлена». Ладно, пусть покровители Гены Цыбина еще поживут спокойно пару недель. А там — как Бог даст. Может быть, Виталик Филимонов уже выздоровеет и включит одному ему известный механизм преобразования одних причин смерти в другие. Саблина это уже не касается. Он свое дело сделал честно.

Но все-таки... все-таки... Проходя мимо регистратуры, Сергей не удержался и спросил у Анны Антоновны:

— И часто к Филимонову приходят такие посетители?

Она отвела глаза и с деланым равнодушием ответила:

— Это не моего ума дело. Если вам интересно — у него и спросите. А мое дело — с документами работать.

Понятно. Значит, к Виталику регулярно обращаются не только эти, с длиннолицым «говоруном» во главе, но и другие просители. И отказа никто не знает.

* * *

Злость уже остыла, но осталось недовольство собой: он опять не сдержался и вместо четких аргументов прибегнул к грубости и повышенному тону. Но ей-же Богу, любому терпению наступает в один прекрасный момент конец! Да, не надо было так вести себя в горздраве... Но и им не стоило так разговаривать с Саблиным. Ничего, сейчас он придет домой, там его ждет Ольга, которой он все расскажет в подробностях и которая найдет, как всегда, нужные слова, чтобы его успокоить и объяснить, в чем он неправ. Интересно, а в чем же он неправ сейчас? Сергея иногда одолевало просто-таки азартное любопытство: рассказывая ей об очередном конфликте или просто о какой-то неоднозначной ситуации, он каждый раз с нетерпением ждал, что она скажет. Ведь он-то на сто процентов уверен в собственной непогрешимости! Но что бы ни случилось, Ольга всегда ухитрялась найти в его рассуждениях или действиях хотя бы малюсенькую ошибку.

Никогда в ее глазах он не выглядел абсолютно и безоговорочно правым.

Поворачивая ключ в дверном замке, Сергей услышал доносящиеся из глубины квартиры голоса, один из которых принадлежал Ольге, а второй был мужским. Горячая волна ревности ударила в голову, но уже в следующий момент он узнал этот голос. Петька Чумичев, Чума, с которым он не виделся уже давно. После того памятного разговора об экспертном заключении по делу о ДТП, когда пытались «отмазать» от уголовной ответственности дочку директора обогатительной фабрики Ирашина, отношения между школьными друзьями словно сошли на «нет»: Петр, как и все предыдущие годы, звонил в свой день рождения и в день рождения Саблина, но разговор получался сухим и коротким. А о личных встречах даже речь не заходила.

«Чего он приперся? — устало подумал Сергей. — Чего ему теперь-то надо? Вроде никаких «спорных» случаев мне в последнее время не отписывали».

Он молча начал раздеваться в прихожей, делая вид, что не слышит голосов. Однако Петр выскочил ему навстречу даже раньше Ольги.

— Трудно жить на свете пионеру Пете! — заорал он как ни в чем не бывало.

Саблин посмотрел на него и неожиданно улыбнулся.

— Бьет его по роже хулиган Сережа, — с особенной интонацией произнес он.

Интонация была услышана и понята правильно. Чума изобразил на лице глубокое раскаяние.

— Ну брось, Серега, хватит уже! Ты ж понимаешь, мне дочка Ирашина до одного места. Но меня попросили поговорить с тобой, а отказать я не мог. Зато ты смог мне отказать, и все разошлись довольными. Ну? Мир?

Сергей молча всунул ноги в тапочки и прошел мимо гостя на кухню, где Ольга что-то колдовала над стоящей на плите кастрюлей. Поцеловав Ольгу в затылок и вдохнув такой родной и такой вкусный теплый запах ее волос, он уселся на свое привычное место за столом. Чума, шедший следом, занял место напротив.

— Я спрашиваю: мир? Или ты собираешься всю оставшуюся жизнь на меня дуться? — не отставал он.

— Это смотря зачем ты явился, — сдержанно ответил Сергей. — Если опять собираешься показывать аттракцион под названием «Укрощение строптивого», то лучше вали отсюда сразу. Не договоримся.

— А если нет? — прищурился Чума.

— Тогда возможны варианты.

— Слушай, — Чумичев заговорил совсем другим тоном, уже не дурашливым, а вполне серьезным, — мне сказали, что ты сегодня в горздраве всех на хрен послал. Причем громко. Врут? Или было?

— Было, — невозмутимо признался Сергей. — И что? Будешь учить меня дипломатическому этикету? Будешь объяснять, что надо держаться в рамочках и вести себя культурненько?

— Да иди ты! — махнул рукой Чумичев. — Я хочу понимать, что происходит, из-за чего весь сыр-бор. Чего они тебя дергают-то? Чего им надо?

Саблин вздохнул. Рассказывать одно и то же в тысячный раз было неохота. Надоело. Да и зачем рассказывать об этом Петьке, который к медицине никакого отношения не имеет и ничего не поймет? Только время и силы тратить.

Он поймал на себе взгляд Ольги, сочувствующий и понимающий.

— Петя, давай я тебе все расскажу, а то сам видишь — Сережа вымотан, пусть помолчит полчасика, пока у меня плов доходит. Потом он поест, и сил сразу прибавится.

Сергей с благодарностью посмотрел на нее. Всегда выручит. Всегда прикроет. Всегда поддержит. Вот Ленка никогда бы...

А рассказать было о чем. После того случая с пятимесячной девочкой, умершей от цитомегаловирусной инфекции, отношения с педиатрами обострились до крайности. Все случаи детских смертей поручались Сергею — он настоятельно попросил об этом Изабеллу Савельевну, и, поскольку других желающих вскрывать детские трупы в Бюро не нашлось, ему с удовольствием пошли навстречу. Сергей мучился, не спал, переживал, запивал каждое «детское» вскрытие водкой и коньяком, но не отступался: для него стало делом принципа доказать, что в Северогорске детки умирают не только от синдрома внезапной детской смерти и асфиксий, но и — достаточно часто — от вирусных инфекций. При микроскопическом исследовании он обнаруживал и характерные гриппозные клетки, и аденовирусные клетки, и изменения, характерные для парагриппа, а в каждом третьем случае — тот же самый цитомегаловирусный сиалоаденит в его различных вариантах. Кроме того, он постоянно находил изменения органов иммунной системы, в первую очередь — вилочковой железы. И настойчиво, несмотря на попытки давления, ставил и отстаивал на клинико-анатомических конференциях свои диагнозы, не давая возможности «пропихнуть» такой удобный и любимый всеми СВДС.

С ним пытался разговаривать Георгий Степанович, но делал это как-то без особого энтузиазма, было видно, что ему «велели» провести воспитательную беседу, вот он ее и проводил. Если бы за это Двояку платили, он бы, конечно, старался больше, а так...

Педиатры постоянно ходили к Саблину на вскрытия, дабы убедиться, что все именно так, как он утверждает. Дело дошло до того, что несколько раз в секционной появлялась даже Главный педиатр Северогорска. Заключения Саблина направляли на рецензию профессорам-педиатрам областного мединститута, предварительно договорившись с ними о том, чтобы рецензии были, разумеется, разгромными. Профессора ничего не утверждали и не опровергали по существу, а упирали на то, что коль Саблин не является специалистом в области педиатрии, то и понимать в причинах смерти детей ничего не может.

Клинико-анатомические конференции проходили по одному и тому же сценарию, педиатры нападали — Саблин защищался, хотя со временем эта защита стала все чаще принимать формы не вполне корректные: он огрызался, повышал голос, позволял себе грубые и колкие выпады. Особенно доставалось Мокиной, любительнице «розовых» дамских романов, которая ухитрялась почти каждый раз продемонстрировать собственную неграмотность.

Самое яркое выступление этой дамы имело место на Совете по детской смертности за минувший год. Такой Совет проходил в департаменте здравоохранения каждый январь. Вообще-то Саблин не должен был там присутствовать — не тот ранг. На Совет был официально приглашен начальник Бюро, но Георгию Степановичу подобные мероприятия интересны не были, и он поручил представительствовать заведующей отделением экспертизы трупов, поскольку вскрытия проводились именно там. А уж Изабелла Савельевна перепоручила «ответственное задание» Саблину:

— Вы все-таки лучше меня разбираетесь в проблеме, — сказала она извиняющимся тоном. — Вы же вскрывали детские трупы весь последний год, вы лучше владеете ситуацией.

— Но я не детский патоморфолог, — возразил Сергей.

— А я? — усмехнулась Сумарокова.

Одним словом, Саблин отправился на Совет, который прошел, против всяческих ожиданий, довольно спокойно. А под конец, когда всем изрядно надоело терзать Саблина, обстановку разрядила пресловутая Мокина.

— Что вы такое нам писали в заключении? — спросила она строго. — Вы нам написали, что у ребенка был отек мозга, от которого он умер? А ведь я была у вас на том вскрытии, помните? Я специально попросила у вас перчатки и сама пощупала мозг. Там не было никакого отека.

Зал грохнул. Чиновники из Департамента откровенно хохотали, Главный педиатр изо всех сил сдерживала улыбку, а заведующая детской поликлиникой Нестерова, к которой Сергей относился с искренней симпатией, показала ему поднятый вверх большой палец.

— Голубушка, — отсмеявшись, сказала Главный педиатр, — мозг — это, видите ли, не поролоновая губка, которой вы привыкли мыть посуду. Это на губку можно нажать — и польется вода. А с мозгом, изволите ли видеть, картина несколько иная. Отек — это понятие морфологическое.

Из зала снова послышалось хихиканье. Это до какой же степени плохо нужно было осваивать медицинскую науку, чтобы не понимать, что отек — это чрезмерное скопление жидкости в межклеточных пространствах. Чрезмерное же скопление жидкости в самих клетках именуется «набуханием». И видно это только под микроскопом, а никак не «на ощупь».

Но мирное течение Совета отнюдь не свидетельствовало о том, что с позицией Саблина примирились. Не прошло и нескольких дней, как его вызвали в горздрав. Беседовал с ним тот же самый чиновник, который уже вызывал его, когда Сергей впервые поставил «цитомегаловирусную инфекцию», столь удачно преобразованную на конференции в «присыпание». И сегодня, в точности как и тогда, он убеждал эксперта Саблина в том, что тот проявляет политическую недальновидность, что диагноз СВС всех устраивает... Все это Сергей за минувший год слышал сотни раз, ему стало противно, накатило раздражение, с которым он не справился, и закончился разговор, в общем-то, безобразно.

— У вас даже нет собственной позиции, — гневно заявил Сергей чиновнику. — Вы сейчас говорите со мной теми словами, которые написаны в доносах Главного педиатра. Вы что же думаете, я не знаю, что она на меня бумаги строчит? Да я вам дословно перескажу все, что там написано. Хотите? Меня обвиняют в гипердиагностике, в излишней самоуверенности, в амбициозности, в том, что я не понимаю требований текущего момента в государственной политике, направленной на охрану здоровья граждан и борьбу с детской смертностью. Ведь так? Я это миллион раз слышал, а вы сейчас повторяете то, что вам написали, потому что сами не в состоянии разобраться в проблеме и ничего в детской смертности не понимаете. Вы посмотрите в свою бумажку как следует, посмотрите, там наверняка написано, что педиатрическая служба Северогорска прилагает все усилия к уменьшению детской смертности, к окончательной и бесповоротной победе над вирусными инфекциями в нашем отдельно взятом городе, а какой-то там Саблин из Бюро судмедэкспертизы ставит палки в колеса и всячески мешает решению этой благородной задачи. Вы вообще в медицине хоть что-нибудь понимаете? Или всю жизнь по чужим подсказкам и кляузам свои начальственные речи составляете?

Чиновник позеленел:

— Вы что себе позволяете, Сергей Михайлович? Вы не забыли, где находитесь и с кем разговариваете?

— Я? — Саблин попытался сделать удивленное лицо, но не смог: артистическими способностями его природа не наградила. — Я все отлично помню. А вот вы, как мне кажется, совсем забыли не только медицину, но и Федеральный закон «О государственной судебно-экспертной деятельности в Российской Федерации». А там черным по белому написано, что эксперт сам отвечает за свои экспертные заключения и никто не имеет права навязывать ему мнение, заранее предопределяющее результат экспертизы. Поэтому сделайте одолжение, прекратите попытки на меня давить. Я все равно буду делать так, как считаю нужным. И если я вижу признаки инфекционного заболевания, то я никогда — слышите? — никогда и никому не позволю выдать это за внезапную смерть или ваше горячо любимое «присыпание». А вам советую начать читать литературу по специальности, чтобы хоть немного разбираться в той сфере, которой вы так ловко ухитряетесь руководить уже много лет.

Чиновник, естественно, взорвался:

— Вы имеете наглость мне что-то советовать?! Вы...

— А вы — безграмотный чинуша, которому я больше ничего объяснять не собираюсь, — Саблин взялся за ручку двери. — И не смейте больше вызывать меня к себе по вопросу детской смертности!

Конечно, он лукавил, цитируя Федеральный закон, ведь все вскрытия младенцев являлись судебно-медицинскими исследованиями, а вовсе не экспертизой, тогда как в Законе речь шла именно и только об экспертизе. Но чиновник из горздрава таких тонкостей, впрочем, как и многого другого, не знал, и Сергей позволил себе воспользоваться его неосведомленностью. Он вовсе не чувствовал себя неловко из-за этого: «Раз руководишь здравоохранением — будь любезен, разбирайся в медицине. Раз позволяешь себе вызывать «на ковер» судебно-медицинского эксперта — сделай одолжение, овладей хотя бы правовой базой, регулирующей деятельность экспертизы. Не хочешь? Не можешь? Лень? Тогда получи, фашист, гранату».

Рассказ обо всех этих перипетиях, кроме сегодняшнего скандала в горздраве, о котором Ольга пока еще ничего не знала, как раз и занял то время, которое было необходимо, чтобы плов дошел до нужной кондиции. За эти полчаса Сергей успел выпить чаю, уничтожить целую банку маринованных корнишонов и вновь обрести способность внятно излагать. Суть своей беседы с чиновником он поведал уже сам.

— Ни фига ж себе, — протянул Чумичев. — И чего делать?

— В каком смысле? — не понял Сергей. — Что делать с моими диагнозами?

— Да при чем тут твои диагнозы! С детками что делать? Они что, правда, умирают от инфекций? Или, может, педиатры чего-то химичат? Кто виноват-то?

— Да нет, Чума, педиатры-то как раз делают все, что могут, — вздохнул Сергей. — У меня к ним претензий нет, у них и диагностика на уровне, и лечение. Они высококлассные специалисты, они делают все возможное для профилактики инфекционных заболеваний в периоды эпидемий. И борются с этими заболеваниями грамотно.

— Тогда почему детишки умирают? И почему надо так старательно скрывать причины? Ты мне толком объясни, я же понять хочу, может, можно что-то сделать? Ну там — лекарства какие-то закупать, витамины, может, оздоровительные комплексы какие-то строить.

Сергей вздохнул. Что тут объяснишь?

— Экология здесь, Петька, — говно, — сказал он. — Плюс экстремальные условия Крайнего Севера. Вот иммунитет и падает в пропасть. Конечно, нужны витамины, конечно, нужны препараты для повышения иммунитета, и фрукты нужны, и овощи, и оздоровительные комплексы — все нужно, что работает на поддержание и укрепление иммунитета. В нормальных условиях малыши от таких заболеваний не умирают. А здесь — сам видишь, что происходит. Все-таки генетически местные условия не предназначены для европеоидов, не выживаем мы здесь. Нужна не одна сотня лет, чтобы мы приспособились к таким условиям. А Северогорску-то всего сколько? Вот то-то и оно. Так что слова о политической дальновидности означают только одно: нельзя говорить людям, что здесь не рекомендуется рожать детей, потому что чрезвычайно высок риск смерти детей от острых инфекций на фоне вызванного местными условиями снижения иммунитета. Нельзя, понимаешь?

— Понимаю, — хмыкнул Чумичев. — Никто здесь работать не останется, комбинаты встанут, денежки тю-тю, город умрет. Действительно, большая политика. А в Москве-то что? Оля говорила, что у тебя и в Москве такая же беда случилась?

— Ну, в Москве было не совсем так, там речь шла о смерти от вакцинации, а не от инфекции, — заметил Сергей. — Но если бы я посмел вякнуть что-нибудь про вирусные инфекции, результат был бы точно таким же. Понимаешь, схема одна и та же: педиатры из-под себя выпрыгивают, чтобы не допустить заболевания или эффективно и адекватно его лечить, а как тут не допустишь или вылечишь, если у ребенка иммунитет на нуле? Они и сделать ничего не могут. А сказать правду кто ж им позволит? Они-то ее отлично видят, но молчат. Потому что нас за экологию на международном уровне и так долбают.

Вот и приходится принимать крайние меры, чтобы не портить статистику. У ребенка явные признаки инфекционного процесса, признаки расстройств иммунной системы, признаки выраженного иммунодефицита, а эксперту велят ставить «синдром внезапной смерти». И приходится ставить.

— Но ты-то не ставишь, — заметил Чума.

— Я-то? — усмехнулся Саблин. — Так я ж малахольный, как обо мне в департаменте здравоохранения говорят. Придурочный. Неуправляемый. Может, ты еще какие эпитеты про меня слышал? Так ты скажи, не стесняйся, я их скоро коллекционировать начну.

Чумичев с удовольствием дожевал последнюю ложку плова, вытер губы салфеткой и протяжно произнес:

— Еще про тебя говорят, что ты оголтелый мракобес и фанатичный склочник.

Ольга рассмеялась, а Саблин призадумался, повторил про себя эти слова несколько раз и удовлетворенно кивнул:

— Пойдет. Спасибо. Могу гордиться. Ежели чего еще услышишь приятного про меня — не сочти за труд, сообщи, пополню коллекцию.

Они просидели за столом до часу ночи, выпили бутылку хорошего виски, который принес Чума, и расстались добрыми друзьями. Все недоразумения остались в прошлом.

* * *

Татьяна Геннадьевна Каширина, подойдя к двери своего кабинета, уже в который раз с удовольствием бросила взгляд на табличку:

«Заместитель прокурора г. Северогорска по общему надзору, старший советник юстиции Каширина Т.Г.»

Радовала ее эта надпись. Достойный пик карьеры, начатой много лет назад с должности рядового следователя здесь же, в Северогорске, куда ее еще девочкой привезли родители. От этой мысли всегда поднималось настроение. А ведь так хорошо начинать рабочий день с хорошим настроем!

Хотя сегодня такое настроение могло и плохую службу сослужить: на десять утра она пригласила судебно-медицинского эксперта Саблина, того самого, на которого в последний год идут в прокуратуру бесконечные жалобы. О Саблине она наслышана. И «самотеком» информация шла, особенно из департамента здравоохранения и от прокурорских работников, и сама Каширина кое-какие справки навела, чтобы понимать, что из себя представляет этот возмутитель спокойствия. Теперь пора и лично познакомиться.

В кабинете она придирчиво оглядела себя в зеркале, укрепленном на внутренней стороне дверцы шкафа, и осталась более чем довольна. Волосы лежат хорошо, не зря она оторвала полтора часа от ночного сна, встала пораньше и забежала в салон к «своему» мастеру. С волосами у нее вечные проблемы, никак ей не удается заставить их держаться в такой прическе, как ей нравится. И красить приходится регулярно, потому что природный цвет Татьяне Геннадьевне никогда не нравился и уже лет с двадцати пяти она привыкла жить блондинкой. Так что без мастера, знающего все твои особенности, никак не обойтись.

Китель сидел на статной фигуре безупречно, если и были какие-то жалкие граммы лишнего веса, то их под темно-синей плотной тканью не видно. Да и есть ли они, эти лишние граммы? Татьяна Геннадьевна тщательно следила за весом и предпринимала все необходимые усилия для того, чтобы он ни при каких условиях не превышал определенной раз и навсегда отметки.

А вот глаза надо, пожалуй, поправить. Девочки в салоне сделали ей с утра не только прическу, но и макияж, но сегодня почему-то глаза оказались накрашены не так, как ей нравится. Бледновато. Каширина предпочитала более яркий вариант. Она считала, что при ее типе внешности на глаза и кудри должен делаться особый акцент, а все остальное может уйти в тень. Она достала из сумки косметичку и несколькими умелыми и точными движениями довела очертания век до нужной выразительности. Еще раз осмотрела лицо. Пудра не нужна. Губная помада тоже — губы Татьяна Геннадьевна не красила никогда с тех самых пор, как ей исполнилось лет двадцать шесть — двадцать семь. Просто поняла в один прекрасный момент, что терпеть не может следов помады на краях чашек и бокалов, а также на шариковых ручках или дужках очков, которые она имела обыкновение покусывать в минуты обдумывания чего-то важного.

Ну вот, к рабочему дню она вполне готова. Так кто же ты такой, Сергей Михайлович Саблин? Тупой упертый самодур? Или герой-одиночка? Или нечто среднее между человеком с плохим характером и человеком с неистребимым тщеславием, который с удовольствием затевает склоки и скандалы, но не для того, чтобы сделать кому-то гадость, а исключительно для того, чтобы оказаться в центре внимания? Посмотрим.

Саблин явился точно в назначенное время. В кабинет вошел с таким выражением лица, что можно было не сомневаться: он готовился к очередной схватке и вооружился до зубов. Кашириной даже смешно стало. Она ведь знала, сколько ему лет, и понимала, насколько он моложе. И с кем он драться собрался? С ней, с Кашириной? Господи, ребенок совсем... Сидит напряженный, глаза злые, цепкие, умные, холодные. Ей захотелось погладить его по голове и сказать: «Успокойся, малыш, больно не будет».

— Итак, Сергей Михайлович, давайте обсудим ситуацию со смертью грудных детей за прошлый год в нашем городе, — начала она. — Что у вас происходит с педиатрами? Почему они пишут на вас жалобы? От этих жалоб у меня уже сейф распух. И я как прокурор по общему надзору должна понимать, что в этих жалобах правда, а что — результат ваших плохих отношений с авторами сих эпистол.

Заметив, как дрогнуло лицо эксперта при ее последних словах, Татьяна Геннадьевна добавила с улыбкой:

— Я ведь не первый день на свете живу, Сергей Михайлович, и очень хорошо понимаю, какие составляющие ложатся в основу любой жалобы. Так что вы мне можете пояснить?

Его массивная фигура стала, казалось, еще больше — Саблин выпрямился на стуле, и Кашириной показалось, что это движение причинило ему боль.

— На меня пишут жалобы исключительно потому, что мои экспертные заключения по детским смертям портят общегородскую статистику, — с вызовом произнес он. — Из-за моих диагнозов создается впечатление роста детской смертности от инфекций.

Каширина нахмурилась:

— Что значит — создается впечатление роста смертности от инфекций? А роста на самом деле нет? Только одно впечатление? Или что?

— Именно «или что», — резко ответил Саблин. — Уровень смертности от инфекций остается таким же, каким был и раньше. Да, высоким, но не выше, чем в предыдущие годы. Просто раньше смерти детей от инфекций камуфлировали другими диагнозами, более удобными и безопасными, поэтому статистические показатели никаких опасений и вопросов ни у кого не вызывали. А я стал мешать этой порочной практике. Потому и жалобы на меня пишут.

Она посмотрела на Саблина с интересом. Зубастый. Не трусливый. Но вести себя не умеет совершенно. И разговаривать нормально не умеет, сразу клыки обнажает и когти выпускает, в драку кидается. А ведь сперва надо всегда попытаться прояснить позиции и договориться, а уж потом за меч хвататься. Видно, не научили ребенка договариваться.

— Я вас поняла, — кивнула Каширина, сделав пометку в блокноте. — Теперь давайте вернемся к существу дела. То, что детские смерти кодировали не теми диагнозами, какими следовало бы, это не мой вопрос, это вопрос департамента здравоохранения. Меня интересуют причины высокой смертности детишек от инфекций. Я должна понимать, с чем это связано и что можно сделать для исправления ситуации. В городе рост инфекционных заболеваний? Или идет ухудшение состояния здоровья населения? Или педиатрическая служба не на высоте? И кроме того, я бы хотела все-таки разобраться со статистикой. Я готова допустить, что все именно так, как вы мне тут объяснили. Но я юрист, и мышление у меня юридическое. Знаете, что это такое?

Она любила задавать этот вопрос в ситуациях, когда требовалось дать человеку понять, что она ему не до конца верит. Получалось и не обидно, и достаточно элегантно.

— Вы хотите сказать, что ваше правовое мышление... — начал было Саблин звенящим от негодования голосом, но Татьяна Геннадьевна мягко перебила его:

— Вы меня не слышите, Сергей Михайлович?

— Я вас отлично слышу!

А вот теперь в его голосе резкость сменилась грубостью. Мальчик, совсем мальчик, невыдержанный, прямолинейный, и страшно боится, что его обидят, защищаться начинает задолго до того, как противник обозначит намерение нанести удар. Кашириной на мгновение стало жалко эксперта, но она тут же подавила в себе готовность отыграть назад. Нет уж, голубчик, ввязался в войну с системой здравоохранения — воюй, а не плачь, что тебя обидели.

— Нет, уважаемый Сергей Михайлович, вы меня не слышите. Разве я сказала хоть слово про правовое мышление? Я говорила исключительно о мышлении юридическом, а это совершенно другая вещь. Я много лет проработала следователем, и моя юридическая практика хорошо научила меня, что нельзя полагаться на мнение только одной стороны. И нельзя толковать события только в одном ключе. И нельзя искать у последствий только одну причину. Повторяю, я допускаю, что вы правы. Но я точно так же допускаю, что вы можете и ошибаться. С какой стати я должна безоглядно полагаться на то, что вы мне говорите? Убедите меня в том, что вам можно верить, тогда я вам и поверю. Не раньше.

Она с насмешливым удовольствием наблюдала за тем, как злость на лице Саблина сменилась растерянностью.

— Значит, вы мне не верите? Вы думаете, я лгу, чтобы опорочить педиатров? Зачем мне это? Для чего?

— Сергей Михайлович, вы снова меня не слышите, — вздохнула она притворно. — Что-то у вас проблемы в этой сфере... Разве я сказала, что вы лжете?

— Но вы...

Она предостерегающе вскинула голову, тряхнув светлыми кудрями, и раздельно произнесла:

— Я сказала, что вы можете ошибаться. Добросовестно заблуждаться в своих выводах относительно истинных причин смерти детей. Я прошу вас, чтобы вы доказали мне свою профессиональную состоятельность, не более того. Если ваша квалификация покажется мне достаточной для того, чтобы полностью полагаться на выставленные вами диагнозы, я вам поверю. В противном случае — извините.

Ох, едким человеком была Татьяна Геннадьевна Каширина! И следователем она в свое время оказалась хорошим, и надзирающим прокурором отличным. А все потому, что умела правильно «рулить» разговором и провоцировать собеседника на те проявления, какие ей были нужны. Просьба убедить ее в своей квалификации была одним из любимых приемов Кашириной. Невинные на первый взгляд слова приводили к тому, что человек полностью раскрывался: либо начинал оголтело хвастаться своими регалиями и достижениями, либо смущался и быстро перечислял только самое необходимое, либо проявлял находчивость и «предъявлял» характеристики достаточно неожиданные, свидетельствующие о наличии чувства юмора, либо... Одним словом, вариантов было много, но каждый из них позволял Кашириной мгновенно проникнуть в суть личности.

Саблин попался в ловушку, ничего не заметив. Он буквально расцвел от возможности перечислить собственные достоинства: у него прекрасная подготовка и достаточный опыт работы по патологической анатомии и по судебно-медицинской гистологии, кроме того, он проходил цикл тематического усовершенствования по патоморфологии инфекций, он хорошо разбирается в данном вопросе и умеет определять морфологическим путем проявления различных инфекций. Если верить Саблину, то до того, как он появился в Северогорском Бюро судебно-медицинской экспертизы, судебно-медицинская гистология оставляла, мягко говоря, желать много лучшего.

— В микроскопе мы все видим одно и то же, — с горячностью говорил он, — но одни не знают, что они там видят, а другие — знают.

Каширина сдержала усмешку на губах, но смеющиеся глаза прятать не стала. Господи, какой же он ребенок! Недолюбленный, недохваленный, недооцененный, изо всех сил пытающийся доказать, что он не зря родился на свет и достоин любви и уважения.

— То есть вы хотите сказать, что вы как раз знаете, — уточнила она серьезным голосом.

И снова Саблин ничего не заметил.

— Да, — твердо ответил он, — вот как раз я и знаю.

— Вы очень самоуверенны?

Она специально превратила утверждение в вопрос. Ей было интересно, как он ответит.

— Нет, я просто очень квалифицирован.

На этом месте Каширина уже перестала сдерживаться и рассмеялась. Ну, с ним она справится легко. Таких, с позволенья сказать, «мальчиков» с амбициями она как орешки щелкает.

Саблин глядел на нее с обиженным недоумением.

— Вам смешно? Вам наплевать на то, что дети умирают от вирусных инфекций, а все дружно закрывают на это глаза?

Она стала серьезной теперь уже по-настоящему.

— Нет, Сергей Михайлович, мне не наплевать. И все, что нужно в этой связи, я сделаю. Спрячьте иголки, в этом кабинете они вам не понадобятся. Спасибо, что нашли время прийти и дать разъяснения. Теперь я более осмысленно буду относиться к жалобам, которые на вас пишут. Кстати, вам известно, что на вас жалуются не только в нашу прокуратуру, но и в областное Бюро судмедэкспертизы?

— Нет. Впервые слышу.

— Авторы жалобы просят запретить вам вскрывать детские трупы. Дескать, вы необъективны и непрофессиональны, ставите свои диагнозы, основываясь непонятно на чем, и фальсифицируете результаты микроскопических исследований, пользуясь тем, что во вверенном вам подразделении судебно-гистологической экспертизы вы являетесь единственным врачом-гистологом, экспертные заключения которого некому проверять. А на самом деле результатам ваших исследований и вашим выводам доверять нельзя, потому что вы не являетесь педиатром.

— Но это же бред! Татьяна Геннадьевна...

Он хотел еще пояснить, что он — не единственный гистолог в бюро, что в отделении работает эксперт Василенко Валентина Юрьевна, вышедшая из декретного отпуска, но ничего сказать не успел.

— Я знаю, — кивнула Каширина с улыбкой. — Я вижу, кто передо мной сидит. Вы можете нагрубить, нахамить, накричать, послать матом, даже ударить. Но вы никогда не будете заниматься фальсификацией. Успокойтесь, Сергей Михайлович, прокуратура не собирается предлагать вам улучшать статистику детской смертности путем покрывания случаев смерти детей от вирусных инфекций. Я далека от этой мысли. Но я прокурор по общему надзору, и мне нужно отчетливо понимать, что происходит в городе с точки зрения соблюдения законов, в том числе и в социальной сфере. Скажите мне, только максимально доступными для понимания словами, какие диагнозы выставлялись вместо тех, на которых настаивали вы? Про синдром внезапной смерти я уже все поняла. А еще что?

— Обтурационная асфиксия, — буркнул Саблин.

Он снова сидел ссутулившись, набычившись, всем своим видом демонстрируя недовольство. Дитя, право слово! Ведь она же просила: максимально доступными для понимания словами! А он, словно назло, использует специальный медицинский термин. Вот ведь характер! Непременно хочет проде-

монстрировать свою образованность, а заодно под-
черкнуть неграмотность собеседника. Ну ничего, с
Кашириной эти номера не проходят. Где сядет —
там и слезет.

Не говоря ни слова, она пододвинула к себе кла-
виатуру включенного компьютера и набрала в «по-
исковике» только что услышанный термин. Быстро
пробежала глазами появившиеся на экране строчки.
Значит, эксперты ставили в качестве причины смерти асфиксию вследствие аспирации пищевых масс
или вследствие закрытия отверстий носа и рта в
результате «присыпания». Понятно. Пресловутое
«присыпание» относится к категории хоть и не кри-
минальной, но все равно насильственной смерти.
Тоже не подарок для социальной статистики. Ана-
лизируя статистические показатели за минувший
год, она обратила внимание на то, что цифры, отра-
жающие количество случаев насильственной смерти детей, снизились, но не связала это обстоятельство с ростом показателей детской смертности от
инфекций. Теперь все встало на свои места. Одно
заменили другим, а общее количество осталось
примерно прежним.

Она перевела глаза на эксперта.

— Ну что ж, по крайней мере, вам должны сказать «спасибо» за снижение показателей насильственной детской смертности. Но должна вам заметить, Сергей Михайлович, что и тут у вас нашлись
недоброжелатели. В нескольких жалобах, которые
лежат у меня в сейфе, написано, что вы покрываете
случаи насильственной детской смерти при помощи диагноза ОРВИ.

— Понятно, — хмыкнул Саблин. — Еще чем по-
радуете?

— Я вас пригласила не для того, чтобы радо-
вать, — сухо ответила Каширина. — А исключительно для того, чтобы разобраться в ситуации и проду-

мать меры, которые можно предпринять для ее улучшения. Если запретить вам вскрывать детские трупы, то кто это будет делать? В вашем Бюро есть эксперты-танатологи, которые владеют необходимыми методиками?

Он отрицательно покачал головой:

— Нет.

— Значит, нужно принимать меры к тому, чтобы такие эксперты были. Но это уже мои проблемы, и решать их я буду сама через департамент здравоохранения. Когда дело дойдет до конкретных позиций, я снова обращусь к вам, чтобы вы помогли мне их сформулировать.

Она умышленно не спросила, позволит ли он обратиться к нему. Сказала так, словно объясняла подчиненному, что сейчас он может быть свободен, а когда понадобится — его позовут. Интересно, как он отреагирует?

— Конечно, — с готовностью согласился эксперт. — Буду рад оказаться полезным.

Каширина с удовлетворением отметила, что в этот раз Саблин на дыбы не встал и колючки не выпустил, хотя и мог бы. Он быстро понял, что речь идет о конструктивном решении проблемы, и выразил готовность принять посильное участие. Дело прежде всего, личные амбиции — потом. Такой подход Кашириной нравился.

Неожиданно в голову пришла мысль, показавшаяся не такой уж глупой.

— У меня есть к вам предложение, Сергей Михайлович. Почему бы вам не написать статью в какой-нибудь сборник научных трудов областного мединститута? Напишите все, что считаете нужным о диагностике синдрома внезапной смерти и смерти от вирусных инфекций, опишите все трудности и проблемы, обопритесь на статистику.

Саблин глядел на нее в немом изумлении.

— Татьяна Геннадьевна, вы меня в тупик поставили, — признался он. — Во-первых, я не понимаю, зачем это нужно. А во-вторых, кто опубликует такую статью? Я никого не знаю в областном мединституте, у меня нет там никаких связей.

— А я вам помогу, — улыбнулась она. — Я ведь работала в областной прокуратуре, была следователем по особо важным делам, так что в областном Бюро судмедэкспертизы знаю всех. А они, со своей стороны, знают всех на кафедре судебной медицины мединститута. Так что организовать публикацию — не проблема. Вы только напишите.

— Но я все равно не понимаю: зачем? — упирался эксперт. — Что толку с этой статьи? Можно подумать, ее все прочитают, сразу поймут, как они были неправы, и кинутся исправлять свои ошибки.

— Это верно, — рассмеялась Каширина, — мало кто прочтет, а уж выводы-то и подавно никто не сделает. Эта статья нужна мне. Лично мне. Если она пройдет рецензирование в редакционно-издательском отделе мединститута и будет одобрена и рекомендована к опубликованию, то у меня будут все основания на нее опираться, когда я начну составлять документы в горздрав. И она станет моим подручным средством, моей постоянной подсказкой и шпаргалкой во время бесед и выступлений. Я, знаете ли, обычно иду до конца, отстаивая свою позицию, но при этом никогда не вступаю в бой, предварительно не вооружившись как следует аргументами и фактами. Так что, Сергей Михайлович, напишете статью?

— Напишу, — улыбнулся Саблин.

После его ухода Каширина еще какое-то время не приступала к текущим делам, обдумывая свои впечатления о судебно-медицинском эксперте. Хороший мальчик. Молодой, азартный, увлеченный. Честный. Прямой. Несгибаемый. Колючий. Дурно воспитанный. Не желает ни под кого прогибаться и подлаживаться. Татьяна Геннадьевна встречала таких людей. Редко, правда, но попадались на ее пути. Да она и сама была почти такой же. Как она в свое время поступила с мужем! Даже рассказывать стыдно. Никто из ее окружения не понял тогда истинных мотивов ее поступка. То есть она их и не скрывала, говорила как есть, но никто не мог этого ни понять, ни принять, ни тем более одобрить. А она все равно сделала по-своему, так, как хотела. Под общественное мнение и принятые эталоны не прогнулась. И вот результат: полное одиночество.

Этот мальчик пройдет тот же путь. Он имеет право быть таким, какой он есть. Только он, к сожалению, пока еще не понимает, какой страшной ценой ему придется за это расплатиться.

* * *

После визита в прокуратуру и знакомства с Татьяной Геннадьевной Кашириной Сергей приободрился, настроение поднялось, он почувствовал поддержку и с энтузиазмом принялся за сбор материалов для статьи. Собственно, материалы все были и в его тетрадях, и в компьютере, оставалось только систематизировать их и продумать план логичного и убедительного изложения.

Времени работа заняла немного: если Саблин загорался какой-то идеей, то занимался ею каждую свободную минуту. В первом же абзаце статьи он заявил, что эксперты-танатологи не обращают особого внимания на специфику проведения исследований трупов новорожденных и детей в возрасте до одного года. Это было важно, потому что Каширина собиралась настаивать, помимо всего прочего, на специальной подготовке судебных медиков для работы по случаям детских смертей. Сергей постарался кратко, но емко изложить причины, по которым экспертам, обычно имеющим дело с трупами взрослых людей, не удается увидеть на вскрытии того, к чему они привыкли, что и ведет к постановке двух самых распространенных диагнозов: «синдром внезапной смерти» и «асфиксия». Ничего другого они придумать просто не могут, а видеть и понимать истинную картину их не научили.

Особое внимание Сергей уделил необходимости владения методиками вскрытия детских трупов, значительно отличающимися от привычных методик, применяющихся при исследовании трупов взрослых людей, а также особенностям забора материала для дальнейших исследований.

Статистику Сергей взял за пятнадцать предшествующих лет по трем регионам, в числе которых, кроме Северогорска, был и Норильск. Массив оказался вполне представительным для того, чтобы его можно было анализировать. Описав статистическую картину, Сергей перешел к подробнейшему анализу выставленных диагнозов и к причинам экспертных ошибок, не преминув указать на «удобство» таких диагнозов, ведущих к искажению судебно-медицинской статистики. После этого он описал результаты морфологических исследований, которые неопровержимо свидетельствовали о превалировании среди причин внезапной смерти детей острых вирусных и бактериальных, а также сочетанных вирусно-бактериальных инфекций.

Оставалось сформулировать выводы. И Сергей позвонил Кашириной.

— Если это не противоречит вашим убеждениям, мне бы хотелось, чтобы в выводах максимально ясно и четко прозвучала мысль о необходимости специальной подготовки экспертов для работы с детскими трупами, — сказала прокурор по общему надзору. — Если я смогу убедительно доказывать, что подавляющее большинство экспертов просто профессионально не готово к диагностике причин детских смертей, мне будет проще оспаривать статистику... В общем, вам я морочить голову своими соображениями не буду. Просто поверьте мне на слово: если мы с вами хотим добиться правильной посмертной диагностики, то начинать надо с доказательств того, что эту диагностику проводить некому.

Сергея такая постановка вопроса более чем устраивала. У них с Кашириной была общая цель.

* * *

Сергей слушал кричащего Георгия Степановича Двояка, искоса поглядывая на неплотно закрытую дверь кабинета, ведущую в приемную. «Света наверняка все слышит, — с ожесточением думал он. — А может, и не только Света. Если в приемную кто-нибудь зашел, то, уж конечно, остался послушать. Да и черт с ними!»

— Сколько еще это будет продолжаться?! — негодовал между тем начальник Бюро. — С тех пор как я взял тебя на работу, я не вылезаю из горздрава, где мне регулярно вставляют клизмы! Из-за тебя, между прочим! И сегодня я выслушал массу приятного в связи с твоим интервью. Как ты посмел разговаривать с этим журналюгой? Как ты посмел разглашать информацию о наших сугубо медицинских внутренних делах?

Сергей нашел наконец крохотную паузу, возникшую, когда Двояк переводил дыхание, и вклинился в громкий монолог:

— Георгий Степанович, я вам уже в третий раз повторяю: я не давал никому никаких интервью. Вы что, оглохли? Вы меня не слышите? Я не давал интервью! Да, этот журналист приходил ко мне, потому что его кто-то науськал, кто-то рассказал ему про мои постоянные конфликты с педиатрами из-за диагнозов, но я его послал! Я не сказал ему ни слова!

— Да? А откуда же он взял все то, что написал в сегодняшней газете? Откуда, я тебя спрашиваю? Во сне ему приснилось? Сорока на хвосте принесла? Да он прямо ссылается на тебя, и имя твое называет, и должность! И нечего мне тут невинность изображать! Совсем с ума тут все посходили: интервью они, видите ли, раздают направо и налево! Панику среди населения сеют!

Журналист действительно приходил к Саблину и просил дать интервью в связи с ростом статистических показателей детской смертности от вирусных инфекций. Сергей отказался с ним разговаривать, сначала пытался объяснить, что это служебная информация, которая ну никак не может стать предметом публичного обсуждения с неспециалистами, потом, потеряв терпение, посоветовал обратиться в департамент здравоохранения или в прокуратуру, где есть свои подразделения по связям с общественностью, и специально выделенные для этого люди общаются с прессой. Но журналист проявлял какую-то непонятную настойчивость, и в конце концов Сергей вышел из себя и по обыкновению нахамил. Только после этого журналист ушел.

Но с идеей написать статью о росте детской смертности в Северогорске не расстался. То ли ему самому тема показалась интересной и задела за живое, то ли редакционное задание он получил, но факт остается фактом: ни в горздрав, ни в прокуратуру он не ходил, а написал текст, почти полностью высосанный из пальца. Единственное, что было в статье правильным, это взятые из статистики цифры и имя эксперта Саблина Сергея Михайловича. Но поди теперь докажи, что ничего этого Саблин не говорил!

— Я еле-еле тебя отмазал в горздраве, — продолжал кричать Двояк. — Они требовали, чтобы я тебя немедленно уволил! А я тебя отстоял!

Сергею надоело. Пустая трата времени. Оправдаться все равно не получается, да и противно.

— А я вас об этом не просил! — заявил он, делая шаг по направлению к двери и отмечая, что щель между дверью и косяком стала шире. Значит, интересующиеся сидят в приемной и с удовольствием слушают.

— Да как ты смеешь! — донеслось ему в спину.

Сергей Двояка не особо боялся, потому что понимал: гистологическую экспертизу он поднял на высокий уровень и никто не позволит его уволить, иначе снова начнется тот же бардак, что и был до его прихода. Но все равно выслушивать упреки, тем более несправедливые, было неприятно.

В приемной, кроме Светланы, усердно составляющей на компьютере какую-то таблицу для отчета, сидели еще два эксперта. Лев Станиславович Таскон смотрел на Сергея сочувственно и немного грустно, а покачивающий ногой в модном ботинке Виталий Филимонов не скрывал торжествующей ухмылки. Саблин знал, что Филимонов, несмотря на демонстрируемое дружеское расположение, за глаза именует его московским пижоном, мажором и выпендрежником.

Ближе к концу рабочего дня позвонила Главный педиатр города.

— Ну что же вы, Сергей Михайлович, — с упреком загудела она в трубку, — зачем же вы так? Я все понимаю, у вас своя точка зрения, и вы стараетесь ее отстаивать, но зачем же сор из избы выносить и всех скопом охаивать? Вы же прекрасно знаете, как бьется педиатрическая служба, как доктора стараются, вы ведь не можете не понимать, что происходит на самом деле, а в интервью зачем-то говорите такие гадости про городских педиатров, поносите их... Нехорошо, Сергей Михайлович, не по-человечески это. И не по-мужски.

Последние слова задели Сергея, и если сначала он решил было ничего не объяснять и не оправдываться, отделавшись какими-нибудь краткими и резкими словами, то теперь счел нужным пуститься в объяснения, дескать, ничего он журналисту не говорил, тот все выдумал и его именем прикрылся.

— Правда? — Главный педиатр отчего-то ужасно удивилась. — А у меня другие сведения.

— Интересно, какие же?

— Говорят, что этот журналист — ваш добрый приятель, вы с ним давно знакомы и сами подкинули ему идейку для статьи. И информацию всю слили, причем сильно передернули, а местами и прямую неправду выдали. Вот так о вас говорят.

Сергей дар речи потерял. Откуда это? И вообще, что это?

— И откуда эти сведения? — спросил он, справившись с минутной растерянностью.

— Ну как — откуда? Из горздрава, разумеется. А у них — от вашего шефа Георгия Степановича. Его сегодня приглашали для разборок в связи с публикацией статьи, так он сказал, что он тут ни при чем, что это Саблин сам все затеял, инициировал журналистский интерес и привлек к делу своего дружка. Вот так примерно. А что, это неправда?

— От первого до последнего слова, — твердо сказал Саблин.

Ну, Георгий Степанович, ну, сука! Отмазал он Саблина, как же.

Ну и что ему со всем этим делать?

* * *

— Сережа, а ты не хочешь посоветоваться с Кашириной? — спросила Ольга, когда он вечером поделился с ней своими муторными новостями.

225

Это ему в голову не приходило. А ведь Оля права, Каширина — юрист, она может подсказать, как правильно действовать, чтобы реабилитировать себя в глазах коллег-медиков. И потом, ему не хотелось, чтобы Татьяна Геннадьевна поверила во всю эту гадость о нем. Она сдержала слово, начала пробивать публикацию его научной статьи в «Вестнике», издаваемом областным мединститутом. И вообще, она Сергею понравилась. Разумеется, только как работник прокуратуры.

На его звонок Каширина откликнулась без колебаний:

— Конечно, Сергей Михайлович, заходите, поговорим. Если у вас вопрос срочный, то давайте сегодня, попозже, часов в девять вечера, раньше я вряд ли освобожусь, много дел. А если не срочно...

— Нет-нет, я зайду сегодня, — торопливо проговорил Саблин. — Я приду к девяти и буду ждать, сколько нужно, пока вы не освободитесь.

Ждать пришлось до четверти одиннадцатого: у Кашириной в кабинете сидели какие-то важные чиновники из администрации города, разговор шел на повышенных тонах, и шагающий по коридору туда и обратно Сергей уже жалел, что договорился о встрече на сегодня: Татьяна Геннадьевна наверняка будет уставшей и не в настроении.

Но он ошибся. Когда чиновники покинули наконец кабинет заместителя прокурора города, Каширина, вышедшая вслед за ними, выглядела спокойной и безмятежной, словно только что вернулась с приятной прогулки. Она кивнула Сергею и пригласила войти.

Он понимал, что уже поздно, Кашириной нужно уходить домой, поэтому постарался быть как можно более кратким. Но она даже эту его короткую речь не дослушала до конца.

— Я в курсе, читала статью, — кивнула она. — Неприятно. И особенно неприятно, если все так, как вы говорите. Коллеги, наверное, вам теперь проходу не дают?

— Это верно, — усмехнулся Сергей. — Поддевают и критикуют — кто во что горазд. Многие злорадствуют. Меня ведь не любят в Бюро. А то, как орал шеф, некоторые слышали и всем разнесли. Так что сами понимаете... Да мне в общем-то не важно, как ко мне относятся, но мне не хочется, чтобы меня обвиняли в том, чего я не делал. Вот это особенно противно.

— Понимаю. Какой совет вам нужен, Сергей Михайлович? Как оправдаться? Как доказать, что вы этого не делали?

— Ну да. Я думал, может, в суд подать иск о защите деловой репутации или чести и достоинства, не знаю, как там это у вас правильно называется.

Каширина покачала головой.

— Это не лучший вариант. Даже если вы выиграете и ваши исковые требования будут удовлетворены, ничего не изменится. Все будут думать, что суд пошел вам навстречу из личных симпатий, вы же там часто бываете, даете показания, разъяснения, вас там знают.

— А что же делать?

— А возьмите-ка вы бумагу и ручку и напишите заявление на имя прокурора о привлечении к ответственности лиц, предоставивших недостоверные сведения средствам массовой информации. Ну и все такое, сами сообразите.

— И что будет? — недоверчиво спросил Сергей.

Он не понимал, в чем разница между исковым заявлением в суд и заявлением в прокуратуру. То есть в том, что какая-то юридическая разница есть, он не сомневался, но последствия и того, и другого казались ему равнозначными. Все равно толку не будет.

— Вы подадите жалобу — нам нужно будет отреагировать. Значит, мы начнем прокурорскую проверку газеты и той информации, которая изложена в статье. Поскольку я зам по общему надзору, то проверку я возьму под свой контроль, это моя прямая обязанность. Итогом проверки будет вывод о том, что информация недостоверна, и газете будет вменено в обязанность опубликовать опровержение, которое все прочтут. Понимаете? Все будут знать, что вы не виноваты. Газете поверят, точно так же, как поверили в материалы статьи. И поскольку средства массовой информации страсть как не любят признаваться в своих ошибках и извиняться, никто раздувать скандал из этой истории не станет. Ни один журналист не придет к вам с просьбой дать интервью и рассказать, как же это так вышло, что вас оболгали и подставили.

— А если заинтересуется другая газета? — усомнился Сергей. — У них ведь тоже конкуренция, им будет интересно утопить коллегу.

Татьяна Геннадьевна улыбнулась, и Сергей вдруг обратил внимание на то, как красиво очерчены ее губы. «Почему она их не красит помадой? — совершенно некстати подумал он. — Такие бледные, почти бесцветные, их и не видно совсем. Красила бы — и все бы увидели, какие они красивые. Странная она».

— Сергей Михайлович, у медиков есть корпоративная этика, у сотрудников правоохранительных органов она тоже есть, так почему ее не должно быть у журналистов? Да, сами издания конкурируют, но главные редакторы этику уважают и чтут. Не станут они друг друга топить, они борются за читателя другими методами, уверяю вас. Ни один редактор северогорских изданий не станет насылать на вас своих сотрудников. Скандала не будет. Или вы хотите огласки и пиара?

Вообще-то Сергей именно этого и хотел. Не пиара, конечно, а вот против широкой огласки он совершенно не возражал. Ему казалось, что чем громче он будет кричать о нерешенной проблеме, тем активнее будут приниматься меры по ее разрешению. Но в то же время он отдавал себе отчет, что широкое обсуждение вопроса неизбежно приведет к еще большему распространению искаженной информации и к росту панических настроений. Ведь суть проблемы чисто профессиональная, разобраться в ней и понять, что к чему, может только медик, а судачить и делать неверные выводы начнет каждый житель города. Пожалуй, Каширина права: то, что она предлагает, будет лучше всего.

Он написал заявление прямо здесь, в кабинете заместителя прокурора города.

— Мне неловко, Татьяна Геннадьевна, — виновато произнес Саблин, подавая ей документ, — приперся на ночь глядя, да еще задерживаю вас надолго. Вас, наверное, дома ждут, а я тут со своими проблемами влез.

Она снова улыбнулась, и Сергей отметил, что в этот раз она улыбается чаще обычного. И настроение у нее после напряженного разговора с людьми из администрации было хорошим... Наверное, в ее жизни произошло что-нибудь приятное. А почему нет? Она ведь красивая женщина, хоть и в годах, наверняка какая-то личная жизнь у нее есть. Интересно, она замужем? А если нет, то есть ли у нее любовник? «Идиот, — одернул он себя, — о чем ты думаешь? Какая тебе разница, есть у нее, с кем спать, или нет? Ты о своей репутации лучше подумай, пока ее в этом Северогорске окончательно не угробили».

— Меня никто не ждет, — спокойно ответила Каширина, пробегая глазами написанный им текст. — Так что можете не волноваться. А вот вас, насколько я понимаю, очень даже ждут.

Она подняла глаза, посмотрела с усмешкой, и Сергею стало почему-то неприятно.

— Ну да, — пробормотал он бессмысленно.

— Кстати, я хотела вас спросить: вы планируете перевозить сюда семью из Москвы? Это я к тому, что если нужна будет помощь в трудоустройстве и организации вызова для вашей жены, то я готова помочь, мне это несложно. Учителя младших классов — профессия нужная.

Он уставился на Каширину в изумлении. Откуда она знает про Лену? И даже про то, что его жена — учитель младших классов?

— Что вы так смотрите, Сергей Михайлович? — Татьяна Геннадьевна снова улыбалась. — Я всегда интересуюсь людьми, которые кажутся мне достойными внимания. А вы — именно такой человек. Нам с вами придется часто сталкиваться, у нас с вами есть общая задача, и я должна понимать, с кем имею дело. Вы человек неординарный, ни на кого не похожий, вполне естественно, что я собрала о вас информацию. И заодно хочу добавить: если вы решитесь перевозить сюда семью, может встать вопрос о квартире для Ольги Борисовны, у нее ведь только комната в общежитии. Так что обращайтесь, если будет нужда.

Сергею стало окончательно не по себе. Она знает о нем так много! Даже про Ольгу собрала информацию, даже про общежитие знает. А он о своей собеседнице не знает совсем ничего.

И почему-то ему на мгновение стало страшно.

ГЛАВА 3

Прокурорская проверка, обещанная Кашириной, была проведена и окончена в неожиданно сжатые сроки, и уже совсем скоро вышла газета с опровержением:

«В статье «Почему умирают наши дети» журналист воспользовался непроверенными данными и предоставил информацию о высокой детской смертности в искаженном виде. Не все факты, изложенные в статье, соответствуют действительности, редакция приносит свои извинения упомянутым в статье сотрудникам управления здравоохранения и сотрудникам Северогорского Бюро судебно-медицинской экспертизы».

Георгий Степанович оказался первым, кто бурно отреагировал на публикацию. Его можно было понять, ведь скандальная статья ударила не только по репутации эксперта Саблина, будто бы разгласившего, да еще в искаженном виде, служебную информацию, но и по репутации его начальника.

— Слава богу, что все так закончилось, — говорил он Сергею. — А у тебя, между прочим, срок сертификата заканчивается. Забыл небось? А я все помню, мимо меня муха не пролетит.

Сергей мысленно огрызнулся. О том, что у него заканчивается пятилетний срок действия сертификата судебно-медицинского эксперта, полученного в 1998 году, он, конечно же, напрочь забыл, но ему еще неделю назад напомнила об этом всеведущая Светлана, секретарь начальника на полную ставку и по совместительству кадровик-полставочник. Уж она-то следила за такими вещами тщательно. И конечно же, именно она подсказала Двояку, что заведующему отделением судебно-гистологической экспертизы пора озаботиться продлением сертификата. А теперь этот алкаш-взяточник с умным видом пытается выглядеть отцом-командиром, держащим руку на пульсе. Смешно, право слово!

— Поедешь в областной мединститут, там на кафедре судебной медицины через две недели начинается выездной цикл, — приказал начальник Бюро.

Ехать не хотелось, но Сергей понимал, что деваться некуда: цикл по судебной медицине для получения или продления сертификатов обойти никак нельзя, в противном случае можно лишиться права заниматься любимой работой. Он уже и без того «прохлопал» получение сертификата по патологической анатомии. Из патанатомии он ушел в 1995 году, а приказы Минздравмедпрома о сертифицировании специалистов в различных отраслях медицины, вышедшие в 1994 и 1995 годах, начали воплощать в жизнь только в 1997 году, когда он уже работал в Московском Городском Бюро СМЭ. Так что и теоретическая подготовка по патанатомии у него есть, и практические навыки, а вот работать патологоанатомом он уже не может. Если еще и с судебной медициной придется расстаться из-за такой глупости, то вообще — хоть сразу вешайся.

На первом же занятии, которое проводил завкафедрой судебной медицины, громко прозвучала фамилия Саблина. Просматривая список присутствующих с указанием должностей и места работы, завкафедрой по фамилии Безгачин спросил:

— Вы тот самый Саблин, заключения которого присылали нам на рецензирование? То-то я смотрю, сначала на нашу кафедру присылали, а потом стали педиатрам засылать. Видно, наши рецензии не ко двору пришлись?

Сергей как-то сразу расположился к этому невысокому подвижному человеку, почти совсем лысому, но зато с невероятно густыми усами и бородкой, больше похожему на веселого Мефистофеля, нежели на серьезного заведующего серьезной кафедрой серьезного учебного заведения.

— Вероятно, те, кто направил мое заключение вам на рецензию, сочли, что вы не владеете политической ситуацией текущего момента, — ответил Сергей с места.

В глазах Мефистофеля полыхнул озорной огонек.

— Возможно, — согласился он полным иронии голосом. — Вы зайдите ко мне после занятий, познакомимся поближе. Должен же я знать, кто автор заключений, которые я рецензировал, и статьи, о публикации которой ходатайствовали из областного Бюро.

Близкое знакомство с Безгачиным обернулось для Сергея полной неожиданностью. Расспросив о том, где и кем Саблин работал и чем занимался, и услышав о его увлеченности гистологией, завкафедрой спросил:

— Гистологической диагностикой ЧМТ приходилось заниматься?

Разумеется, с черепно-мозговыми травмами Сергею приходилось иметь дело неоднократно, встречаются они часто, что при несчастных случаях, что при криминале.

— О кандидатской диссертации не подумывали?

Вообще-то Сергей об этом думал, но думал как-то вяло. С одной стороны, он понимал, что Василенко рано или поздно закончит заочную аспирантуру и, вероятнее всего, защитится. И тогда более чем реальна ситуация, при которой именно ее снова назначат заведовать гистологией, а Саблина попросят написать заявление о переводе на должность врача-эксперта. Ведь понятно, что сотрудник, не имеющий ученой степени, не должен руководить теми, кто эту степень имеет. Василенко восстановит утраченные позиции, а в том, что ей этого очень хочется, никто не сомневался, да она, собственно, и не скрывала своих планов. Но с другой стороны, времени жалко на всю эту научную работу. Того самого времени, которого и так не хватает, чтобы любимым делом заниматься.

Поэтому ответил он Безгачину осторожно и неопределенно:

— Да как-то повода не было об этом задуматься.

— Считайте, что повод появился, — Мефистофель оглушительно расхохотался. — Вам меня сам
Бог послал. А мне — вас. Я, видите ли, докторскую
тут затеял. Меня интересуют возможности лабора-
торной диагностики давности черепно-мозговых
травм.

Сергей понимал, о чем идет речь. При поврежде-
нии костей свода и основания черепа одновременно происходят повреждения оболочек и вещества
мозга. Все эти процессы давно описаны и изучены в
судебной медицине. Но судебно-медицинская практика постоянно сталкивается с необходимостью
определить давность повреждений, причем не просто определить, а обосновать выводы в экспертном
заключении. Ведь именно это обычно в первую очередь интересует правоохранительные органы, которым обязательно нужно иметь точный ответ на вопрос: когда? Когда была причинена травма? Потому
что без ответа невозможно будет утверждать, что
травму человек получил именно в данной конкрет-
ной ситуации, а следовательно, трудно будет доказывать вину подозреваемого или обстоятельства
получения травмы. А вот как раз в области установления давности повреждений и зияли значительные
научные «дыры». Еще в 1975 году была разработана
и опубликована методика определения давности
повреждений, имевшая и свои достоинства, и недостатки. Достоинством была ее несомненная про-
стота и доступность: использовались рутинные
окраски, и применение методики не составляло ни
малейшего труда для любого эксперта-гистолога,
даже малоопытного. А вот недостатком являлось то,
что временные интервалы, которые данная методика позволяла устанавливать, исчислялись часами.
Для следствия по уголовному делу этого было совершенно недостаточно. Шестьдесят минут — это

очень много. И давно уже остро стоял вопрос о том, какие методы можно применить, чтобы сузить временные рамки и иметь возможность определять давность повреждений максимально точно. Сергей читал о так называемом морфометрическом методе, предложенном учеными, при котором нужно было заниматься математическим подсчетом количества различных элементов клеточной реакции на травму. Но этот метод требовал скрупулезности и огромного внимания и применяться повсеместно не мог.

— Наша кафедра, — продолжал Безгачин, сверкая глазами, — пытается найти какую-нибудь оригинальную методику. Мы и химиков привлекли из областного Бюро, они там отрабатывают вопрос об определении давности внутричерепных кровоизлияний по концентрации в них метгемоглобина, один из них даже кандидатскую на этом материале готовит. И вы подключайтесь, если вам есть что сказать по проблеме. Нам бы гистологию сюда подтянуть — было бы полезно! Вы не тушуйтесь, Сергей Михайлович, прикрепитесь соискателем, сдадите экзамены, я возьмусь осуществлять научное руководство — справитесь! А я ваш материал включу в свою докторскую. И вам выгодно, и мне. Ну так как? Решитесь?

Сергей пообещал подумать. Стать кандидатом наук было соблазнительно. И проблема показалась ему интересной. И ученая степень пригодится если не в карьере, то, по крайней мере, в дискуссиях с тем же «неостепененным» Двояком или прочими желающими подвергнуть сомнению экспертные выводы Саблина.

— Подумайте как следует, — сказал на прощание Безгачин, — я вас ни к чему конкретному не привязываю, конкретных тем не предлагаю — сами определитесь, что вам интересно или по силам. Но условие жесткое: наличие черепно-мозговой травмы и микроскопическая диагностика. Эти две составляющие — обязательны. Остальное на ваше усмотрение.

Время, отведенное на сертификационный цикл, пролетело быстро, Сергей старательно посещал занятия, сдавал письменные работы, а в свободное время много общался с коллегами из областного Бюро, в котором о скандально известном северогорском эксперте были уже наслышаны. О диссертации он старался не думать, оставив принятие решения до возвращения в Северогорск. Он поговорит с Ольгой, посоветуется с ней, все-таки она как гистолог действительно лучше, чем он. Самолюбивый, самоуверенный и самовлюбленный, Сергей Саблин даже и не думал этого отрицать.

— Рутинные окраски не пойдут, — задумчиво проговорила она, выслушав Сергея, — на то они и рутинные. Все их сто лет используют и все, что можно, из этого метода уже выжали. Давай подумаем о какой-нибудь другой, которую используют редко и про которую все забыли... Или которую используют часто, но совершенно для других целей. Скажи-ка мне, что можно увидеть под микроскопом при ЧМТ?

— Эритроциты, естественно, — начал перечислять он, — фибрин, потом уже лейкоциты, макрофаги, потом появляются фибробластические элементы...

Он готов был последовательно описывать всю гистологическую картину черепно-мозговой травмы, но Ольга нахмурилась и перебила его:

— Фибрин? Слушай, Саблин, а ведь с этим можно поиграть. Ты помнишь монографию о геморрагическом шоке при массивных острых маточных кровотечениях?

— Ну, помню, — удивился Сергей. — Но это же чистая гинекология. При чем тут...

— А при том! — Ольга торжествующе улыбнулась. — Там как раз и написано, что диагностика стадии шока основана на микроскопической картинке динамики изменений именно фибрина.

Сергей вспомнил и еще раз подивился тому, насколько свободный, незашоренный у нее взгляд. Вот он помнил, что монография посвящена акушерско-гинекологической практике, и автоматически исключил ее из объектов внимания при обдумывании чисто судебно-медицинской проблемы. А Ольга ничего никогда не исключает, она все помнит и использует всю информацию, из каких бы источников ее ни получала. Вот же умничка! Действительно, в научном труде, на который она сослалась, описывалось, что фибрин имеет различные возрасты, и для определения этого «возраста» автор разработал оригинальную методику окраски на фибрин. Клетка рождается, зреет, стареет и умирает, и длительность всех этих этапов давно подсчитана и определена. При применении предлагаемой методики клетки определенного возраста окрашиваются в определенный цвет. Потому и метод этот называется ОКГ — «оранжевый-красный-голубой», как раз по цвету «возрастов» фибрина.

Спешки с принятием решения о прикреплении соискателем особой не было, и Саблин предавался неторопливым размышлениям о перспективах предстоящей научной работы, когда наступил конец июня, а с ним — и день рождения Петра Чумичева, о котором Сергей, как обычно, и не вспомнил до того момента, пока сам именинник не объявился с обычным требованием поздравлять его «скорее-быстро». Чума пригласил их с Ольгой в ресторан. Дата была не круглой — всего тридцать семь, и ничего пышно-торжественного Чумичев не затевал, запланировал на ближайшие выходные выезд на природу с шашлыками, а в сам день рождения ограничился ресторанными посиделками с супругой, Саблиным и Ольгой.

Разговор о времени, проведенном в областном центре на сертификационном цикле, возник сам собой, и точно так же естественно оказалась затронутой тема получения ученой степени.

— Да о чем тут думать-то! — уверенно говорил Чумичев. — Серега, даже не вздумай отказываться! Тебе степень сама под ноги падает, только не ленись наклониться и поднять. И давай не тяни, чем быстрее остепенишься — тем лучше.

— Это почему?

— Да потому, что грядут перемены в нашем славном городе. Не завтра, и даже не послезавтра, но уже совсем скоро будем менять всю администрацию на корню. Задолбали эти старперы! — Петр Андреевич в выражениях не стеснялся, когда слегка выпивал. — Никакие новации с ними не протолкнешь, совсем мозги закоснели. Всех к едрене фене поменяем, новых поставим, которые не будут мешать город развивать и нормальные деньги зарабатывать. А это значит, что прикрывать задницу твоему Двояку будет некому, все его «прикрывальщики» с должностей слетят. И долго он после этого в вашем Бюро не просидит, у него же прокол на проколе. А тут и ты с ученой степенью подоспеешь. Кого ж назначать-то на его место, как не тебя? Тем более мы с тобой об этом и раньше уже говорили.

— Но у нас еще одна дама-гистолог с ученой степенью на подходе, — заметил Сергей. — И защитится она, судя по всему, раньше меня.

— Кто? — глаза Чумы презрительно прищурились. — Баба? Молодая? Замужем?

— Молодая, — кивнул Сергей, — примерно моих лет, замужем, ребенку четыре года. Перспективная.

— Ага, — Чума сально заржал, — очень перспективная, только для чего? Разве что для развода. Или для второй беременности. Даже и не думай, Серега, о ней вопрос не встанет. Чтобы руководить судмед-экспертизой, баба должна быть знаешь какой? Уууxx! Ты таких и не встречал небось в своей жизни. Так что давай, друг ситный, отрывай задницу от стула и двигай в науку, сделаем тебя начальником Северогорского Бюро.

Разговор казался Саблину шутливым и необязательным, он и сам изрядно выпил, и все казалось ему легким, простым и беспроблемным, и очень хотелось стать кандидатом наук, и занять должность начальника Бюро тоже хотелось. Он — мужчина, а какой мужчина не думает о карьере? Он — воин, солдат, а какой солдат не мечтает стать генералом?

Проспавшись и протрезвев, он на следующий день снова начал было сомневаться, но тут подключилась Ольга, которая довольно быстро сумела его убедить в том, что он же первый и заинтересован в проведении исследований по фибрину: кому, как не ему, это пригодится в повседневной работе!

Миновало еще несколько месяцев, Сергей оформил все документы, необходимые для прикрепления соискателем на кафедру судебной медицины, и занялся подготовкой к сдаче кандидатских экзаменов. Экзамен по специальности ему разрешили сдавать дистанционно: по электронной почте прислали тесты по судебной медицине, он составил на них ответы, распечатал бланки, подписал и почтой отправил в областной центр. А вот экзамены по философии и английскому пришлось сдавать в Северогорском филиале одного из Московских гуманитарных вузов. Для этого он вынужден был пройти двухмесячное платное обучение, и это обстоятельство злило Саблина невероятно.

— Ну ладно — философия, это еще куда ни шло, но английский?!?! Мне?!?! На хрена мне тратить деньги, чтобы меня учили тому, что я знал еще во втором классе средней школы!

Но никак иначе не получалось. Администрация коммерческого факультета ни за что не шла на поблажки: если можно получить деньги за обучение, то как же отказываться-то? А без обучения не будет допуска к экзамену.

Сергей занятия оплатил, но демонстративно не посещал, только исправно сдавал рефераты и проходил тестовый контроль. И в конечном итоге получил на руки красивый бланк с вписанными в него результатами кандидатских экзаменов, которые он якобы сдавал аттестационной комиссии в московском вузе.

Оставалась совсем ерунда: провести исследования и написать диссертацию. Как за это браться, Сергей Саблин не представлял.

* * *

— Сережа...

Шепот доносился из приоткрытой двери соседской квартиры. Ну так и есть — Жанна Аркадьевна. Наверняка с каким-нибудь интересным предложением.

Интересные предложения соседки бывали двух видов: приглашение отведать только что приготовленное блюдо и просьба провести экспертизу какого-нибудь предмета, как правило, детали одежды Анатолия Ивановича. На предложения первого вида Сергей и Ольга чаще всего откликались с благодарностью, от просьб же второй категории Сергей находил всевозможные причины и поводы отказаться. Самым трудным бывало в этих ситуациях даже не повод придумать, а удержаться от гомерического хохота. Жанна Аркадьевна в своей неугомонной

ревности к мужу проявляла поистине чудеса фантазии, граничащей с идиотизмом.

— Сережа, вы не зайдете ко мне на минуточку?

Он бросил взгляд на часы. Ольга, наверное, уже
дома и ждет его, сегодня у нее нет фитнеса, и задер-
живаться на работе она вроде бы не собиралась. Вот
и хорошо, если их сейчас пригласят поужинать, они
оба с удовольствием посидят с соседями. Несмотря
на то что Кармен была странноватой, она обладала
одним несомненным достоинством: не была чрез-
мерно болтлива и не требовала, чтобы вкусившие
угощение гости еще долго сидели за столом и убла-
жали ее пустопорожними разговорами. Едва Сергей
или Ольга начинали вставать, она тут же с готовностью шла в прихожую провожать их и никогда не
пыталась удержать. Сергей понимал, что в гости она
зовет соседей не от скуки, а исключительно из душевной щедрости: люди работают, а она на пенсии,
времени у нее достаточно, так почему не облегчить
бытовые трудности такой милой паре?

Он вошел в квартиру Ильиных и принюхался:
нет, едой не пахнет, значит, не в гости позвала. Стало быть, с просьбой.

Жанна Аркадьевна между тем скрылась в комнате и через несколько секунд вышла, протягивая Сергею пакет.

— Что это?

— А вы посмотрите, Сережа, посмотрите! — в ее
голосе прозвучали вызов и негодование.

Он заглянул в пакет и чуть не упал, увидев небрежно скомканные мужские трусы.

— Ну? — спросил он выжидающе. — И как это
понимать, Жанна Аркадьевна?

— Это его трусы, — взволнованно зашептала
Кармен. — Я хочу, чтобы вы отнесли это к себе на
работу и проверили, есть ли на них сперма.

— Что?!?!

— Ну... — соседка отчего-то смутилась. — Там пятна какие-то, я и подумала, что, может, это сперма. Вы проверьте, пожалуйста, мне нужно знать точно.

Сергей перевел дыхание, чтобы удержать рвущийся наружу хохот.

— Жанна Аркадьевна, дорогая моя, если это трусы вашего мужа, то совершенно естественно, что на них могут быть следы его спермы. Что в этом удивительного?

В общем-то, это было не совсем так. Анатолий Иванович отнюдь не производил впечатления мужчины, сохранившего сексуальную мощь и применяющего ее по прямому назначению, хотя внешность бывает ох как обманчива!

— А вдруг это не его сперма?

— Как — не его? Вы что же хотите сказать, дражайшая Жанна Аркадьевна? Что Анатолий Иванович изменяет вам с мужчиной? Или что он давал кому-то свои трусы поносить?

Он с удовольствием валял дурака, это всегда бывало хорошей разрядкой после рабочего дня, особенно если в этот день проводилось вскрытие.

— С мужчиной?! Господи боже, Сереженька, что вы такое говорите!

— Ну хорошо, значит, давал поносить, — покладисто согласился Саблин. — И что в этом плохого?

— Нет, вы не понимаете, — голос Жанны Аркадьевны снова упал до едва слышного шепота. — Со мной он не... ну, вы понимаете. А пятна есть. И если это сперма, значит, он мне с кем-то изменяет.

— И с кем же? — невинно поинтересовался Сергей.

— Когда он работал в управлении, у него там были всякие... шалавы крашеные. Они до сих пор ему прохода не дают. Вот с ними, наверное.

— Со всеми? Или с кем-то конкретным?

— А вы можете определить, что их было несколько? — оживилась Кармен, и ее сильно накрашенные глаза азартно заблестели.

— Жанна Аркадьевна, дорогая, ну к чему все это? Зачем вам эти мерзкие подробности? Мы с Олей вам уже много раз говорили: это бессмысленно, если вы хотите сохранить брак. Если вы хотите развода — тогда да, имеет смысл уличить Анатолия Ивановича в неверности. Но если вы хотите, чтобы он остался с вами, перестаньте морочить себе голову всякой ерундой.

— Вы думаете? — с сомнением переспросила соседка.

— Уверен, — твердо ответил Сергей, мечтая только об одном: оказаться в своей квартире и вдоволь насмеяться. Его способности сохранять видимую серьезность приходил конец.

Жанна Аркадьевна внезапно насторожилась, прислушиваясь:

— Кто-то идет по лестнице... Наверное, Толенька возвращается, он к сыну поехал... Нет, не его шаги. Это ваша Оленька.

— Тогда я пошел. — Сергей с готовностью сорвался с места и выскочил за дверь.

Это действительно была Ольга, уже вставлявшая ключ в дверной замок. Увидев, с каким лицом он появился из квартиры Ильиных, она сразу все поняла.

— Ну, что на этот раз? — спросила она, закрыв дверь изнутри. — Поделись, я тоже хочу повеселиться.

Отсмеявшись, Сергей поведал про трусы с пятнами.

— Кстати, просвети меня, — попросила Ольга. — Сколько времени сохраняются следы спермы на предметах? Это, конечно, не моя специальность, мне в работе вряд ли пригодится, но просто интересно.

Сергей задумался. В голове стали всплывать читанные когда-то случаи из экспертной практики. Мужчина в декабре 1996 года несколько раз изнасиловал падчерицу, а ее трусы засунул в банку, закрыл крышкой и закопал в подвале. Когда банку в феврале 1998 года нашли, то при микроскопическом исследовании препарата под иммерсией с применением окраски азур-эозином на трусах были обнаружены головки сперматозоидов с шейкой, в которых даже структура хорошо различалась. Удалось определить и групповую принадлежность спермы, которая сохранилась в течение четырнадцати месяцев.

— А вот еще случай, — рассказывал он Ольге, пока та готовила ужин. — Дело было во Владимире году, если память мне не изменяет, в 1999. Два идиота в течение суток насиловали в квартире женщину, в том числе и разными извращенными способами. Так вот, на месте происшествия нашли морковь, сделали смывы и в них обнаружили следы влагалищного эпителия. Это, конечно, не сперма, но тоже доказательство по делам об изнасиловании.

— А если не на предметах? — с интересом спросила Ольга. — На слизистой, например?

— Сейчас, дай вспомню, — Сергей сдвинул брови, напрягая память. — А, вот, совершенно замечательный случай был, морфологическое определение сперматозоидов в полости рта гнилостно измененного трупа, представляешь? Женщину убили в 1976 году, обнаружили через два с половиной месяца в состоянии резко выраженного гнилостного изменения и все определили. Или вот другой пример: труп женщины с петлей на шее обнаружили дома через сорок суток после смерти. Конечно, уже подгнивший. Так и у нее в полости рта и во влагалище сперматозоиды обнаружили. Так что они стойкие, гады. Погибают-то через несколько часов, а структуру сохраняют очень долго.

Ольга закончила хлопотать у плиты и начала расставлять тарелки на столе.

— Саблин, мы с тобой сами не замечаем, как превращаемся в таких милых чудовищ, — сказала она, накладывая ему еду. — Сидим на кухне, готовимся к ужину, а о чем разговариваем? Это же уму непостижимо! Для нас с тобой нормально, а если бы кто послушал — пришел бы ужас. Может, у нас начинается профессиональная деформация? Говорим о гнилых трупах, и нас даже не тошнит.

Сергей, взявшийся уже было за вилку и нож, с недоумением посмотрел на нее.

— Оль, ты что? С чего такие настроения? Мы с тобой в профессии уже десять лет, и разговоры о малоаппетитных для других людей вещах ведем постоянно, для нас это часть работы, для нас это абсолютная норма. Если бы патологоанатомов и судебных медиков от чего-нибудь тошнило, они бы не становились тем, кем стали. Просто есть такой вид деятельности, необходимый обществу, и находятся люди, которые в состоянии эту деятельность осуществлять, вот и все.

— Ну да, — кивнула она, — и профессия особенная, и люди, которые в нее приходят, тоже должны быть не такими, как все. Знаешь, я не могу понять, хорошо это или плохо: быть не таким, как все. Для работы, безусловно, хорошо. А вот для жизни?

— А что для жизни? Нормально для жизни.

— Саблин, мы с тобой живем не только друг с другом, мы живем среди людей. И мы на них не похожи. Им с нами трудно, они нас не понимают. И нам с ними трудно. Вот о чем я говорю.

Он молча дожевывал свой ужин. Неужели Оле трудно? Странно. Она никогда об этом не говорила. Ему, например, совсем не трудно, ему как раз действительно нормально. И какое ему дело до того, что кому-то он может показаться странным, чудаковатым, не похожим на других? Его непохожесть отталкивает других людей, мешает общению, тесным контактам? Да наплевать! Ему и не нужно никаких контактов, и общение ему не нужно, он отлично себя чувствует, у него есть работа и Ольга, и этого ему вполне достаточно.

Мысль эта посещала Сергея неоднократно и всегда приносила успокоение. Но Оля...

— Тебе действительно трудно? — тихо спросил он.

Ольга стояла у раковины, мыла посуду. Он не видел ее лица, но почему-то был уверен, что она плачет.

* * *

В 2004 году отпуск у Сергея Саблина пришелся на апрель. Лена, конечно, была страшно недовольна: школьные учителя могут отдыхать только летом, да и Даша школьница.

— Мы не сможем никуда вместе поехать! — с отчаянием говорила она по телефону, когда Сергей сообщил, что взял билет на рейс до Москвы. — Неужели ты не можешь поговорить со своим начальником, чтобы тебя отпускали летом? У тебя же семья!

— Лена, у других сотрудников тоже семьи, — терпеливо говорил Сергей. — Будь справедлива, мы с тобой ездили вместе в отпуск два раза.

— Да, но ты завотделением, у тебя должны быть преференции! — настаивала жена. — С тобой должны считаться.

Спорить было бесполезно, и Сергей в раздражении бросил трубку. Правда, через четверть часа перезвонил.

— Ты, кажется, хотела съездить в Испанию? Можешь заказывать путевку, я привезу деньги.

— Правда? — обрадовалась Лена.

От былой обиды не осталось и следа.

— А ты много привезешь? В Испанию ехать дорого, это тебе не три звезды в Турции.

— Я привезу достаточно, — сухо ответил он. — Можешь даже взять с собой не только Дашку, но и Веру Никитичну, на всех хватит.

Лена тут же примирилась с тем, что поедет в отпуск без мужа, и немедленно начала строить планы использования Саблина в хозяйственных целях: если не ехать за границу вместе, то пусть хотя бы полочки прибьет и розетки починит. Эти свои грандиозные задумки она буквально вывалила на Сергея, едва он переступил порог своей московской квартиры. Помимо полочек и розеток, в мужских руках нуждались оконные рамы, балконная дверь, электропроводка и подтекающий кран в ванной.

Сергей скрипнул зубами, но взялся за работу. У него были на время отпуска совершенно другие планы, но не бросать же двух беспомощных женщин и своего ребенка на съедение бытовым неурядицам! В конце концов, он — муж, он взял на себя ответственность за них и должен ее нести. И не только в денежном выражении.

Ему удалось привести все в порядок в течение нескольких дней, после чего он оставшееся время полностью посвятил чтению научной литературы в библиотеках. Диссертация в обязательном порядке должна включать в себя обзор литературы по теме исследования, причем не только отечественной, но и зарубежной. Более того, в этом литобзоре непременно должна быть отражена самая свежая научная мысль. И если с отечественной наукой единственной проблемой была нехватка времени на чтение и описание литературы, то с наукой зарубежной все оказалось достаточно непросто. В последние годы в России переводные работы не издавались, нужно было искать оригиналы и переводить их. Спасал хороший английский, который Сергей сумел сохранить. Но ведь и сами статьи, и монографии на иностранном языке нужно было где-то находить, а это тоже требовало времени.

Лена, разумеется, предъявляла претензии и жаловалась на то, что семья не видит Сергея целый год, а когда он приехал, то его все равно целыми днями нет дома.

— В гости сходили бы, — говорила она с упреком, — или в кино все втроем, с ребенком. Да ты бы просто Дашку с танцев забрал — уже хорошо было бы. А ты как уходишь утром — так тебя до ночи нет.

Сергей собрался было огрызнуться, дескать, для того, чтобы наша дочь могла заниматься в танцевальной студии и посещать музыкальную школу, нужны деньги, которые я зарабатываю и исправно посылаю, так какого рожна тебе еще надо? Но сдержался и вместо этого в сотый, наверное, раз объяснял, что работа над диссертацией требует тщательного изучения литературы, и без длительного пребывания в библиотеках никак не обойтись, а в Северогорске таких обширных библиотек нет, и возможность написать литобзор... В конце концов все эти разговоры встали ему поперек горла, он рассвирепел и сказал все открытым текстом:

— Если я напишу диссертацию и сумею ее защитить, то меня повысят в должности. Соответственно, у меня будет более высокая зарплата плюс доплата за ученую степень. Я смогу присылать вам больше денег.

Этот довод оказался вполне понятным и возымел буквально волшебное действие: Лена тут же прекратила нытье и жалобы, стала улыбчивой и чрезвычайно покладистой. Она и постельный вариант попыталась подключить, чтобы продемонстрировать одобрение, но в этот раз Сергей не откликался на ее заигрывания с прежней готовностью. То есть откликался, конечно, но не каждый раз и без прежнего пыла. Близость с Леной неожиданно стала казаться ему тягостной обязанностью. И если раньше он даже укорял себя за то наслаждение, которое испытывал, держа ее в объятиях, то теперь все чаще на ум приходили слова «супружеский долг», стоящий в одном ряду с неисправной электропроводкой и подтекающим краном.

Однако львиную долю поставленной задачи он выполнил: нашел, прочитал, законспектировал и перевел огромный массив литературы. Значительную организационную поддержку оказала ему и Юлия Анисимовна, которая с самого начала искренне радовалась тому, что сын занялся научной работой. С ее помощью и благодаря ее протекции Сергей получил доступ даже к самым раритетным, много десятилетий не переиздававшимся книгам.

Но успел он, разумеется, далеко не все. Отпуск закончился, подошло время возвращаться в Северогорск. Ничего, у него еще есть возможности найти необходимую литературу. Во-первых, он очень рассчитывает на библиотеку мединститута областного центра. Сергея то и дело включали в состав комиссий для проведения комиссионных экспертиз в областном Бюро, и ему приходилось летать туда в командировки. И во-вторых, можно было использовать возможности Интернета, ведь в его бескрайних Сетях чего только не найдешь!

Пройдя в аэропорту регистрацию на рейс в Северогорск, Сергей с каким-то тупым равнодушием подумал о том, что чувствует себя командировочным, возвращающимся домой. А вовсе не человеком, который улетает из родного дома и отрывается от семьи.

* * *

Для того чтобы собирать материал для диссертации, нужны были вскрытия. И Саблин сразу же после того, как ему утвердили на Ученом Совете тему, пошел к Изабелле Савельевне просить отписывать ему случаи черепно-мозговой травмы.

— Мне нужны четко установленные временные интервалы, так что мне бы клинические случаи, если можно.

Ему нужны были вскрытия, когда пострадавшие умирали в стационаре в первые дни или часы после травмы.

— Конечно, голубчик, — согласилась без колебаний Сумарокова. — Все будут ваши, не сомневайтесь.

Но такого материала было явно недостаточно. Другим источником эмпирики стали для Сергея стеклопрепараты из гистологического архива. Он брал подряд все, в том числе и исследованные много лет назад, «стекла» по случаям ЧМТ и смотрел, нет ли среди них того, что его интересует. Если находил, то красил по методике «оранжевый-красный-голубой» и приобщал к материалам собственных исследований.

Экспертной работы было много, и для диссертационных материалов время приходилось выкраивать, отрывая его и от выходных дней, и от сна. «Стекла», которые не успевал просмотреть на работе, Саблин приносил домой. Теперь у них с Ольгой было уже два микроскопа — у каждого свой, и делить время его использования нужды больше не было. Правда, компьютер оставался единственным, но пока они еще ухитрялись решать вопросы пользования им вполне мирно.

В начале июля Сергей, придя с работы и не застав дома Ольгу, быстро переоделся и уселся перед микроскопом с очередной партией архивных «стекол». Ужинать он не стал. Не то что не был голоден, просто одному садиться за стол как-то не хотелось. При всей своей бытовой неприхотливости он все-таки любил, когда Ольга готовила еду, подавала и потом убирала и мыла посуду. О том, почему ее до сих пор нет дома, он как-то не задумался. Свободная женщина, имеет право идти куда хочет.

Когда открылась входная дверь, он даже не оторвался от окуляров, только крикнул из комнаты:

— Привет! Я дома!

Она не отозвалась, но Сергей заметил это только через несколько минут.

— Оль! — снова крикнул он. — Ты чего молчишь? Устала?

И снова никакого ответа. Он забеспокоился, встал и вышел на кухню. Ольга стояла у открытого окна и смотрела на улицу. Воздух был холодным и невкусным — сказывались промышленные выбросы.

— Оль, простудишься, — осторожно произнес он, почуяв неладное. — Что-то случилось?

Она медленно повернулась, и Сергей с тревогой увидел, что ее глаза наливаются слезами.

— Ты что, Оля? Кто-то умер? Или тяжело заболел? Что-то дома?

Она отрицательно покачала головой и попыталась улыбнуться, но губы не слушались.

— Саблин, я беременна, — негромко сказала она. — Восемь недель.

— И... что?

Это было единственным, что он сумел произнести. Новость оглушила. Как же так? Они с Ольгой вместе уже двенадцать лет, и ни разу... ничего... Они же делали все, что нужно... как же это?

— И ничего, — горько сказала она. — Ничего не будет.

Ничего не будет? Значит, аборт? Нет, для него это невозможно. Аборт — это убийство. Он не позволит.

— Почему? — жестко спросил он. — Ты ведь всегда хотела иметь детей.

— Хотела, — согласно кивнула Ольга. — Но не так. И не здесь.

— Что значит — не так? Поясни, будь любезна.

— А ты не понимаешь? — грустно спросила она. — Саблин, ты не умеешь быть отцом в двух семьях. Есть мужчины, которым это удается, и у них есть дети и в браке, и вне брака, и они прекрасно себя чувствуют. Если бы ты был таким, я бы давно уже родила от тебя ребенка, а то и двоих. Но ты, уж не знаю, к сожалению или к счастью, не такой. Ты будешь рваться на части. Ты будешь чувствовать себя кругом виноватым, а тебе этого нельзя, совсем нельзя. Ты не умеешь быть виноватым, равно как и не умеешь быть должным. Опять же есть люди, которые отлично живут и с чувством вины, и с осознанием того, что у них есть неоплаченные долги, но ты к их числу не относишься. Эти чувства разрушат твою личность. Ты с ума сойдешь, понимая, что ты должен и Лене, и мне, и Даше, и нашему ребенку. Ты будешь терзать себя. И я не уверена, что ты с этим справишься. Я не могу заставлять тебя так мучиться. Поэтому ребенка у нас с тобой не будет, пока ты являешься чужим мужем.

Каждое ее слово как будто плетью хлестало.

— Оля, но так же нельзя! Ребенок ни в чем не виноват. Дай ему родиться.

— Саблин, ты меня не слышишь? Я ведь сказала: не так и не здесь. Ты лучше меня знаешь, насколько местные условия непригодны для маленьких детишек. Твоя война с педиатрами многому меня научила. Я ведь не только твои рассказы слушала, но и литературу почитала. Климат и экология здесь для малышей губительны. Если я решусь сохранить ребенка, мне придется уехать в Москву, здесь я его ни вынашивать, ни рожать, ни растить не буду. Представляешь, что станется с тобой? Ты будешь знать, что в Москве у тебя две женщины и двое детей, и о каждой ты должен заботиться, и каждой должен помогать. Да у тебя сердце разорвется.

— А если все-таки здесь, а, Оль? — просительно сказал он. — Ну рожают же в Северогорске, и растят, и ничего.

— А если нет? Тебе мало детских смертей от вирусных инфекций при ослабленном иммунитете? И потом, я еще раз повторяю: я не могу допустить, чтобы ты разрывался и чувствовал себя виноватым. Я слишком люблю тебя, Саблин, чтобы обречь на ад.

Он хотел было возразить еще что-то, но посмотрел ей в глаза и понял, что разговор окончен. Ольга приняла решение и менять его не собирается.

И все-таки он предпринял еще одну попытку, последнюю.

— Оля, но я все равно же буду чувствовать себя виноватым, если ты сделаешь аборт. И перед тобой виноватым, и перед ребенком. Я же понимаю, ты хочешь детей, но не будешь рожать, пока я не разведусь, а я не разведусь, ты это знаешь.

— Знаю, — кивнула она.

— Годы идут, пока что ты еще можешь родить, а потом будет поздно. Я смогу развестись только тогда, когда Дашка вырастет и станет самостоятельной, но к этому времени у тебя детородный возраст закончится. Ты рискуешь вообще остаться без детей. И снова я получаюсь виноватым.

Она печально усмехнулась.

— Да, Саблин, ты попал. Что так — что эдак, все плохо. Но если я буду рожать, то буду знать, что в твоем чувстве вины есть и мой значительный вклад. А так по крайней мере...

Он понял. Ольга не хочет быть виноватой в том, что он будет мучиться. Mi tristeza es mia...

— Ты слишком честный для двоеженства, — сказала Ольга и отвернулась. — Тебе такая ноша не по плечу.

Сергей не знал, как к этому относиться. Аборт был для него неприемлем. Ольгино решение было непререкаемо. За двенадцать лет ни разу ему не приходило в голову попытаться повлиять на ее решение: как-то с самого начала их отношения выстроились таким образом, что они могли обсуждать любой вопрос, советоваться, спорить, но принятие даже самых мелких и незначительных решений оставалось личным делом каждого. Это по негласному уговору стало как бы зоной их личной свободы.

* * *

Командировка для участия в комиссионной экспертизе не заставила себя долго ждать. Уже через десять дней после того тягостного разговора с Ольгой Саблин вылетел в областной центр. И, как обычно, тут же явился к своему научному руководителю Безгачину. Сергею все казалось, что у него недостаточно материалов для исследовательской части диссертации, и он обдумывал возможность проведения экспериментальных исследований с лабораторными животными. Но где взять подопытных животных в условиях Северогорска? Вивария в городе нет, значит, надо создавать его самому. Собственно, именно этот вопрос Сергей и собирался обсудить с заведующим кафедрой судебной медицины.

— Забудьте, — тут же откликнулся Мефистофель, — немедленно забудьте и выбросите из головы! Вы представляете, какая это морока? Любой виварий, в том числе и при мединститутах, существует официально, на законных основаниях, у него есть финансирование, бюджет, за ним следит Роспотребнадзор и другие организации. Для того чтобы создать виварий, вам придется потратить уйму времени и сил на решение организационных вопросов. Но даже если вам удастся их благополучно разрешить, вы столкнетесь с немыслимыми трудностями.

Он весьма доходчиво и красочно объяснил Саблину, что сначала нужно будет придумать, где закупать лабораторных крыс, потом — чем их кормить и поить, потом — как организовать уход за ними. Кроме того, нужно постоянно следить за тем, чтобы они не сдохли от каких-то других причин, не связанных с черепно-мозговой травмой. Крыса ведь может сдохнуть от чего угодно, в том числе и от неправильного кормления. И тогда чистота эксперимента будет необратимо нарушена.

— Нет, нет и нет, — убежденно закончил свою тираду доцент Безгачин. — Делай работу только на экспертных случаях, этого более чем достаточно.

Расставаться с идеей Сергею было жаль, но, обдумав аргументы научного руководителя, он был вынужден признать правоту Мефистофеля.

Комиссионная экспертиза в этот раз затянулась дольше обычного: то и дело возникала необходимость запрашивать новые медицинские документы, которые не были представлены комиссии сразу, и это порождало непредвиденные задержки. Сергей постоянно созванивался с Ольгой, тревожась о ее самочувствии, но она была спокойна и уверяла, что с ней все в порядке.

Об аборте больше не было произнесено ни слова.

Однако когда Саблин вернулся в Северогорск, Ольгу он дома не застал. Она была в больнице.

* * *

— Девушка, не морочьте мне голову, вы мешаете работать! — донеслось из коридора, после чего послышалось постукивание пластиковых шлепанцев, и дверь палаты распахнулась.

На пороге стояла очаровательная натуральная блондинка с потрясающими формами, за ее спиной маячила фигура санитарки.

— Ну что, абортницы, принимайте пополнение, завтра всех одним скопом выскоблят. Гляньте, какую я вам кралю привела! Не соскучитесь.

Санитарка презрительно фыркнула — женщин, делающих аборт, она не уважала, жалела только тех, кто очень хотел родить, но вынужден был прерывать беременность по медицинским показаниям.

В палате было четыре койки, когда Ольга появилась здесь, две из них уже были заняты. На одной скорчилась, вся в слезах, совсем юная девушка, почти девочка, на другой с деловитым видом читала журнал крепкая пышная женщина лет сорока пяти. Она приветливо кивнула Ольге и сразу в двух словах рассказала, где тут что и какие порядки в отделении.

— Вы в первый раз? А я-то здесь уже прижилась, — она весело засмеялась, — наградил же Бог — залетаю от одного взгляда. А муж у меня глазастый! Уже четверых родила и вырастила, а он все смотрит на меня и смотрит. Вот уже седьмой раз сюда ложусь. Меня зовут Галей, а вас? Ольгой? Замечательно! Вы не переживайте, Олечка, здесь доктора очень хорошие, внимательные, и наркоз дают — жалеют нас. Правда, кормят плоховато, невкусно, но это во всех больницах так. Вот ваша тумбочка, в углу холодильник — ваша полочка будет верхняя, со мной пополам. Но если что перепутаете — не стесняйтесь, меня мой глазастый так продуктами затарил, как будто я на три недели сюда пришла. Все равно все не съем, следующим оставлю, так что берите, кушайте, если что понравится. Там и чернослив, и курага, и изюм — обязательно надо для сердца.

Ольга с благодарностью кивнула и улыбнулась. Гостеприимная соседка сразу расположила ее к себе. Женщина спокойно читала, с разговорами не приставала, ни на что не жаловалась, молоденькая заплаканная девочка молчала, отвернувшись к стене, и внезапно на Ольгу снизошел душевный покой. Решение принято. Она здесь. Тишина. Удобная кровать. Нежданно теплые дни, позволяющие держать окна открытыми, и вся палата наполнена свежим воздухом. Роддом расположен так удачно, что розой ветров все ядовитые выбросы относит в сторону.

Ей стало почти хорошо.

И вот появилась обитательница пока еще не занятой четвертой койки и прямо с порога начала говорить, нарушив хрупкую блаженную тишину:

— Ну вот скажите мне, разве они имеют право ничего не объяснять? Медицина — это оказание услуг населению, ведь так? А раз это услуга, то я как потребитель услуги хочу знать, в чем она состоит и каким образом будет оказываться. Почему врачи отказываются мне объяснять? Я сама работаю в сфере оказания услуг и всегда клиентам все подробно объясняю и отвечаю на все вопросы. Это моя обязанность. А они почему свои обязанности не выполняют?

Она в сердцах кинула на кровать кожаный саквояж с логотипом известного бренда, явно очень и очень дорогой. Ольга невольно зажмурилась, с неудовольствием представив себе, как эта красоточка будет беспрерывно болтать. Женщина по имени Галина отложила журнал и с любопытством посмотрела на новенькую.

— А что ты, деточка, хотела узнать? — доброжелательно спросила она. — Может, я тебе расскажу вместо доктора? Я здесь частенько бываю.

Блондинка посмотрела на нее с подозрением:

— А вы кто по профессии? Врач?

— Нет, я бухгалтер.

— Значит, вы некомпетентны, — заявила блондинка, раскладывая вынутые из саквояжа вещи в тумбочке.

Ольга приподнялась на кровати и подоткнула подушку под спину.

— Я врач. Если хотите, я отвечу на ваши вопросы.

— Да? — блондинка оживилась и перестала рыться в саквояже в поисках какой-то затерявшейся мелкой вещицы. — А вы какой врач? Гинеколог?

Через полчаса Ольга уже объясняла девушке по имени Ванда Мерцальская строение органов малого таза и процедуру прерывания беременности. Ванда проявляла искренний и живой интерес, задавала массу уточняющих вопросов, и Ольге даже пришлось попросить на посту у сестричек пару листов чистой бумаги и делать рисунки, чтобы любознательной девушке было понятнее. У Ванды горели глаза, она не отводила взгляд от рисунков и постоянно требовала уточнений.

— А это что? — спрашивала она. — А это с чем соединяется? А это для чего?

Ольге было смешно и одновременно грустно. Почему эта девочка так интересуется техническими подробностями, вместо того, чтобы попытаться в последний момент еще раз подумать о правильности принятого решения? Ведь пока не поздно, есть время до завтрашнего утра, еще все можно повернуть вспять, отказаться от аборта, оставить жизнь ребенку. Какие у нее обстоятельства? Почему она не думает об этом? Почему приняла такое непростое решение? Или у нее медицинские показания?

Но спрашивать Ольга не стала. Это не ее дело. У нее нет никакого права лезть в чужую жизнь и оспаривать чужие решения.

— И все-таки я не понимаю, — упрямо произнесла Ванда в ответ на очередное пояснение, — как вот эта штука здесь крепится? На чем она приделана?

И ткнула концом карандаша в нарисованную Ольгой схему.

— Слушай, зачем тебе все это? — со смехом спросила Ольга. — Для чего ты забиваешь себе голову совершенно ненужными сведениями? Ты же не медик и быть им не собираешься.

— А я всегда так поступаю, — ответила Ванда с неожиданной серьезностью. — Я всегда собираю предварительно информацию, прежде чем во что-то ввязаться. Мне важно понимать, как это будет и что будут делать, и в какой последовательности, и какой получится результат, и какие возможны сбои и осложнения. Даже когда платье шью в ателье, и то во все вникаю. Меня за это не любят, — ее голос зазвучал по-детски обиженно. — Считают, что я только время у них отнимаю, с глупостями пристаю. А это не глупости! Человек имеет право знать, что с ним будет потом, в будущем. И вообще, я люблю всякую информацию, для меня Интернет — лучший друг, я даже сюда нетбук притащила. Даже когда имя себе выбирала, и то весь Интернет излазила, смотрела, чтобы с таким именем несчастных людей не было, а были только счастливые и преуспевающие.

— Имя? — не поняла Ольга.

Галина при этих словах снова отложила журнал, в котором она уже разгадывала сканворд, и с интересом посмотрела на Ванду.

— Ну да, — кивнула блондинка без тени смущения, — я же по рождению никакая не Ванда и не Мерцальская, я Зоя Щипахина. Ну куда мне с таким именем-то? У меня работа ответственная, мне имя нужно красивое, звучное. Чуть умом не тронулась, пока искала и выбирала. Потом с документами возни было — ужас! Я же имя официально поменяла, через милицию, через паспортный стол. Но зато теперь не стыдно с людьми знакомиться.

На лице Галины отразилось неодобрение.

— Деточка, тебе имя мама с папой давали, и фамилия у тебя от них, а они ведь наверняка достойные люди. Зачем же ты их так обижаешь? Ты же фактически отрекаешься от них, когда отказываешься носить их фамилию и имя, которое они тебе дали.

— Кто? — переспросила Ванда с искренним изумлением. — Мама с папой? Да у меня их и не было никогда, я детдомовская. Подкидыш. Имя мне нянечка придумала, а фамилию записали по названию поселка, в котором наш детдом стоял. Поселок городского типа Щипахино Западноигарского района. Вы небось даже и не слышали о таком.

— Извини, деточка, — смутилась Галина. — Однако не похожа ты на детдомовскую.

С этим Ольга была полностью согласна. И ухоженность Ванды, и дорогой саквояж, и халатик из шелковистого трикотажа, и маникюр с дизайном — все свидетельствовало о том, что девочка отнюдь не бедствует. Известно множество историй, согласно которым сироты, выросшие в детских домах, становились наперекор всем жизненным неурядицам обеспеченными и преуспевающими людьми. Все это так. Но для этого нужно много времени, очень много. А Ванде лет двадцать пять, вряд ли больше. Значит, если она не врет, ее благополучие не является результатом ее личных усилий. Но скорее всего, все-таки врет.

— А это мне от природы так повезло, — лицо красавицы озарила искренняя открытая улыбка. — Уж не знаю, кем там были мои родители, но только мне от них вместо денег и недвижимости внешность досталась. Вот уж спасибо так спасибо! Этим и кормлюсь.

— Господи! — всплеснула руками Галина. — Так ты из этих, что ли? Из проституток?

— Да вы что! — немедленно обиделась Ванда. — Я в имидж-лаборатории работаю, администратором. Но находятся состоятельные мужчины, которым я позволяю себя поддержать и делать себе подарки. Я приличная девушка.

В этом месте Ольга не выдержала и фыркнула. Вслед за ней сначала хмыкнула, потом расхохоталась и многодетная Галина.

Ванда действительно была глуповатой, но необыкновенно доброй и жалостливой девушкой. И Интернет любила просто взахлеб. На следующий день, отлежавшись после операции, она схватила нетбук и погрузилась в волны информационного изобилия, то и дело зачитывая соседкам по палате наиболее душераздирающие новости и предпринимая попытки их обсудить.

— Ой, в Америке сделали операцию человеку-слизняку, удалили опухоль весом девяносто четыре килограмма! Представляете?

— В Англии на аукционе выставили туфли из золота с бриллиантами за миллион фунтов стерлингов, и кто-то ведь купил! Ужас! Оля, как ты думаешь, в золотых туфлях удобно ходить?

Ольга пыталась сохранять серьезность и вдумчиво рассуждать о том, может ли быть удобной обувь, изготовленная не из кожи, а из гибких золотых пластин. Глупость и доверчивость Ванды, безоговорочно принимавшей все, найденное в Интернете, за чистую монету, умиляла, однако стремление девушки во всем разобраться и во все вникнуть вызывало у Ольги искреннюю симпатию.

— Ужас какой! Женщина сделала себе операцию по увеличению бюста, ей накачали грудь силиконом, а ночью там что-то разорвалось, силикон вытек, попал в дыхательные пути, и она задохнулась. Оля, а так бывает? А то я тоже подумываю грудь поправить, так мне надо точно знать насчет осложнений.

При подобных пассажах Ольга теряла серьезность и начинала подшучивать над Вандой.

— Что ты несешь? Ну что ты несешь? Разве можно верить тому, что пишут? Какой силикон в дыхательных путях, побойся Бога! Какая опухоль весом девяносто четыре килограмма!

— Но ведь женщина-то умерла, — возражала девушка. — Она хотела, как лучше, хотела быть красивой, чтобы нравиться мужу, а вместо этого умерла. Мне ее жалко.

У нее была удивительная способность не только всему верить, но и всех жалеть.

— Ой, у одного актера, оказывается, нашелся взрослый сын, а потом этот сын умер, и я всю ночь проплакала, как представила себе, что этот актер чувствовал: через столько лет обрести сына и вдруг потерять! Так его жалко, безумно просто! — рассказывала она со слезами на глазах.

— Да ты с ума сошла, Ванда, — смеялась Ольга, — не было у него отродясь никакого сына, это все выдумки, для пиара.

Глаза Ванды сделались круглыми и недоверчивыми.

— Как — для пиара? Не может быть! Неужели можно такое про себя придумать и сквозь землю не провалиться? И зачем?

— Ну как зачем, дорогая? Он не очень молод, не очень здоров, его давно уже не снимают, в театре он не занят, а ему хочется, чтобы про него не забывали, чтобы про него говорили, вот он и придумал эту историю, а журналисты разнесли по всем СМИ.

— И что?

— Да ничего, все получилось, как он и хотел. Вот мы с тобой далеко, за Полярным кругом, сидим в больничной палате и говорим о нем. Вспоминаем, не забываем. Это как раз то, что ему было нужно.

Выступления Ванды Мерцальской очень скрасили пребывание в больнице и, что самое главное, не давали Ольге сосредоточиться на мыслях о том, что она не позволила родиться своему первенцу, ребенку, зачатому от единственного любимого мужчины. Мысль была горестной, болезненной, обжигающей, но присутствие рядом такой искренней и светлой девочки, как Ванда, действовало как освежающий компресс. Душа постепенно успокаивалась и смирялась, а боль притуплялась.

ЧАСТЬ ПЯТАЯ

ГЛАВА 1

Р ука дрогнула, и поперечная черточка на букве «t» съехала вбок. Сергей сердито оглядел скособочившуюся букву. Подумал, прикинул и решил чуть-чуть изменить шрифт. Подрихтовал все предыдущие буквы, теперь получилось хорошо. Передохнул и довел надпись до конца.

«BE REASONABLE, DO IT MY WAY».

«Будьте благоразумны, сделайте, как я говорю».

С удовольствием оглядел законченный плакат, выполненный толстым красным фломастером. Место на стене он уже присмотрел. Раньше, во времена, когда в этом кабинете царствовал Георгий Степанович Двояк, здесь висели в рамочках всевозможные грамоты, благодарности от городской администрации и дипломы начальника Бюро. Теперь же, после его увольнения, место опустело, и Саблин решил повесить плакат.

На английском языке.

Без перевода.

Пусть он всех раздражает.

Он, Сергей Михайлович Саблин, без пяти минут кандидат медицинских наук и новый начальник Северогорского Бюро судебно-медицинской экспертизы, не нуждается в том, чтобы его любили. Ему нужно одно: чтобы подчинялись, выполняли его указания и добросовестно делали свою работу. И любовь ко всему этому никакого отношения не имеет.

Сегодня он с улыбкой вспоминал свои мучения при написании диссертации. У Сергея не было ни малейшего опыта научной работы, он совершенно не представлял себе, как должен выглядеть тот же литобзор для диссертации, но будучи весьма самоуверенным, не счел нужным ознакомиться с другими диссертационными работами, дабы получить хоть какое-то представление об этом. Он решил, что уж обзор литературы по теме он всяко одолеет без труда, и, начитавшись всего, что сумел найти, начал в хронологическом порядке излагать, кто, что и когда написал по проблеме установления давности повреждений при черепно-мозговых травмах. С радостной улыбкой вручил он при случае этот материал своему научному руководителю и был обескуражен, когда тот после прочтения заявил:

— Это никуда не годится.

— Почему? — удивился Сергей. — Разве мало фактуры? Тут и самые давние работы описаны, и самые последние, и зарубежный опыт совсем свежий. Что не так-то?

— Дорогой мой, — вздохнул Мефистофель, — вы написали информационный листок для библиотечного коллектора. А от вас требуется обзор литературы. Это значит, вы должны не просто прочитать и пересказать содержание, а еще и проанализировать и обобщить, чтобы было наглядно видно движение научной мысли в направлении решения проблемы, этапность, ключевые вехи, научные школы. Диссертация — это не реферат на первом курсе института. Это принципиально иной уровень.

Сергей переделал литобзор и приступил к исследовательской части. Материалов накопилось достаточно, но, как выяснилось, их тоже нужно было излагать и оформлять определенным образом. Пришлось и эту часть работы дважды переделывать. Но в конце концов Безгачин одобрил последний вариант и велел начинать писать автореферат.

И вдруг выяснилось, что у Саблина не хватает публикаций. Конечно, он постоянно писал статьи, но они касались либо экспертных случаев, либо проблем детской смертности. А для защиты кандидатской диссертации требовались опубликованные или хотя бы принятые к публикации статьи непосредственно по теме исследования. Более того, хотя бы одна из таких статей должна быть опубликована в журнале, входящем в перечень Высшей Аттестационной комиссии. Это было относительно новое требование, ужасно неудобное, трудновыполнимое, но вполне оправданное. Безгачин объяснил, что многие годы широко практиковалась публикация кое-как наспех сляпанных материалов в различных ротапринтных сборниках научных трудов или выступлений на конференциях аспирантов и соискателей. Эти материалы, как правило, не подвергались научному редактированию, были зачастую откровенно слабыми и являлись просто выдернутыми из уже готового текста диссертации отрывками. Таких публикаций за время подготовки диссертации можно было «настричь» с десяток, практически не прилагая никаких усилий, а в автореферате гордо представить «Список научных трудов», состоящий из солидного количества наименований. Более того, находились ловкачи, пропихивавшие один и тот же материал в несколько сборников, выпущенных разными вузами и научно-исследовательскими учреждениями, причем даже название ленились менять, а если и меняли, то какое-нибудь одно слово. Высшая

Аттестационная комиссия вполне справедливо решила положить конец этому безобразию и составила перечень периодических изданий, редакционная коллегия которых зарекомендовала себя принципиальной и вдумчивой, не пропускающей слабые и пустые материалы. Вот в таком журнале и нужно было иметь хотя бы одну публикацию.

Это было сложно. Медицинских вузов и университетов в Сибири достаточно, у каждого есть «Вестники», «Труды» и сборники материалов конференций, так что опубликоваться можно без труда. Но вот как прорваться в ВАКовский журнал — Сергей не представлял. И пошел самым простым путем: написал статью и представил ее в соответствующее издание. Через какое-то время он получил свой текст с пометкой «Вернуть автору для устранения недостатков». Каких недостатков? Саблин готов был переделывать как угодно и устранять любые замечания, если бы они были.

Но их не было. Была только одна короткая фраза. Он переписал статью и снова послал. И снова получил назад с точно такой же пометкой. Так повторялось шесть раз, после чего он отправился посоветоваться к Таскону.

Лев Станиславович пробежал глазами текст статьи и кивнул:

— Да нормально у вас написано, введение с постановкой проблемы есть, описание эмпирической базы есть, процедура проведения исследования есть, выводы и заключение тоже на месте. Уж на что я не гистолог — но даже я все понял.

— Тогда чего они от меня хотят? — раздраженно спросил Сергей. — Что нужно переделывать-то? Я не понимаю. Думал, может, вы подскажете, вы же много читаете, в том числе и научной литературы.

Лев Станиславович прищурился и покачал головой.

— Сергей Михайлович, голубчик вы мой, неужели вы до сих пор не поняли? Они хотят денег. И будут возвращать вам статью до тех пор, пока вы не заплатите. Это же ясно, как Божий день.

— Да быть не может! — не поверил Сергей.

— Может, может. Я с этим уже сталкивался.

— И что делать? Заплатить?

— О, друг мой, тут я вам не советчик. Поступайте, как считаете нужным. А лучше всего — посоветуйтесь со своим научным руководителем, он в этих материях разбирается и наверняка знает, как там и что.

Сергей отправил в редакцию седьмой вариант, а ближайший отпуск провел в областном центре, днюя и ночуя на кафедре патанатомии, делая микрофотографии для оформления иллюстративной части своей работы. В первый же день после приезда он отправился к Безгачину и напрямую спросил: кому и в какой форме нужно дать взятку, чтобы статью приняли к публикации.

Мефистофель поиграл бровями, глаза его загорелись недобрым огнем.

— Даже и не думайте об этом! — заявил он. — Платить вы не будете.

— Почему? Есть какой-то другой способ?

— Конечно! Есть замечательный способ: не платить. И все.

— Но мне нужна публикация для защиты...

— Она у вас будет. Просто нужно набраться терпения. Они будут возвращать вам статью раз за разом, пока им не надоест или они не поймут, что вы платить не собираетесь. И тогда статью примут к публикации. Да, это потребует времени и сил. Ну и что? Вы молоды, справитесь. А если вы заплатите, они поймут, что с судебных медиков можно тянуть, и тогда уже ни один соискатель, подготовивший диссертацию по нашей специальности, не сможет опубликоваться у них без взятки. Главное — создать прецедент. Если вы его создадите, вас проклянут, можете быть уверены. И первым в этой шеренге проклинающих буду я, имейте это в виду. У меня четверо аспирантов, которым тоже нужны будут публикации, и сам я докторскую собираюсь защищать. Никто из нас платить не собирается.

Он разразился гомерическим смехом, потом внезапно посерьезнел.

— Наберитесь терпения, дорогой мой. Вас будут унижать, но не до бесконечности. Все имеет свой предел, даже наглость и сволочизм.

Сергей принял слова научного руководителя к сведению и добросовестно переписывал свою статью еще три раза. Наконец ее приняли к публикации, выдали Саблину официальную выписку из решения Редакционно-издательского совета о том, что статья прошла рецензирование, одобрена и рекомендована к опубликованию, и он стал готовить документы к представлению в Ученый Совет.

Обстановка в отделении судебно-гистологической экспертизы в последнее время стала напряженной: эксперт Василенко успешно защитилась, и по Бюро стали ходить разговоры о том, что Саблин занимает свою должность не по справедливости. За семь лет работы здесь Сергей нажил себе немало недоброжелателей, поскольку далеко не каждый готов был прощать его грубость, жесткость и нескрываемое высокомерие. Особенно бесила людей его привычка цитировать то стихи на русском языке, то Шекспира на английском.

Документы в Совет приняли, апробацию Сергей прошел, и защита была назначена на декабрь 2006 года. Оставалось всего три месяца до получения ученой степени. Если, конечно, все пройдет нормально.

И тут объявился Чумичев. Как всегда, без предупреждения, с пакетами в руках и с громогласным кличем:

— Трудно жить на свете пионеру Пете!

Под первые две рюмки разговор шел ни о чем, а после третьей Чума спросил, как у Сергея дела с диссертацией. Услышав, что до защиты осталось совсем немного, несказанно обрадовался.

— Все, Серега, час «икс» пробил, мы почти закончили менять всю администрацию во главе с мэром. И твоего Двояка попрут под зад коленкой. Готовься принимать должность.

— Ты так уверен, что меня назначат? — недоверчиво усмехнулся Сергей.

— А куда они денутся? Вопрос провентилирован в областном Бюро, согласован с новой администрацией и правоохранительными органами. Ну, в администрации-то вообще все наши люди теперь сидят, как мы скажем — так они и сделают. А среди правоохранителей у тебя тоже поклонники имеются.

При этих словах Чума хитро подмигнул и бросил косой взгляд на Ольгу, сидящую вместе с ними за накрытым столом.

— Ты кого имеешь в виду? — нахмурился Сергей.

— А то ты не знаешь! Каширину Татьяну Геннадьевну, кого же еще. Она за тебя горой. Самый, говорит, лучший кандидат на должность начальника Бюро — это Сергей, говорит, Михайлович Саблин. И толковый-то он, и знающий, и трудолюбивый до полного трудоголизма, и честный, и принципиальный, и неподкупный, и вообще светоч всех медицинских знаний и умений. Слушай, она так тебя нахваливала, что прямо неудобно пересказывать.

— А ты перескажи, Петенька, — ласково попросила Ольга. — Мне ведь интересно.

— Оля! — с укором воскликнул Саблин. — Ну что ты, право слово! Петька шутит.

— Чего это я шучу-то? — возмутился Чума. — Ни в одном глазу. Все на полном серьезе. Серега, по-моему, эта Каширина втрескалась в тебя по уши. Во всяком случае, очень она к тебе благоволит и даже не старается это скрыть. Ты смотри, не тушуйся, она тебе пригодится, мы ее собираемся из прокуратуры в администрацию забирать, пусть курирует правоохранительную деятельность, она тетка опытная, грамотная, хваткая. Так что гляди: поведешь себя правильно — и у тебя будет личная поддержка в нашей администрации.

Сергею стало неловко и как-то неприятно. С Кашириной у него сложились действительно хорошие деловые отношения, они знакомы уже три года, но ни разу ему не пришлось даже заподозрить в ее поведении хотя бы намек на личный интерес. Хотя... Кто его знает. Может быть, Чума не так уж далек от истины? Просто Сергей не особенно внимателен к людям, они его, честно признаться, мало интересуют, так что он мог и не заметить каких-то проявлений, которые бросились в глаза Петьке. Но, с другой стороны, какие уж такие проявления могли быть? Татьяна Геннадьевна не того полета птица, чтобы заглядываться на судебного медика значительно моложе себя. На кой черт ей сдался Саблин?

Он попытался увести разговор в сторону.

— Но меня ведь должно назначать в конечном итоге областное Бюро, — заметил он. — Ты уверен, что там согласятся с моей кандидатурой?

Чума демонстративно закатил глаза к потолку.

— Серега, ну ты как дитя малое! Областному-то Бюро какая разница, кто будет командовать в Северогорске? Им важно, чтобы у нас городское Бюро без начальника не осталось, а кто и что — это наше дело, здесь мы решаем. Их задача — проконтролировать, чтобы мы вместо медика не посадили на должность воспитательницу детского сада, а все прочее — не их забота.

Сергей не особенно верил в энтузиазм Чумичева, однако прошло совсем немного времени, и Георгий Степанович Двояк освободил должность, а приехавшая из областного Бюро судмедэкспертизы комиссия официально представила Сергея Михайловича Саблина коллективу городского Бюро как нового начальника.

Оказалось, что этого никто не ожидал. Всезнающая Светлана доложила Саблину, что в коллективе Бюро господствовало три мнения относительно нового шефа. Как только стало известно, что Георгий Степанович собрался уходить, было высказано первое предположение: назначат Валентину Юрьевну Василенко как единственного остепененного сотрудника. Василенко и сама поверила в такую возможность и ходила гордо подняв голову и загадочно поблескивая глазами. Ну в самом деле, кого же назначать, как не ее: и ученая степень есть, и опыт руководящей работы, она же заведовала отделением до ухода в декрет. И своя, опять же, всех знает и во всем легко разберется. Потом стали поговаривать об Изабелле Савельевне: у нее опыта побольше, чем у Василенко, она уже много лет руководит отделением экспертизы трупов, и вообще она дама в возрасте, серьезная, ответственная, ей можно доверить городское Бюро. И самым последним возникло мнение о том, что на должность начальника пришлют все-таки варяга. Со стороны возьмут. «Своего» пристроят.

Заведующего отделением судебно-гистологической экспертизы никто в качестве возможного начальника даже не рассматривал. Этот выскочка? Этот сноб? Этот самоуверенный москвич, который в Северогорске без году неделя? Даже смешно говорить. О том, что «без году неделя» исчисляется уже семью годами, все как-то подзабыли.

На общем собрании коллектива, когда областная комиссия представляла Сергея, он сразу понял: будет трудно. Только три пары глаз смотрели на него ободряюще и тепло. Изабелла Савельевна, эксперт-биолог Таскон и Светлана, которую он сразу же решил оставить на месте. Она выполняла работу не только секретаря и кадровика, но и делопроизводителя канцелярии и была со своей добросовестностью и аккуратностью просто незаменима. Работала она быстро, точно, ничего не забывала и документов не теряла, а то, что иногда позволяла себе вольности в общении с сотрудниками, Сергея не задевало. Он и сам деликатностью не страдал и за речью не особо следил.

Однако же, понимая, что руководить придется коллективом сложным, с первого же дня старался дать понять, что панибратства не потерпит. И даже те, с кем раньше он был на «ты», должны были отныне обращаться к нему только по имени-отчеству.

Георгий Степанович в работу Бюро в последние годы не вникал и смотрел сквозь пальцы на то, что вопреки правилам делопроизводства различные запросы от организаций, и в том числе от правоохранительных органов, направлялись не на имя руководителя экспертного учреждения, как положено, а были адресованы конкретным экспертам. Двояка эти мелочи не интересовали. Сергей сразу же подобную практику прекратил, твердо заявив, что отныне все документы идут только через него и он сам будет решать, кому поручать ту или иную экспертизу. Из-за того, что при Двояке распределение поручений шло самотеком, у некоторых экспертов была прекрасная возможность отлынивать от работы, а объемы работы и случаи экспертных исследований разной степени сложности распределялись неравномерно. Одни эксперты оказывались по горло завалены направлениями, а другие валяли дурака, при этом еще и ухитряясь уклоняться от дежурств и от выездов на места происшествий.

Саблин взял распределение нагрузки полностью под свой контроль, заставил всех дежурить и требовал, чтобы при выезде на место происшествия эксперты были полностью подготовлены и имели при себе весь набор спецсредств для полноценного осмотра трупа.

Слава богу, что хотя бы в деле экспертизы трупов можно было не проверять каждый акт: квалификацию Сумароковой Сергей сомнению никогда не подвергал. Он хорошо помнил слова Петьки Чумы о том, что новый начальник приведет с собой нового зама, которому сможет доверять. Никого другого, кроме Изабеллы Савельевны, Сергей на этом месте не видел. Но едва он завел об этом разговор, Сумарокова замахала руками:

— Вы с ума сошли! Я специалист по экспертизе трупов, а не по руководству живыми людьми. Это, знаете ли, принципиально разные вещи. И скажу вам честно, я страшно удивилась, узнав, что вы согласились на эту должность. Руководитель — это особая профессия. Хороший специалист должен сидеть на своем месте и заниматься своей работой. Если он специалист в области экспертизы трупов — пусть сидит в морге и не высовывается, там от него больше пользы будет. А если он специалист в области организации работы подчиненных — то вот и пусть занимает кресло начальника, а в морг не суется. Рисковый вы человек, Сережа!

Он сперва расстроился, но потом решил, что Изабелла права. Пусть он пока поработает без заместителя, зато за судебно-медицинскую экспертизу трупов будет относительно спокоен.

* * *

Но оказалось, что и тут есть свои проблемы.

У проблемы было имя — Виталий Филимонов. Этот эксперт, несмотря на внешне приятельские и вполне доброжелательные отношения, сложившиеся между ним и Саблиным, нового начальника Бюро открыто невзлюбил. Причин такой перемены Сергей не знал, но систематически узнавал от Светланы о том, что Филимонов в кругу коллег кроет его последними словами.

Изабелла Савельевна на Виталия никогда не жаловалась, и далекий от принятых повсеместно правил поведения руководителя Сергей Саблин искренне полагал, что коль жалоб нет — то все в порядке. Ему неведом был принцип, которым руководствуются действительно хорошие начальники: никогда не жалуйся вышестоящему руководству на своих подчиненных; если они накосячили — бери всю вину на себя, потому что это и есть твоя вина. Ты недосмотрел, ты не перепроверил, ты слепо доверился человеку, на профессионализм которого ты полагался, значит, ты сам ошибся в своих оценках и суждениях, вот и бери вину на себя. Разумеется, перед теми, кто выше по должности. Внутри своего подразделения ты можешь высказывать провинившемуся все, что считаешь нужным, и наказывать его по собственному разумению, но «сор из избы» — никогда.

За годы заведования отделением судебно-медицинской гистологии Сергей так и не научился быть руководителем. Быть начальником, раздающим поручения, распределяющим нагрузку, следящим за дисциплиной и сурово карающим за просчеты в работе, — да, этой наукой он овладел в полной мере. А вот руководить людьми, то есть создавать такие психологические условия, в которых каждый будет работать в меру своего умения, но с полной отдачей и ответственностью, он не умел. Поэтому молчание

Сумароковой по поводу Виталия Филимонова считал доказательством его вполне добросовестной работы. О том, как он вскрывал детский труп, Сергей почему-то не вспоминал.

И для него стало открытием, когда при распределении заданий Филимонов стал пытаться настаивать на своем: он хотел вскрывать только «скоропостижные смерти» или «висельников», то есть случаи, не требующие приложения больших усилий. Сложные случаи Виталий Николаевич не любил и старался всеми силами их избегать. Сергей ни на какие поблажки не шел, расписывал ему те трупы, которые считал нужным, и Виталий с шутовской миной покорности судьбе склонял голову. Причем в самом прямом смысле, делая это демонстративно, ярко, сопровождая кивок головы какими-нибудь забавными словами и прибаутками и неизменно вызывая смех присутствующих. Он был веселым и легким, любил дурачиться и рассказывать сальные анекдоты, и Сергей все никак не мог взять в толк: неужели то, что рассказывает о Филимонове секретарь Светлана, — правда? Да этого просто не может быть!

Однажды, спустившись в морг, Сергей увидел санитаров с каталкой. На каталке лежал труп мужчины, явно после вскрытия, поскольку спереди на теле покойного красовался ушитый секционный разрез. Голова мужчины была почти лысой, и, бросив на нее случайный взгляд, Сергей остолбенел: никаких следов разреза. Череп не вскрывали. Как это может быть?

— Так решил эксперт, — пожав плечами, пояснил старший санитар по фамилии Федоров, которого все называли просто дядей Федором. — Он сказал, что ему череп не надо.

— Почему не надо?

— Так мне откуда знать? Я не доктор. За вскрытие эксперт отвечает, а не санитары. Наше дело телячье. Нам как сказали — так мы и сделали.

— Кто вскрывал? — спросил Сергей.

— Виталий Николаевич.

Саблин попросил дядю Федора пригласить Филимонова в секционную, а сам вместе с другим санитаром повез туда каталку с трупом.

Дождавшись Филимонова, Сергей попросил санитаров переложить тело с каталки на секционный стол и вскрыть черепную коробку. Виталий с недоумением посмотрел на Саблина.

— Для чего? Там слева крупозная пневмония, причина смерти и так ясна.

Сергей не отвечал до тех пор, пока они не остались с Филимоновым наедине.

— Виталий Николаевич, — с едва сдерживаемой яростью проговорил он, — я убедительно попрошу вас сейчас, при мне, провести исследование. И сделать все, как полагается.

— Но, Сергей Михайлович...

Филимонов науку быть подчиненным знал хорошо и никаких попыток сохранить фамильярные отношения с новым начальником не делал, с первого же дня выполняя указание Саблина обращаться к нему только на «вы» и по имени-отчеству.

— Вы приказы помните? Помните, что в них написано? Будьте любезны, сходите в ординаторскую, переоденьтесь, возьмите инструменты и возвращайтесь. И медрегистратора пригласите сюда.

В приказах, регламентировавших порядок проведения экспертных исследований в судебно-медицинской экспертизе, было четко указано, что обязательно должно быть проведено исследование трех полостей тела: полости черепа, грудной полости, полости живота.

Филимонов весело улыбнулся, покачал головой и хмыкнул:

— Ох, Сергей Михайлович, Сергей Михайлович, что ж вы так нерационально время-то тратите? Оно ж золотое, уйдет — и не вернется, потом жалеть будете, что могли сделать что-то полезное или приятное, а вместо этого вскрывали никому не нужный череп. Ну нет там ничего, голову могу прозакладывать! Я же в экспертизе не первый день, хорошо знаю, где что можно найти, а где и когда и искать не стоит. Там крупозная пневмония, и больше ничего. Может, все-таки передумаете, а?

Он был таким благостным и спокойным, что Сергей на какой-то момент даже засомневался: может, действительно он какую-то глупость совершает? Не может подчиненный, которого начальник фактически поймал с поличным на недобросовестном выполнении работы, так легко и добродушно реагировать. Человек, который знает, что неправ, должен оправдываться, обороняться, злиться, проявлять агрессию или на худой конец просто выглядеть расстроенным и подавленным. Ничего даже отдаленно похожего на эти эмоции у Виталия Николаевича Филимонова не наблюдалось.

Эксперт ушел в ординаторскую и через некоторое время вернулся вместе с медрегистратором. Исследование началось. Сергей стоял рядом и внимательно наблюдал за работой Филимонова. Тот поднял на Саблина глаза и язвительно спросил:

— Как прикажете мозг вскрывать, ваше благородие, господин начальник? По Флексигу? Или по Вирхову? А может, вам по Фишеру угодно, чтобы побольше кусочков для гистологии набрать?

Сергей взгляд выдержал, но с трудом поборол в себе желание заорать.

— Как умеете, так и вскрывайте, — холодно ответил он. — А я заодно и посмотрю, как и что вы умеете.

— Тогда по Флексигу, если вы не возражаете, — спокойно улыбнулся Филимонов.

Виталий Николаевич был и в самом деле хорошим специалистом. Работал он легко, красиво, быстро, очень точно, при этом успевал и диктовать протокол исследования, и что-то насвистывать, весьма мелодичное.

«Дал же Бог талант человеку, которому он не нужен, — с досадой думал Саблин, глядя на Филимонова. — Ведь способный парень, дело знает, все умеет... Впрочем, какой он парень? Он старше меня на два года, кажется, или на три. Одно удовольствие смотреть на его работу! А ему не нужно. Ему интересно только зарабатывать деньги, получая их от сомнительных личностей. Он превратил морг в свою частную лавочку, которая позволяет извлекать доход. И никакие слова о поиске истины и о защите беззащитных, никакие соображения справедливости и правосудия его не волнуют. Человек хочет радоваться жизни и не хочет никаких переживаний и трудностей».

Филимонов оказался прав: никаких патологических изменений в головном мозге, а также повреждений оболочек и костей черепа при исследовании изнутри не обнаружилось.

Выходя из секционной, Виталий Николаевич широко улыбнулся Сергею:

— Что ж вы, Сергей Михайлович, такой тупой и упрямый? Я же говорил: там ничего нет. А вы мне не верили. Наверное, я все-таки побольше вашего трупы вскрывал. Могли бы и довериться моему опыту.

И тут Саблин взорвался. Он не собирался ничего говорить, ему казалось вполне достаточным самого «воспитательного акта», чтобы эксперт понял. Но он, судя по всему, ничего не понял. И его широкая радостная улыбка оказалась последней каплей для Сергея.

— А в акте вы что написать собрались? — он почти кричал. — Что вскрытие полости черепа не производилось ввиду нецелесообразности? Или сами написали бы соответствующую часть протокола, дескать, вскрыл и обнаружил то-то и то-то? Виталий Николаевич, я не сомневаюсь в ваших способностях описывать в протокольной части то, чего вы никогда не видели. В вас погибает великий фантаст. Может быть, вам сменить квалификацию?

Филимонов начал медленно наливаться краской. Сергей посмотрел на медрегистратора, которая, втянув голову в плечи, старалась протиснуться мимо него к двери. Не надо было при ней начинать... Когда-то Светлана объясняла ему что-то про правильные отношения с младшим и средним медперсоналом, но сейчас в пылу конфликтной ситуации он про все забыл.

Посторонившись, он пропустил женщину и, дождавшись, когда она выйдет, продолжил:

— Вы думаете, я не знаю, как вы пишете акты вскрытия без самого вскрытия? И вы думаете, я не знаю, сколько вы этим зарабатываете? У меня просто руки пока не дошли вами заняться, у меня много других забот, которые мне оставил наш бывший шеф. И если я вас пока не трогаю, то это не значит, что так будет всегда. Виталий Николаевич, мне нужен еще месяц, чтобы привести дела в Бюро в относительный порядок. У вас есть ровно тридцать суток на то, чтобы принять решение: или вы работаете так, как предписано законом и инструкциями, или вы покидаете нас. Но делать из моего Бюро дойную корову я вам никогда не позволю. И еще: если в течение этих тридцати суток я увижу хоть один признак того, что вы берете деньги за фальсификацию вскрытий и выдаете невскрытые трупы, вы будете уволены немедленно.

Он перевел дыхание и уже спокойнее произнес:

— Надеюсь, вы меня поняли.

Румянец, заливавший лицо Филимонова, давно сошел, теперь он стоял перед Саблиным спокойный, как обычно, насмешливо улыбался и, казалось, ни о чем не беспокоился.

— Конечно, Сергей Михайлович, — ответил он ласково, — я вас отлично понял.

* * *

До конца дня Сергей пребывал в дурном расположении духа. Столкновение с профессиональной недобросовестностью Виталия Филимонова отчего-то выбило его из колеи. Он-то был уверен, что, по крайней мере, с экспертизами трупов у него все будет нормально, а оказалось, что Филимонов может подвести в любой момент. Просто поленится провести исследование должным образом. Или «замарафетит» за соответствующую мзду вскрытие, напишет шаблонный акт, а там на самом деле криминал... Вот же еще одна головная боль!

О невскрытых трупах Саблин знал давно, но пока он заведовал гистологией, его этот вопрос не касался. Теперь все иначе. Теперь он отвечает за работу не только всего Бюро в целом, но и за действия каждого эксперта и каждого лаборанта. Значит, надо во все вникать и всем заниматься.

Домой он отправился в тот день в восьмом часу вечера, рабочее время судебных медиков давным-давно закончилось, но, проходя вдоль здания в сторону площадки, где обычно стояла служебная машина, полагающаяся ему по должности, Сергей поднял глаза и заметил свет, горящий в окнах отделения судебно-биологической экспертизы. Надо же! А он был уверен, что в здании Бюро остались только дежурные санитары.

Сам не понимая для чего, он быстрым шагом вернулся и поднялся на второй этаж. Так и есть, Лев Станиславович Таскон восседал за своим рабочим столом, но не исследование проводил, а читал какую-то толстую книгу. Настроение у Саблина почему-то сразу улучшилось. Не все так плохо в Датском королевстве, если есть эксперты, которые не спешат домой, а остаются на работе и читают литературу по специальности. Есть сотрудники, которые не подведут и на которых можно положиться! Не все тут филимоновы, есть и сумароковы, и тасконы.

— Как это понимать? — с деланой суровостью вопросил Саблин. — Что за ночные посиделки?

Лев Станиславович отложил книгу, сунув в нее пластмассовую закладку отвратительного зеленого цвета, и сделал приглашающий жест рукой.

— Добро пожаловать, гражданин начальник! А у меня тут, понимаете ли, большой литературный вечер. Решил побаловать себя записками и воспоминаниями опытных экспертов, да так зачитался, что за временем не уследил.

— А супруга? Неужели не ждет дома?

— Не ждет, — Таскон изобразил на некрасивом подвижном лице мину под названием «я убит горем». — У ее подруги дочь завтра замуж выходит. Девица в невменяемом состоянии, сами понимаете, волнуется, нервничает, платье без конца примеряет, боится, что ее парикмахер за ночь заболеет и утром не сможет ее причесать, короче говоря, невеста в организаторы торжества никак не годится. Подруга жены пытается сделать одновременно тысячу дел и утрясти тысячу вопросов, но она тоже не железная, вот моя Лялечка и подключилась. Она и ночевать у подруги останется, и завтра весь день будет на подхвате. Так что до завтрашнего вечера, причем позднего, я — соломенный холостяк.

— А почему бы не взять книги домой? — удивился Сергей. — Там ведь наверняка и удобнее, и уютнее. Заварили бы чайку, сели в кресло или на диван, открыли книгу... Красота! А вы тут ютитесь на неудобном стуле. И наверняка голодный.

— Э, нет, — Таскон покрутил насаженной прямо на плечи головой, — не скажите. У меня здесь коллекция. Я эти книги много лет собираю. И пределы Бюро они не покидают. Это вопрос принципа. Мне доставляет несказанное удовольствие окидывать взором мои сокровища! В этом смысле я как Скупой Рыцарь. Хотя почитать, конечно, даю, если кто интересуется. Но прошу из Бюро не выносить, читать на рабочем месте.

Сергей бывал в этом кабинете много раз за семь лет, но ему никогда не приходило в голову посмотреть на стены. Он интересовался только тем экспертом, к которому заходил с каким-либо вопросом, и детали интерьера из сферы его внимания постоянно выпадали. Проследив за взглядом Льва Станиславовича, он увидел несколько длинных полок, плотно уставленных книгами и журналами, из которых торчали многочисленные закладки с рукописными пометками. Среди книг обнаружились «Судебно-медицинская токсикология», руководство по отравлениям техническими жидкостями, толстый том по оказанию первой медицинской помощи при травмах, отравлениях и других состояниях, многочисленные книги по истории судебной медицины, историческим захоронениям, по исследованиям останков известных людей, сборники очерков по судебно-медицинской казуистике. На другой полке Саблин с изумлением заметил несколько романов Дюма и серию научно-популярных изданий «Сто самых известных»: «Сто самых известных преступников», «Сто самых известных преступлений» и множество других.

Лев Станиславович Таскон не переставал удивлять Сергея. Специалист, имеющий два высших образования — медицинское и химическое, он вследствие сложных жизненных обстоятельств оказался в Северогорске, работал сначала в заводской лаборатории, потом почему-то преподавал в школе химию и биологию и в конце концов оказался в экспертизе. Что это были за таинственные обстоятельства, Саблин не знал, да и не интересовался особо. Он просто был уверен, что эксперт-биолог Таскон — человек в высшей степени квалифицированный, добросовестный и ответственный, интересуется историей судебной медицины, счастливо женат на отменной кулинарке красавице Лялечке и дружит с Изабеллой Савельевной Сумароковой. Ничто другое Сергея не занимало.

И вдруг оказалось, что круг интересов Льва Станиславовича куда обширнее, чем можно было предполагать. Токсикология, яды и отравления... И даже романы Дюма, в которых разным отравлениям уделено отнюдь не последнее место. Самые известные преступления и преступники... Исторические захоронения, останки известных людей... Да он просто ходячая энциклопедия!

— Лев Станиславович, я все хотел спросить, да случая не было: почему вы выбрали судебную биологию? Вы же все-таки медик по первому образованию, мне казалось, ваше место в отделении судебно-гистологической экспертизы или в морге, а не здесь, — спросил Саблин, не отрывая глаз от книг на полках и продолжая читать названия на корешках.

— Да я, собственно, химию больше люблю, поэтому собирался в судебно-химическое отделение, — улыбнулся Таскон, — но в тот момент, когда у меня возникла необходимость в сокращенном рабочем дне, вакантное место было только у биологов. Я прошел сертификационный цикл, и меня назначили сюда. Первое время я все собирался дожидаться, когда освободится ставка у химиков, и перейти туда, а потом понял, что биология мне даже ближе, интереснее. Она мне почему-то душу греет.

Сергей молча кивнул, продолжая изучать коллекцию эксперта.

— А я смотрю, вы не удивились, — раздался голос Льва Станиславовича.

— Чему я должен был удивляться?

— Тому, что какая-то наука или дисциплина может греть душу. Вы, наверное, единственный, кроме Белочки, кто меня в этом смысле понял. Вам же, насколько мне известно, работа с трупами тоже душу греет, хотя вы никогда и никому в этом не признавались. Мы с вами одного поля ягоды. Сумасшедшие, влюбленные в свою малоаппетитную работу.

— А почему отравления? — задал Сергей новый вопрос. — Откуда интерес к токсикологии?

— Да просто так... Знаете, любопытно. Что-то вы не в настроении, гражданин начальник, — заметил биолог. — Кто-то расстроил вас? Или случилось что?

Сергей снял теплую куртку, уселся на свободный стул и неожиданно для себя самого поведал Таскону о вскрытии, проведенном Филимоновым.

— Не понимаю, — сокрушенно говорил он, — как Изабелла Савельевна может с этим мириться! Никогда не поверю, что она не знает. Она столько лет руководит отделением, что знает, наверное, количество зубов во рту каждого ее сотрудника. Почему же она молчит? Почему не принимает никаких мер?

— Голубчик вы мой, — снова засмеялся Лев Станиславович, — а кто работать будет, если Виталик уволится? Он-то себе работу всегда найдет, а вот что Белочка будет делать? Она сама вскрывает, это правда, но ее рук недостаточно для всего объема работы. Кроме Виталика у нее еще два эксперта, ну, вы сами их знаете, на них вообще надежды никакой.

Они, конечно, с левыми деньгами не хулиганят, ведут себя достойно, но уровень их подготовки оставляет желать много лучшего. Вот вам спасибо — вы Белочку очень выручали, когда брали вскрытия, хотя и не обязаны, а теперь вы большой начальник, крутой босс, вскрывать больше не будете, так что же ей прикажете делать? Без Виталика она останется фактически одна. И вы же первый начнете ее гнобить за задержки выполнения исследований. Так что приходится мириться с его фокусами. Он, по крайней мере, хоть эксперт хороший. Или у вас другое мнение?

— Да нет, — вздохнул Саблин, — согласен. Более того, он не просто хороший эксперт, он — эксперт превосходный. Он по-настоящему талантлив в деле экспертизы трупов, у него золотые руки, я сегодня смотрел, как он работает — налюбоваться не мог. Вот мне и обидно, что такой талантливый человек не служит своей профессии, а беспринципно торгует ею и получает наживу.

— Именно, голубчик, именно что талантливый и разносторонне одаренный, — почему-то обрадовался Лев Станиславович. — Он ведь не только отличный эксперт, он еще и бальными танцами всю жизнь занимался.

У Саблина челюсть отвисла от изумления.

— Как вы сказали? Бальными танцами? Филимонов? Вы шутите, Лев Станиславович!

— Ни одного раза не шучу, — заверил его эксперт-биолог. — Виталик занимался бальными танцами с самого детства, участвовал в соревнованиях, был неоднократным призером и даже чемпионом, женился на своей партнерше, как это у них водится, потом, правда, они развелись, но танцев он не бросил. До тридцати лет выступал, а потом перешел на тренерство и до сих пор ведет классы у нас в Северогорске. Его ученики занимают высокие места и на областных соревнованиях, и на общероссийских. Филимонов — фамилия в мире бальных танцев очень достойная, с хорошей репутацией. К нему в класс попасть не так просто, у него чрезвычайно строгий отбор. Одним словом, голубчик, Виталик действительно разносторонне одаренный человек. Может быть, имеет смысл быть к нему снисходительным?

— Нет, — твердо ответил Сергей. — Если он пришел в экспертизу, пусть будет любезен работать с полной выкладкой. А танцы всякие там пусть оставит на старость, когда на пенсию выйдет. Если он так хочет плясать, то пусть увольняется прямо сейчас. В противном случае я буду требовать от него неукоснительного соблюдения всех приказов, инструкций, правил и моих личных указаний.

Таскон с сожалением пожал плечами:

— Не уверен, что вы правы, голубчик Сергей Михайлович, но вам виднее. Увы, должен констатировать, что разносторонне одаренные люди довольно часто приходят в судебную медицину, но, как правило, не встречают понимания со стороны окружающих и далеко не всегда делают карьеру, достойную их способностей. Мы с вами оба прекрасно знаем, что в вашей профессии нередко попадаются врачи, которым судебная медицина не нужна и не интересна, они не чувствуют к ней вкуса, она им не близка, но они вынуждены работать, чтобы в конце концов получить пенсию, а ни в каком другом месте они свою пенсию не выработают: из клинической работы их уже выгнали за некомпетентность или халатность, а в научную не взяли и не возьмут. Именно эти люди и делают, как ни странно, хорошую карьеру, они на виду, и по ним судят обо всей вашей профессии судебного медика. Отсюда и пренебрежительное отношение к судебной медицине в целом. А те, кто истинно талантлив и неординарен, остаются в тени.

— И вы много знаете талантливых неординарных людей в нашей судебной медицине? — скептически осведомился Саблин. — Что-то я таких не встречал. Вот только если вас.

— Ну как же! — замахал коротенькими ручками Таскон. — А Постников? А Мин? Неужели вы про них не слыхали?

— Не слыхал, — признался Сергей. — Расскажете?

— С удовольствием! — на лице Льва Станиславовича заиграла лукавая радостная улыбка: он оказался в своей стихии. — Итак, мой друг, пренебрежительное отношение к судебной медицине уходит корнями в далекое прошлое. Так было еще в семнадцатом веке, так и по сей день осталось. Вот вы о Постникове никогда не слышали, а ведь это был выдающийся специалист, широко образованный врач, в конце семнадцатого века изучал медицину в Падуе, знал греческий, латынь, итальянский и французский языки. Блестяще сдал все экзамены и был признан доктором медицины и философии. Он мечтал заниматься медициной, однако иноземные доктора из Немецкой слободы, выражаясь современным языком, перекрыли ему кислород, а широкая образованность Постникова и знание им иностранных языков привели к тому, что этого специалиста в области медицины стали использовать не по назначению. Петр Первый приписал его к Великому посольству. Так вот, Петр отправил Постникова в Вену вместе с думным дьяком Возницыным вести переговоры с турками. Переговоры в назначенный срок не состоялись, что-то там у турецкой стороны не заладилось, и Постников решил, пока суть да дело, рвануть в Неаполь, чтобы там усовершенствовать свои врачебные навыки. В Неаполе, видите ли, была возможность поработать с подопытными животными. Но Возницын был старшим по положению, он испугался, видать, остаться без переводчика и направил Постникову грозное письмо: «...и без тебя быть нельзя, и дела делать будет некем... Поехал ты в Неаполь для безделья, как в твоем письме написано, — «живых собак мертвить, а мертвых живить», — и сие дело не гораздо нам нужно». Вот как! Не гораздо нужно. А усовершенствование в трупоразъятии — это, изволите ли видеть, безделье.

— С ума сойти, — выдохнул Саблин. — Потрясающая история! А я-то все голову ломаю, откуда у людей в головах такие дикие представления о судебных медиках! Оказывается, это у нас исторически сложившаяся практика! Вы еще какого-то Мина упоминали...

— О-о-о! Дмитрий Егорович Мин — профессор медицины, внесший огромный вклад в развитие судебной медицины в середине девятнадцатого века. Так вот, он был, помимо всего прочего, прекрасным знатоком древних и новых языков, с большим увлечением занимался литературными переводами. Шекспир, Байрон, Данте, Шиллер! И многие другие авторы. Он обладал блестящими литературными способностями и много писал для московских газет и журналов. И между прочим, Дмитрий Егорович стал автором полного и лучшего в девятнадцатом веке перевода «Божественной комедии» Данте. Видите, какой блестящий ум, какая степень разносторонней одаренности, а вы, специалист в области судебной медицины и человек образованный, о нем даже не слышали.

Сергей, несмотря на позднее время, с наслаждением слушал рассказы Таскона, который от Постникова и Мина перешел к таким корифеям судебно-медицинской науки и практики, как Мухин, Нейдлинг, Армфельд, Венсович...

— И не думайте, голубчик мой, что широко образованные специалисты шли в судебную медицину только в прежние века. Вы монографиями Кустановича пользуетесь?

— Ну а как же, — улыбнулся Сергей. — Это мои настольные книги, несмотря на то, что изданы в 50-е годы. По-моему, до сих пор никто лучше и полнее вопросы баллистики и трасологии не освещал.

— Именно! Вы совершенно правы! Так вот знайте, мой дорогой, что Семен Давидович Кустанович широко известен во всем мире своими фундаментальными исследованиями в области орнитологии, его уважали самые видные орнитологи нашей планеты, а на его лекции в МГУ собирались студенты всех курсов биофака.

Дурное состояние духа постепенно рассеивалось, голос Льва Станиславовича звучал умиротворяюще, и положение дел в Бюро уже не казалось таким безнадежно-неисправимым.

— Так что вы все-таки решили делать с нашим Виталиком? — спросил Таскон, когда они прощались на крыльце здания Бюро. — Увольнять будете?

— Я дал ему месяц, — ответил Сергей. — Все равно мне сейчас недосуг заниматься проверкой всех его экспертиз. А для того чтобы сделать выводы о его профпригодности, я должен своими глазами все прочитать и все увидеть. Через месяц, надеюсь, я немного освобожусь и займусь Филимоновым, если он не одумается.

* * *

Этот срок — месяц — Сергей Саблин установил себе сам для решения одной проблемы, с которой он столкнулся совершенно неожиданно и не представлял, с какого конца браться за ее распутывание.

В морге Бюро было три холодильных камеры для хранения тел. В камере поменьше находились трупы, ожидающие вскрытия. В большой камере — уже вскрытые тела, ожидающие, когда их заберут для захоронения. Сергей, периодически работая с трупами, имел дело только с малой камерой, откуда тела доставлялись в секционную. К большой же камере он отношения не имел, а о том, что существует и третья — тоже большая — камера, не знал вообще, несмотря на то, что неоднократно видел дверь с навесным замком. Его до такой степени не интересовало ничто, напрямую не связанное с его работой, что он ухитрялся не замечать даже того, что не заметить было невозможно.

Теперь же с его работой было связано абсолютно все в Бюро судебно-медицинской экспертизы, и в один из первых же дней после вступления в должность он в сопровождении старшего санитара дяди Федора отправился с инспекцией по своим владениям. Вот тут-то и попалась на его пути загадочная третья холодильная камера с огромным навесным замком на двери.

— Что у нас здесь? — спросил он дядю Федора.

Тот с недоверием глянул на нового шефа.

— Как — что? А вы не знаете, что ли? Трупы здесь.

Сергей решил, что ослышался.

— Какие трупы? В малой камере невскрытые, в большой — вскрытые. Какие еще могут быть трупы у нас? Ну-ка открывай! — скомандовал он.

Дядя Федор достал ключи и открыл замок. Сергею показалось, что он попал на съемки фильма ужасов. Если в первых двух камерах тела хранились на двухъярусных стеллажах, то здесь никаких стеллажей не было. Трупы лежали друг на друге прямо на полу, завернутые в покрывала, старые одеяла и еще Бог весть в какое тряпье. Укрепленные на стене рефрижераторы работали исправно, поэтому трупной вони практически не было, ощущался только обычный прогорклый запах тления. Сергей прикинул количество трупов на глазок: получилось несколько десятков.

— Ну, и что это такое? — спросил он у дяди Федора.

— Так трупы же, — нетерпеливо повторил старший санитар. — Те, на которые прокуратура разрешения до сих пор не дала, чтобы хоронить.

— И давно они тут лежат?

— Давно, — кивнул дядя Федор с некоторым даже, как показалось Саблину, удовольствием, — кто год, кто два, а кто и с прошлого века тут отдыхает, лет по шесть — по семь. А есть и такие, которые и дольше лежат, но это криминальные, конечно. Сами понимаете, дело не закрыто, преступление не раскрыто, хоронить, стало быть, пока нельзя.

Саблин не имел ни малейшего представления о том, как поступить и что со всем этим делать. Но то, что делать надо, сомнений не вызывало.

Однако хотя бы первый шаг следовало сделать. Он велел дяде Федору до конца рабочего дня переписать все трупы из третьей камеры и представить ему список с указанием номера экспертного заключения и даты, когда труп поступил в морг.

Сказать, что старшему санитару Федорову это поручение не понравилось, — это ничего не сказать.

Но Сергей Михайлович Саблин, не привыкший обращать особое внимание на окружающих его людей, по обыкновению, ничего не заметил.

* * *

Самолет слегка подрагивает, костлявая некрасивая стюардесса объявила, что мы вошли в зону турбулентности, но никакой особой турбулент-

ности я не замечаю. Так, потряхивает немного. И почему стюардесса такая страшная? На эту работу должны брать только первостатейных красоток, чтобы было на что с приятностью посмотреть, тогда никакие дурные мысли в голову не полезут, особенно во время пресловутой турбулентности. Посмотришь на красивое — и умирать не страшно.

А эта баба была красивая... Я долго выбирал, присматривался, пока не остановился на ней. Я все рассчитал, все продумал. Аэропорт — идеальное место для осуществления моего плана. Народу тьма, и многие находятся там часами, а то и сутками, если рейсы задерживают. Человек улетает, из гостиницы выписался, если рейс задерживают на полсуток и больше — возвращаться ему некуда, в отеле при аэропорте нет мест, а если и есть, то не всегда хватает денег, которые рассчитаны «под ноль», особенно к концу отпуска. Вот и толкутся несчастные с задержанных рейсов по зданию аэропорта.

Главное было правильно вычленить тех, кто улетает еще не скоро. Наблюдение за людьми у табло вылета и за их реакцией на объявления по громкой связи о переносах рейсов принесло свои плоды. Довольно быстро я научился определять, кто именно из этой толпы каким рейсом улетает. Теперь из задержавшихся следовало выбрать жертву.

И я ее выбрал. Молодая женщина, путешествовавшая в одиночестве. Очень, очень красивая. По крайней мере, на мой вкус. От своего деяния я хотел получить максимум удовольствия, и время, проведенное в обществе потенциальной жертвы за чашечкой кофе, должно было стать приятным. Место, где я предполагал напоить ее этой самой чашечкой кофе, я тоже выбирал заранее, тщательно продумав все условия, которые необходимо соблюсти. Первое: *местоположение точки должно быть таким, чтобы можно было уйти оттуда и занять позицию, позволяющую наблюдать за происходящим, при этом оставаясь незамеченным. Второе: там не должно быть официантов, только самообслуживание.*

Женщина собиралась улетать рейсом, который переносили уже четыре раза. По расписанию ее самолет должен был взлететь девять часов назад, но снова объявили задержку, на этот раз еще на три часа. Ее никто не провожал, и все эти девять часов она провела в полном одиночестве. Я наблюдал за ней минут сорок и увидел, как она, поговорив с кем-то по телефону, с досадой принялась нажимать кнопки на мобильнике, а потом сердито сунула его в сумочку. Все ясно: разрядилась батарея. Или деньги кончились на счете. Если прежде она хоть как-то скрашивала скуку разговорами, то теперь ей и пообщаться не с кем. Я понял, что это хороший шанс.

Она легко пошла на контакт, видно, совсем измаялась от скуки. Мне бы тогда еще обратить внимание на эту мелкую деталь, но я не обратил. А зря.

Десять минут ничего не значащего трепа — и мы уже шли в намеченное мной заведение. Я подвел ее к прилавку, дал возможность осмотреть предлагаемые закуски и десерты и сделать свой выбор, потом, как настоящий джентльмен, усадил даму за столик и вернулся к бармену, чтобы сделать заказ и забрать его. Дозировка просчитана до миллиграмма, в успехе я не сомневался. В первый раз у меня вышла осечка, я чего-то не учел или рассчитал неправильно, и человек, мир которого я готовился разрушить, выжил и через две недели выписался из больницы. Было обидно, конечно: уж больно объект был хорош, действительно целый мир с яркими воспоминаниями, огромными планами, кучей друзей и редким интересным хобби. Если бы с ним всё получилось, он бы очень многое унёс с собой. И всё это перестало бы существовать.

Но мне не повезло. После этого я потратил немало времени на усовершенствование своего орудия и теперь находился в полной готовности. Осечек быть не должно.

Бросить три крупинки вещества в чашку с черным кофе — дело ерундовое, тем более что я не пожалел времени на тщательную подготовку и как следует потренировался. Я поставил перед новой знакомой кофе и тарелку с пирожными и уселся рядом с ней за столик. Она тут же сделала первый глоток, похоже, здорово проголодалась. Мой расчет на то, что вместе с отпуском заканчиваются и деньги, особенно при задержках рейсов, оказался верным. Она явно давно не ела. Если бы в этом кафе были бутерброды или какие-нибудь сосиски, она, наверное, выбрала бы именно их. Но здесь была только кондитерка. Впрочем, я не исключаю, что даже если бы бутерброды и были, она бы постеснялась их попросить. Пирожные — это женственно, бутерброды и сосиски — грубая проза. А она хотела понравиться мне, это было очень заметно.

После первого глотка она отломила маленькой десертной вилочкой кусочек пирожного и сделала второй глоток кофе. Ну вот и все, отсчет времени начался. По моим прикидкам — 30—40 минут. Это значит, что я могу провести в ее обществе еще минут двадцать, после чего мне следует посмотреть на часы, извиниться и сказать, что мне пора на регистрацию. Или даже на посадку.

За отведенные двадцать минут она успела рассказать мне всю свою жизнь, такую короткую и такую глупую, в которой было совсем мало событий и очень много пустых нелепых мечтаний. Когда я встал и начал прощаться, ее кофе уже был *весь выпит, а на тарелке оставалась половинка второго пирожного. Ей не хотелось, чтобы я уходил.*

Я вышел из кафе и быстрым шагом ушел в зону регистрации на рейсы, потом обходным путем вернулся и занял заранее намеченную позицию. Все кафе было как на ладони, а меня видно не было. Расчет оказался верным, вещество начало действовать вовремя, и уже на тридцать четвертой минуте после первого глотка женщина начала умирать. Конечно, никто, в том числе и она сама, этого не понял. Просто человеку стало плохо. Немудрено: долгое ожидание, нервное напряжение, духота, голод и жажда — тут даже самому крепкому мужику может стать дурно, что уж говорить о нежной женщине лет двадцати восьми. Сначала на нее обратили внимание люди за соседним столиком, потом подбежал бармен, возникла суета, кто-то кинулся звонить по телефону, через некоторое время появился человек в белом халате с чемоданчиком. Суета усиливалась, к территории открытого кафе стали стекаться любопытствующие и изнывающие от безделья пассажиры... Я терпеливо ждал. Минут через двадцать появились врачи со «Скорой помощи». Женщину уносить не стали, реанимировать пытались прямо там же, на полу, между столиками. Еще сорок минут. Наконец по окружившей кафе толпе пронесся не то вздох, не то стон. Люди расступились, и мне стало видно, как лежало тело. В этот момент я понял, что у меня все получилось. Женщину не увозили, оставили на месте до приезда милиции. Теперь это чудесное место стало тем, что называется «место происшествия», откуда труп перемещать уже нельзя.

Но радости не было. Не было того кайфа, который я ожидал и который успел почувствовать в *тот первый раз, когда еще думал, что моя жертва наверняка умрет.*

Я понял свою ошибку. Я выбрал женщину. Бабу. Телку. Какой у нее может быть богатый внутренний мир? Все бабы — дуры пустоголовые, созданные природой организмы для доставления мужчинам удовольствия и для продолжения рода. Больше они ни на что не годятся. Вот когда я вспомнил, что она маялась от скуки! Почему она не читала? Почему у нее не было с собой книги или хотя бы журнала? Ну пусть бы газету купила в киоске, вон они через каждые десять метров понатыканы, читай — не хочу. Газета стоит недорого, уж столько-то денег у нее наверняка должно было остаться. Но нет, она настолько тупа, что даже этим не могла скрасить одиночество. Да и все ее рассказы о себе только подтверждали: курица, бессмысленная и никому не интересная. Она — не личность, она не мир, огромный и неповторимый, который так сладостно разрушать. Она — просто тело.

Я допустил ошибку. Даже с бездомными собаками и кошками было интереснее. Даже тогда, когда я разрушил муравейник, удовольствие было ярче и ощутимее. Больше никогда я не буду связываться с женщинами.

Только мужчины. И только умные, неординарные, чего-то достигшие в жизни, интересные, образованные. Такие, мир которых действительно сложен и многогранен. Тот самый мир, властелином которого я буду становиться и решать его судьбу по своему разумению.

* * *

На планерке Саблин дал себе волю. Не стесняясь в выражениях, перечислил все недостатки и огрехи, которые выявил в течение первой недели пребывания в должности. Особенно возмутили его незахороненные трупы из третьей холодильной камеры. И последним, самым мелким и гадким штришком, оказались пустые бутылки из-под спиртного, стыдливо попрятанные в углы кабинетов. Он и в углы заглянул, не поленился, хотя ловил при этом удивленные и даже презрительные взгляды обитателей лабораторий и ординаторских.

— За пьянку на рабочем месте буду увольнять без разговоров, — заявил он. — За каждый недобросовестно исполненный акт — выговор. Править текст ни за кем не буду. Переделывать будете сами столько раз, сколько я скажу, но ни один документ, за который мне будет стыдно, из стен нашего Бюро не выйдет.

Он хорошо помнил, как бесконечно переделывал свою многострадальную статью для ВАКовского журнала. Ничего, не переломился. И они не переломятся.

Он готовился к планерке, потому что понимал: просто руганью и перечислением недостатков с угрозами уволить ничего не добьешься. Нужен план, нужна какая-то программа действий, нужно сформулировать задачи и распределить обязанности, чтобы каждый точно знал, что и как ему делать, чтобы через какое-то время Бюро судебно-медицинской экспертизы заработало как отлично смазанный и отлаженный механизм.

Его слушали внимательно, но никакой радости на лицах присутствующих он не видел.

И заключительный аккорд, который тоже пришел ему в голову ночью и который он решил взять громко и значительно:

— Задачи я сформулировал, ответственных за исполнение назначил. England expects that every man will do his duty. Для тех, кто не понял — переведу: «Англия ожидает от каждого, что он выполнит свою обязанность». Так сказал адмирал Горацио Нельсон двадцать первого октября тысяча восемьсот пятого года по поводу Трафальгарского сражения. А если кто снова не понял, интерпретирую: я жду от вас работы с полной отдачей. Каждый должен выполнять свои обязанности. На сегодня все. Всем спасибо, все свободны.

Ответом ему были хмурые раздраженные взгляды. На лицах экспертов читалось: «Московский пижон, выпендрежник, что он о себе возомнил?» Улыбались только Изабелла Савельевна и Таскон.

Светлана тоже присутствовала на планерке: Саблин решил ввести новый порядок, в соответствии с которым должен вестись протокол. Каждое слово следует записать, чтобы потом никто не мог отвертеться, прикрываясь тем, что «я не знал, вы не говорили». Раньше, при Двояке, этот номер легко прокатывал, потому что планерки проводились в понедельник по утрам, а утро после двух выходных дней всегда бывало для Георгия Степановича временем мутным, наполненным головной болью и тяжким похмельем, и он плохо помнил, что говорил.

Саблин вернулся в кабинет, и к нему тут же зашла Светлана.

— Вам распечатать протокол? — спросила она. — Или просто набить в компьютер и оставить?

— Распечатать. И заведите для протоколов планерок отдельную папку. На каждом протоколе должна быть графа «Ознакомлен» и список руководителей подразделений. Пусть каждый распишется. Особенно тот, кто по тем или иным причинам на планерке не был.

— А слова на английском? Их тоже печатать? Или не надо?

— Надо все. Дословно.

— Тогда вам придется мне их написать. Я английского не знаю, в школе немецкий учила.

Сергей молча кивнул, вырвал листок из блокнота и стал записывать. Светлана терпеливо стояла рядом и ждала.

— Сергей Михайлович, — сказала она, когда он протянул ей листок, — а без этого никак нельзя обойтись?

— Без чего — без этого?

— Без английских цитат. Все знают, что вы без конца цитируете то Шекспира, то еще кого-то, хвастаетесь знаниями. Людям это неприятно.

— Я не хвастаюсь, я просто разговариваю с людьми так, как привык, — равнодушно ответил он.

— Но людям это неприятно! Вы постоянно подчеркиваете, что знаете больше. Они злятся на вас и говорят за вашей спиной всякие гадости. Неужели вам все равно?

— Абсолютно все равно, — сказал Саблин совершенно искренне. — Я не обязан всем нравиться. Я обязан руководить Бюро и делать все для того, чтобы наша работа выполнялась бесперебойно и с должным качеством. Это все. Больше я никому ничего не обязан. Кому не нравится — могут считать себя свободными.

Светлана печально вздохнула и отправилась за свой стол печатать протокол.

А Саблин положил перед собой список, составленный дядей Федором. Конечно, это было сделано далеко не в те сроки, которые он обозначил старшему санитару, но все-таки было сделано.

Список содержал 64 пункта. Большинство хранившихся в третьей камере умерли в минувшем и в прошлом году, но были и такие, кто умер в середине 90-х годов прошлого века, тут дядя Федор не преувеличил. Несколько часов ушло на то, чтобы сверить список с записями в журналах регистрации трупов за прошедшие годы, и в итоге картина стала более четкой. Основную массу печальных обитателей третьей холодильной камеры составляли лица неопознанные, чья личность по разным причинам не была установлена до сих пор. Следующей по численности группой были люди, чья личность установлена предположительно: доставили умершего, вместе с ним приехали его собутыльники или случайные знакомые, которые знают только имя, иногда — фамилию и примерный возраст. А документов нет.

Но были и те, чье имя и возраст отлично известны и записаны в журнал, и для Сергея оставалось непонятным, как же так вышло, что их никто до сих пор не похоронил.

Кто в этом виноват? Эксперты Бюро? Вот уж нет! Они обязаны при производстве исследования или экспертизы трупа с неустановленной личностью описать тело, перечислить в исследовательской части заключения эксперта или акта исследования трупа его антропометрические параметры, особые приметы, рубцы, татуировки и так далее. Если есть анатомические особенности строения тела или анатомические дефекты — указать их. И на этом — все. Конечно, если труп попадает в морг в состоянии гнилостного изменения, то сделать такое описание крайне затруднительно, и умерший так и остается чаще всего неизвестным.

Всем остальным должны заниматься сотрудники уголовного розыска из специализированного подразделения. Иногда им удается установить личность «неизвестного» в течение нескольких дней, а иногда на это уходят месяцы и годы. И что, до тех пор, пока личность не установят, человек должен оставаться незахороненным? Бред какой-то!

Сергей взял список и отправился к Изабелле Савельевне. Она в Бюро самый опытный сотрудник, к тому же трупы — это именно ее епархия.

— Это же дикость какая-то! — возмущался он. — Скопление незахороненных трупов, и никому дела нет. Средневековье!

— Средневековье? — Сумарокова странно усмехнулась и поднялась со своего любимого кресла, сразу возвысившись над Саблиным во весь свой отнюдь не маленький баскетбольный рост. — Я, знаете ли, давно дружу с Львом Станиславовичем и много чего интересного от него узнала. Вы что-нибудь слышали о венгерском враче Ференце Керестури? Он во второй половине восемнадцатого века сорок лет преподавал в Московском университете. Так вот, да будет вам известно, мой друг, что в своей выдающейся речи он еще тогда сформулировал идею общественного здравоохранения. Я вам сейчас перечислю основные задачи, которые, по мнению Керестури, должно решать государство, а вы подумаете и скажете мне, решены они за двести с лишним лет или нет.

Саблин с нарастающим изумлением слушал Изабеллу Савельевну. Оказывается, еще в восемнадцатом веке передовые умы понимали, что необходимо бороться с «нездоровым и гнилым воздухом», «нездоровой пищей», «нездоровыми жилищными условиями», «болезнями всякого рода». Промышленные предприятия необходимо строить за чертой города. Установить контроль за тем, чтобы населению продавались свежие продукты, контролировать качество изготовления кухонной посуды, особое внимание уделять питьевой воде, контролировать изготовление и продажу вина и напитков. Проявлять заботу о жилищах граждан, ликвидировать низкие и сырые жилища, строить дома с учетом всех санитарных требований. Кроме того, благополучие государства, по мнению Керестури, состоит также в организации физического воспитания детей.

— Сила государства в численном росте населения, поэтому государство должно заботиться о сохранении здоровья граждан, — заключила заведующая танатологией. — Все эти идеи витали в воздухе еще двести лет назад. И что, далеко мы продвинулись? Откройте любую газету — и вы прочитаете кучу статей о том, что ни одна из этих задач не решена даже в первом приближении. Продуктами из наших магазинов легко можно отравиться, я уж не говорю о суррогатном алкоголе. Нашим воздухом нельзя дышать. Нашу воду нельзя пить. Наши дети могут полноценно заниматься физкультурой и спортом, только если их родители в состоянии за это платить. Рождаемость падает. Так что насчет Средневековья я бы поостереглась высказываться столь радикально.

— Да, — покачал головой Сергей, — удивили вы меня. Получается, это мы с вами сейчас живем в том же самом Средневековье. Хоть и компьютеры, и мобильные телефоны, и ракеты в космосе, а как были мы дикими и нецивилизованными — так и остались. И в результате, как апофеоз нашей дикости и невежества, — забитая трупами холодильная камера. Вешаться впору!

— Сергей Михайлович, дорогой, вы думаете, я не билась над этим вопросом? Я об него все зубы обломала, — удрученно говорила Сумарокова. — Затык происходит на этапе регистрации смерти. Без свидетельства, выписанного ЗАГСом, хоронить нельзя, а ЗАГСы не принимают у нас свидетельства о смерти без документов, подтверждающих личность. Мы законы знаем, смерть должна быть зарегистрирована в течение трех суток, а если за это время личность не установили, что делать? Вот и отправляли трупы в холодильник. Если бы вы знали, сколько пар обуви я обила о пороги нашего ЗАГСа, хотя это и не моя обязанность, этим должен был начальник

Бюро заниматься. Но он, как вы понимаете, не занимался ничем вообще. И в конце концов я опустила руки. У меня вскрытия, у меня экспертизы и исследования, мне экспертов своих надо контролировать, а я занимаюсь черт знает чем! Вот я и перестала колотиться. А процесс идет как идет. Нет документов — нет свидетельства о смерти — нет захоронения.

— Ну хорошо, — не сдавался Саблин, — а криминальные трупы? В списке их полным-полно, даже расчлененка есть. Прокуратура у нас что, спит и похрапывает? Что вообще происходит?

— О-о-о, — рассмеялась заведующая танатологией, — это вопрос не ко мне. Разведка донесла, что у вас сложились неформальные отношения с одной приятной дамой из нашей прокуратуры, вот вы ей вопрос и задайте. Она к вам благорасположена и в разъяснениях не откажет.

Сергею упоминание о Кашириной и ее добром отношении почему-то было неприятно. Вернувшись к себе в кабинет, он долго колебался, не решаясь ей позвонить, хотя и понимал, что звонить надо. Больше задать вопросы и просить помощи ему не у кого.

Однако Каширина позвонила сама. И начала с неожиданного:

— Сергей Михайлович, у вас там рядом с домом булочная есть?

Он растерялся и брякнул:

— Нет, сейчас булочные вроде вообще не существуют. Есть супермаркет. А что?

Каширина расхохоталась:

— Ну, тогда не забудьте зайти туда после работы и купить побольше черного хлеба.

— Зачем?

— Сухарей насушите, они вам пригодятся в самое ближайшее время. Насушите и сидите дома, ждите конвой, скоро вас арестовывать придут.

Только тут до него дошло, что зампрокурора шутит. Ну и шутки у нее, однако!

— За что? — делано испугался он. — Чем я провинился?

— Вы, оказывается, самый крупный в Северогорске расхититель государственной собственности.

— Да ну? И сколько я спер? Надеюсь, сумма достойна моего высокого ранга?

— Вполне, — Каширина усмехнулась. — Шестнадцать рублей.

— Сколько-сколько? — переспросил он.

— Шестнадцать рублей. Это если в денежном выражении. А если в материальном — вы незаконно получили от государства поллитра молока.

Он молчал. Понимал, что это шутка, но не мог уловить ее соль.

— Молчите? — усмехнулась в трубку Каширина. — Вы в прошлом месяце летали в областной центр?

— Ну да, в командировку. А что...

— А то. Вы оформили командировку на четыре дня, а на работе отсутствовали целых пять.

— Но мне нужно было утрясти вопросы в Ученом Совете, у меня защита через неделю, — попытался было оправдываться Саблин, все еще не понимая толком, какое отношение к пятому дню командировки имеют шестнадцать рублей и поллитра молока.

— Сергей Михайлович, вы злостный прогульщик, вы отсутствовали на рабочем месте и занимались своими личными делами. А зарплату за этот день вам начислили. И поллитра молока тоже выделили. Как же вам не стыдно!

Теперь Каширина хохотала уже открыто. Следом улыбнулся и Саблин. Действительно, он после окончания очередной комиссионной экспертизы задержался в областном центре на один день, занимаясь подготовкой к защите, при этом позвонил и Светлане, предупредив, что задерживается, и Сумароковой, которую официально оставил исполнять обязанности начальника на время своего отсутствия, — с просьбой проконтролировать, чтобы в Бюро все было в порядке. Судмедэкспертам, так же, как и некоторым другим категориям медиков, за работу во вредных условиях положено по 0,5 литра молока за рабочий день или смену. Но кому пришло в голову ставить об этом в известность прокуратуру?!

— И кто же на меня настучал? — весело осведомился он.

— Угадайте с трех раз, — предложила зампрокурора.

Но он угадал с первой же попытки. Анонимка.

— Совершенно верно. Так что берегитесь, Сергей Михайлович, в вашем окружении окопались враги. Как вам работается в новой должности?

Ну что ж, раз гора сама пришла к Магомету... И он рассказал Кашириной о третьей холодильной камере.

— Я не понимаю, Татьяна Геннадьевна, — горячился Саблин, — как же так? Женщина тридцати семи лет умирает в городской больнице в девяносто седьмом году, мы вскрываем, ставим «отравление неизвестным ядом», а акт исследования трупа никем не востребован. Это что такое? Как это может быть? Женщину убили, отравили чем-то — и правоохранительные органы на это плюют? Два года назад расчлененка, на городской свалке обнаружены части тела, другие части этого же тела нашли в мусорном контейнере в другой части города, следователь выносит постановление, мы проводим исследование, направляем акты в прокуратуру — и все, глухое молчание. Нам-то как поступать в таких ситуациях? А мертворожденные? С ними что делать? Их никто почему-то не забирает и хоронить не торопится.

Почему создалось такое положение, при котором судебно-медицинская экспертиза должна превращаться в свалку для невостребованных трупов?

Каширина молчала. Сергей даже начал опасаться, что погорячился. Наверное, сказал что-нибудь не так, или слишком резко, или вообще предъявляет претензии не по адресу. Теперь Каширина на него разозлится, и их добрым отношениям придет конец.

— Татьяна Геннадьевна, — осторожно окликнул он, — вы меня слушаете?

— Я смотрю текст закона, которым регулируется деятельность ЗАГСов, — донесся ее голос. — Не очень хорошо его помню. Так... так... Но здесь нигде не сказано напрямую, что при регистрации смерти должна быть обязательно установлена личность умершего. Во всяком случае, я не вижу... Может, я что-то пропустила...

Она говорила рассеянно, и было понятно, что все ее внимание действительно сосредоточено в этот момент на чем-то другом.

— Нет, ничего не вижу, — теперь Каширина разговаривала прежним уверенным тоном. — Но вижу другое: смерть человека должна быть зарегистрирована в течение трех суток после кончины. И игнорировать это требование закона ЗАГСы права не имеют. Давайте-ка мы с вами вот как поступим: подготовьте на мое имя письмо с полным перечнем умерших, укажите, когда они умерли, а я, со своей стороны, проверю, на каком этапе находятся уголовные дела или материалы проверок по факту обнаружения некриминальных трупов. Законодательную базу я еще посмотрю повнимательнее, проконсультируюсь со знающими юристами, и если окажется, что работа нашего ЗАГСа не соответствует требованиям федеральных законов, вынесу частное определение в адрес заведующего.

Сергей вздохнул с облегчением. Все-таки дельная она тетка, эта Татьяна Геннадьевна.

Он позвал Светлану и велел ей привести в порядок принесенный старшим санитаром список, написанный от руки.

— Наберите на компьютере, сделайте все записи единообразными, оформите красиво и загоните в отдельный файл, — скомандовал он. — Это будет приложение к моему письму в прокуратуру. Письмо я составлю сам.

Светлана взяла список и уже открыла было дверь, но Сергей окликнул ее:

— Света, вы знаете, кто из сотрудников Бюро чаще других вспоминает про молоко, когда кто-то отсутствует на рабочем месте?

Она посмотрела с удивлением, потом глаза ее сузились, в них светилось понимание и сочувствие.

— Неужели написали? Вот гады!

— Поконкретней, — потребовал Саблин.

Светлана тряхнула длинной челкой, закрывающей пол-лица.

— Вообще-то про молоко всегда говорит Виталий Николаевич, но это у него шутка такая, все это знают. Но...

— Что — но? Говорите, Света.

— Если на вас кто-то написал, то точно не он. Виталий Николаевич безвредный. Он может схалтурить, но гадости делать не будет. Другое дело те, кого вы обидели, кому на хвост наступили. Виталий Николаевич мог пошутить прилюдно, а кому надо — услышали.

— Ну, — он пристально посмотрел на секретаря, — и кому надо? Светлана, вы здесь работаете с незапамятных времен, только при мне семь лет, и до меня еще Бог знает сколько, вы за это время два раза замуж выходили и один раз разводились. Никогда не поверю, что вы чего-то в нашем Бюро не знаете. Кто написал донос про молоко и зарплату за один день?

Она задорно вскинула подбородок и вытянула руку с зажатым в ней списком.

— Дядя Федор? — изумился Саблин. — Но почему? За что?

— А как вы думаете, сильно он обрадовался, когда вы велели ему трупы из третьей камеры переписать? Это ж надо было каждое тело развернуть, надпись на бирке рассмотреть, с журналом сличить. А трупы не рядком лежат, а вповалку, крест-накрест, их растаскивать нужно. Чего приятного-то? Вот он и разозлился. Они с Виталием Николаевичем когда в курилке сталкиваются, всегда подолгу языками чешут. Наверное, Филимонов по обыкновению брякнул про молоко, а дядя Федор запомнил и на ус намотал.

— Значит, вы уверены, что это не Филимонов написал донос? — задумчиво спросил Сергей.

— Уверена. Виталий Николаевич на это не способен.

— А дядя Федор, выходит, способен?

— О, еще как! — улыбнулась Светлана. — Он и на Двояка анонимки без конца строчил. Хобби у него такое. Все об этом знают. Над ним вся Северогорская прокуратура потешается. И всерьез его писульки никто не воспринимает.

«Ну, и на том спасибо, — подумал он. — Хотя Филимонову я на хвост тоже наступил. Так что как знать, как знать... Ладно, сперва с трупами из холодильника разберусь, защиту переживу, бог даст, а потом уже буду думать о том, что делать с Филимоновым».

ГЛАВА 2

Издерганный проблемами с невостребованными трупами, нервничающий перед защитой диссертации, Сергей о своем дне рождения в этот раз забыл вообще. Ольга видела, в каком он состоянии, и ничего о праздновании не спрашивала. А праздновать-то было что: все-таки сорок лет, не кот начхал! Но Саблину было не до праздников: защита должна была состояться 18 декабря, день рождения же приходился на 17-е число, когда диссертанту следовало уже находиться в областном центре.

Однако Петр Андреевич Чумичев, как выяснилось, ничего не забывал вплоть до случайно оброненных в его присутствии фраз, и о том, что его друг должен защищаться на следующий день после сорокалетия, помнил очень хорошо. За два дня до того, как Сергей улетал в область, Чума позвонил с предложением прилететь на банкет по случаю защиты.

— Да какой там банкет! — вяло отмахивался Сергей. — Скинемся с двумя другими соискателями, которые вместе со мной в одном Совете будут защищаться, организуем ресторан, пригласим весь состав Ученого Совета и рецензентов, вот и весь банкет.

— Нет, так не годится, — настаивал Чумичев, — сорок лет — это дата. Ее надо отметить достойно. Тем более ты станешь кандидатом наук. Давай я полечу вместе с тобой и все организую по высшему разряду.

— Не надо. Ты поставишь в неловкое положение людей, которые тоже защищаются, но у которых нет таких денег. Мы с ними уже обо всем договорились.

— Ладно, — сдался Чума, — тогда будем праздновать здесь, в Северогорске. Вернешься — и отметим как следует. Все оргвопросы беру на себя.

Сергею не хотелось об этом даже думать, его куда больше волновали проблемы Бюро и собственной ученой степени.

Однако Чума слово сдержал, и через неделю после защиты, в самый канун Нового года Сергей торжественно отметил свое сорокалетие и ученую степень. Присутствовали все сотрудники Бюро с женами и мужьями. Разумеется, были и Ольга, и Петька Чумичев. Праздник Саблину не был нужен, он вообще не любил людных застолий, но Ольга в этом вопросе встала на сторону Чумы:

— Саблин, это нужно не тебе, это нужно начальнику Бюро. Пойми же наконец, ты работаешь с людьми, ты ими пытаешься руководить. Да, дистанция должна быть, но не должно быть пропасти, разделяющей достойных и недостойных. А ты, прости меня, конечно, очень склонен к снобизму. Если твои подчиненные будут знать, что у тебя двойной праздник, но никого из них ты не пригласил, это будет расценено как проявление высокомерия, и тогда ты уже не сможешь эффективно руководить обиженными тобою людьми.

— Но я не хочу никого видеть, кроме Таскона и Сумароковой! — отбивался Сергей. — Они действительно мне приятны, и я был бы рад отпраздновать вместе с ними. Ну, еще Светлану пригласил бы, она незаменимая помощница, я без нее как без рук. А все остальные мне ни на фиг не нужны.

— Вот именно! С таким подходом ты никогда не справишься с коллективом. Что значит «ни на фиг не нужны»? Каждый человек нужен, каждый ценен и интересен. И если он не интересен лично тебе, то это не дает тебе права им пренебрегать. Нельзя обижать людей, Саблин.

И он сдался.

Празднование прошло на удивление весело и непринужденно, потом наступил Новый год, и после длинных выходных Сергей вновь принялся за решение проблемы с трупами. Он постоянно ходил то в прокуратуру к Кашириной, то в ЗАГС к заведующей, и в конце концов все разрешилось и трупы оказались захороненными. На это ушло добрых два месяца, в течение которых он так и не решил, что делать с экспертом-танатологом Филимоновым, который вроде бы взял себя в руки. Во всяком случае, подготовленные им акты и заключения, которые Сергей исправно читал, выглядели безупречными, и никаких признаков присутствия «просителей», приходящих к эксперту насчет невскрытых трупов, тоже не наблюдалось. «Ладно, — решил Саблин, — подожду до первого прокола. Спешить некуда, если он нормально работает».

Третью холодильную камеру разгрузили, и теперь следовало принять меры к тому, чтобы она снова со временем не превратилась в склад. Кроме того, Сергей неожиданно для себя понял, что его до душевной боли ранит ситуация с неопознанными трупами. Люди, умершие вдали от родных и знакомых, оставшиеся неизвестными. Никто не знает, как их зовут и кому сообщить об их кончине. А родные помнят их, ждут и не понимают, куда человек пропал. Конечно, большинство из этих неопознанных лиц, деградировавших от пьянства, вели скотскую жизнь, но все равно это были люди, и у них были близкие, которые, вполне возможно, до сих пор думают о них с нежностью и теплотой. Одним словом, судебно-медицинский эксперт Саблин всерьез озаботился проблемой идентификации личности, хотя это был совсем уж не его вопрос.

Первым, к кому он обратился, стал прокурор-криминалист, однако никакого толкового разъяснения Сергей от него не добился и отправился в уголовный розыск, сотрудников и руководителей которого знал довольно неплохо — сколько раз приходилось вместе дежурить!

— Ты понимаешь, Михалыч, — говорил ему начальник отдела розыска, — у нас ведь случайных пришлых не бывает, к нам в Северогорск просто так, от нечего делать, не забредешь. Поезда к нам не ходят, а самолетом — надо и деньги иметь, и документы. То есть все опустившиеся маргиналы, трупы которых мы находим, это наши, северогорские. И не ангельскую скромную жизнь они тут вели, наверняка попадались неоднократно, стало ·быть, и протоколы на них составляли, и пальцы откатывали.

— Ну, так в чем же дело? — не понимал Саблин.

— Так в том, Михалыч, что хорошо, если труп свежий, с него и пальцы снять можно. А если нет? Если он гнилой? Или мумифицированный? Пальцы и ладони сухие, подушечки сморщены, фиг откатаешь.

Сергей мысленно с досадой упрекнул себя за несообразительность. На пальцах и ладонях человека почти нет жировой клетчатки, поэтому после наступления смерти они очень быстро высыхают, в отличие от других частей тела. Ну, хорошо, теперь понятно, по крайней мере, в каком направлении думать.

Что-то он об этом читал... Но где? Впрочем, блестящая память, доставшаяся ему в наследство от рода Бирюковых, и в этот раз не подвела: он вспомнил давнюю статью из журнала «Судебно-медицинская экспертиза», в которой описывался процесс восстановления головы эксгумированного трупа, пролежавшего в захоронении три года. Найдя статью, он внимательно несколько раз перечитал ее. Метод, примененный экспертами, показался Сергею перспективным, несмотря на то, что был довольно громоздким и требовал значительного времени. Голова — это голова, а с кистями рук все будет намного проще. Для восстановления пальцевого узора на высохших кистях не потребуется больших затрат спирта, ледяной уксусной кислоты и тем более перекиси водорода, да и разные манипуляции, в том числе массаж мягких тканей, как это было при восстановлении внешнего облика эксгумированной головы, проводить не нужно. В принципе достаточно использовать давно известный ·раствор Ратневского, в который нужно поместить отрезанные кисти рук трупа. Через несколько дней, как убедился Саблин, проведя целый ряд проб, мягкие ткани набухали, расправлялись и восстанавливали пальцевый узор. Конечно, не всегда узор восстанавливался на всех пальцах, но для идентификации личности достаточно было всего двух-трех пальцев или ладони.

Всю весну и половину лета Саблин активно использовал этот способ и с удовольствием убедился в том, что в девяти случаях из десяти удавалось установить личность умершего по идентификационной базе Северогорска или области. Стало быть, и с этой проблемой он более или менее разобрался.

* * *

В этом году отпуск у Сергея Саблина снова был летом, в августе, и он повез жену и дочь в Италию, в Римини. Лена была абсолютно счастлива, а четырнадцатилетняя Даша, обычно капризная и рвущаяся к самостоятельности и «взрослости», вела себя прилично и даже проявляла внимание и ласку к отцу. Вернувшись в Россию, они пару дней провели в Москве и вместе с Верой Никитичной, которая так и жила в столице, помогая дочери по хозяйству, отправились в Ярославль навестить родню. Эта поездка здорово испортила Сергею настроение.

С тещей Верой Никитичной отношения у него были хорошими, мать Лены к зятю претензий не имела и была всем довольна: деньги шлет исправно, а перед глазами не мельтешит и ухода не требует, чего еще желать? Вреда от него никакого, а польза есть, и опять же Лена считается замужней, не брошенкой и не матерью-одиночкой и с гордостью может всем говорить, что ее муж и начальник, и кандидат наук. Поди плохо!

Но вот родная сестра Веры Никитичны, Софья Никитична, придерживалась другой точки зрения. Если теща Сергея была дамой интеллигентной и понимающей, то ее сестра образованностью похвастаться не могла и взгляды имела самые примитивные. Посему после очередного «родственного» застолья она позволила себе высказать Сергею то, что думала. А думала она, на его взгляд, обидно и оскорбительно.

— Что у тебя за профессия! Ни денег, ни связей, ни возможностей, и вообще, людям стыдно признаться, что родственник — трупорез. Охота тебе в гнилых кишках да в чужом говне копаться! Нет чтобы найти приличную работу, да в Москве, с женой рядом, и деньги чтобы были, и почет, и уважение, чтоб все прилично, культурно. А ты живешь на краю света, будто у тебя семьи нет, жену бросил, дочкой не занимаешься, бабу себе, поди, завел, куда ж вам, мужикам, без баб-то, вы без нас дня прожить не можете.

Она еще долго говорила что-то в том же ключе, Сергей какое-то время сдерживался, потом выдержка ему изменила, он ответил ей громко и грубо и ушел из-за стола. Когда Лена нашла его в саду позади дома и стала выговаривать, что он ведет себя неприлично и какое право он имеет оскорблять ее родную тетку, Сергей и на жену наорал, в результате они поссорились и до возвращения в Москву общались сухо и коротко, только по крайней необходимости. Сергей должен был пробыть дома еще неделю, но поменял билет и улетел в Северогорск сразу по возвращении из Ярославля.

Злость на тетку жены так и не улеглась, и к своему дому Саблин подходил мрачным и раздраженным. Едва он достал ключи от квартиры, тут как тут появилась Кармен — Жанна Аркадьевна. У дверного глазка она караулит, что ли!

— Сереженька, у меня к вам два вопроса, можно я зайду?

Он молча кивнул, открыл дверь и пропустил соседку. Навстречу ему вышла Ольга, радостно улыбнулась, поцеловала, обняла, но даже это не исправило его настроения.

— Слушаю вас, Жанна Аркадьевна, — проговорил он, переобувшись в домашние шлепанцы.

Он так и стоял посреди прихожей, всем своим видом демонстрируя нежелание разводить долгие посиделки с разговорами.

Соседка достала из кармана широченной цветастой юбки пакетик и протянула ему.

— Что это?

— Это волосок. Я с Толиной сорочки сняла. Вы можете там у себя проверить, чей он, мужской или женский?

Вдаваться в долгие объяснения и мотивировать отказ не было ни сил, ни желания. Сергей молча сунул пакетик в карман и кивнул. Через несколько дней он вернет соседке ее «находку» с заверениями, что волосок мужской. Так бывало уже не раз: Жанна Аркадьевна, помешанная на собственной ревности, постоянно просила Сергея отнести экспертам то мусор, извлеченный из карманов куртки или пиджака Анатолия Ивановича, то автобусный билетик, то рубашку мужа, которая, как ей кажется, пахнет «чужими духами». Все попытки Сергея и Ольги довести до сознания темпераментной Кармен, что судебно-медицинская экспертиза и экспертиза криминалистическая — вещи совершенно разные, проводятся в разных организациях, разными специалистами и разными методами, успеха не возымели. И Сергей решил ничего больше не объяснять, а просто брать у соседки то, что она приносила, складывать куда-нибудь в ящик, а через несколько дней возвращать с заверениями, что всё в полном порядке и никаких свидетельств супружеской измены эксперты не нашли.

— Какой второй вопрос? — сухо спросил он.

Жанна Аркадьевна помялась и спросила неуверенно:

— Что вы можете посоветовать от варикоза?

Саблин пожал плечами:

— Дражайшая Жанна Аркадьевна, я вам тысячу раз объяснял: я не клиницист, я не занимаюсь диагностикой заболеваний живых людей и их лечением, и лекарств никаких никому не назначаю, я в этом не компетентен.

— Но вы же учились в мединституте, вы кандидат медицинских наук, значит, должны разбираться, — настаивала Кармен.

— Сходите к врачу, — посоветовал он, — и не тяните с этим, вам нужен не я, а специалист-флеболог, который знает намного больше меня и в курсе современных методов лечения. С варикозным расширением вен шутить нельзя, это только с виду кажется, что заболевание ерундовое, и все дело исключительно в эстетике, а на самом деле это очень грозная и опасная штука.

Он хотел было на этом остановиться, но раздражение захлестнуло его с такой силой, что Сергея буквально «понесло», и он стал рассказывать Жанне Аркадьевне случаи из экспертной практики. Зачем он это делал — он сказать не мог. Просто не владел собой.

— Мужчина сорока двух лет шел по улице, ударился передней внутренней поверхностью голени о керамическую трубу, упал, но встал и пошел домой, — говорил он. — А через два часа его труп обнаружили неподалеку от того места, где он ударился. Только двести пятьдесят метров успел пройти — и кровью истек. Еще был случай, когда женщина работала в винном погребе и ударилась ногой, а через несколько часов ее там и нашли, уже мертвую. Она ногу-то косынкой перевязала, а на то, что кровь течет, внимания не обратила, поскольку была не вполне трезвой. Там, в погребе, весь пол был кровью залит. Так что вы поосторожнее с варикозом, не занимайтесь самолечением и не спрашивайте советов у своих приятельниц, а идите к специалисту.

— Но я по телевизору в рекламе видела... — начала было соседка, однако Сергей резко оборвал ее:

— То, что вы слышали по телевизору в рекламе, — забудьте. Реклама вся проплачена, ей верить нельзя.

Жанна Аркадьевна, сильно побледневшая при рассказах Сергея об истекших кровью больных варикозом, поняла наконец, что влезла со своими вопросами очень не вовремя, и быстро ретировалась.

— Саблин, — с упреком проговорила Ольга, — что ж ты творишь, а? Разве можно с людьми так разговаривать? Экспертная практика — это не веселый анекдот, который рассказывают всем подряд. Это очень специальная информация, правильно оценить которую может только специалист, а уж никак не наша Кармен. Она же испугалась до полусмерти. Как же так можно, Саблин? Ты ведь врач, а не шарлатан, который сначала запугивает больного, а потом втирает ему собственное лечение.

— Прости, — он помотал головой, словно пытаясь сбросить с себя морок. — Я злой сегодня.

Пока Ольга разогревала еду, он с горечью и каким-то отчаянием поведал ей о разговоре с теткой жены. Реакция Ольги оказалась для него полной неожиданностью.

— А чего ты обижаешься? — спокойно ответила она. — Софья Никитична права. Ты живешь только для себя. И делаешь только то, что тебе хочется и тебе интересно.

— Да я все для них делаю, для них стараюсь, — возмутился Сергей, — я деньги зарабатывать сюда приехал, не для себя же, для них, много им посылаю...

Ольга усмехнулась и взяла сигарету.

— Ты себе-то не ври, Саблин. Ты сюда уехал, чтобы деньги зарабатывать, и это правда, но не для них, а для себя, для своего спокойствия, чтобы чувствовать, что ты что-то делаешь для них. Любви дать не можешь, тепла дать не можешь, заботы и внимания дать тоже не можешь, и самое главное — не хочешь, так хоть деньгами откупишься. И не делай вид, что это не так. Тебе просто не хотелось сидеть в Москве на месте простого гистолога, тебе было скучно. В Москве ты после скандала с вакциной стал никем, а в Северогорске таких специалистов, как ты, днем с огнем не найдешь. Ты хочешь размаха, ты хочешь признания, ты хочешь, чтобы о тебе говорили, ты хочешь восхищения и уважения, и профессионального, и человеческого. В Москве это было невозможно, а здесь ты это получил. Ты все сделал для того, чтобы это получить. Так что нечего обижаться, в словах Софьи Никитичны много правды. Согласна, она не умна, но зрит, как говорится, в корень. Если ты живешь так, как хочешь только ты и как удобно только тебе, то ты должен быть готов к тому, что кому-то это не понравится и кого-то не устроит. Закон жанра.

Это было ее любимое выражение.

* * *

Сказанное Ольгой задело болезненно. Сергею нужно было привести мысли в порядок, чтобы осознать: права она или нет? Оставшиеся от отпуска дни он провел в длительных пеших прогулках, доезжая до окраины на автобусе и дальше идя взгорками и холмами. Прогулки пришлись по душе, холодный воздух отрезвлял и придавал бодрости, он почувствовал себя помолодевшим и поздоровевшим, и после выхода на работу старался хотя бы раз в неделю-две выбраться за городскую черту. Ольга с ним не ходила — понимала, что ему нужно побыть одному.

В середине октября он, как и в предыдущие выходные, возвращался ставшей привычной дорогой, спускаясь с высокого холма к огибающей город широкой бетонке. Еще минут пятнадцать быстрым шагом — и автостанция, оттуда до нужной ему остановки в центре города еще двадцать минут. До бетонки оставалось метров двести, когда на ней показалась кавалькада мотоциклистов. Сергей с завистью смотрел на широкие плечи и крепкие спины, обтянутые кожаными «косухами»: ему тоже хотелось скорости, напора, бьющего в лицо упругого ветра, свободы и беззаботности. Все байкеры сидели на своих машинах по одному, и только у крайнего правого за спиной сидел пассажир. Все дальнейшее произошло как-то очень быстро, Сергей даже не успел ничего толком рассмотреть. Пассажир легким движением вскочил и встал обеими ногами на седло, пытаясь изобразить какую-то фигуру, байкеры издали приветственный рев, но тут мотоцикл вильнул передним колесом, похоже, наскочив на камешек или колдобину. Байк повело в сторону, стоящий на седле парень не удержал равновесие и свалился на водителя. Через пару мгновений мотоцикл, развернувшийся поперек дороги, упал вместе с водителем, а байкер-акробат кубарем перелетел через него. Сергей не раздумывая бросился вниз по склону, не разбирая дороги и только глядя под ноги, чтобы не споткнуться. До места аварии было метров триста, которые Саблин, пытаясь не снижать скорость, преодолел с заметным трудом: Ольга была права, когда говорила, что он стремительно теряет форму, зато набирает вес. Он не мог видеть, что происходит в месте падения мотоциклистов, потому что не отрывал глаз от неровной каменистой земли: ни в коем случае нельзя споткнуться, ни в коем случае нельзя упасть, дорога каждая секунда.

Когда он добежал, мотоцикл уже был сдвинут к краю дороги, а водитель сидел на ягодицах и обеими руками держался за правое бедро, которое было неестественно выгнуто, а стопа в тяжелом ботинке развернута кнаружи. Крови на джинсах Сергей не увидел. «Закрытый перелом бедра, — подумал он с облегчением, — до приезда «Скорой» дотянет, не смертельно».

— Мужик, тебе чего надо? — послышался грубоватый оклик. — Любопытно посмотреть? Давай вали на хрен отсюда, видишь, авария у нас.

— Я врач, — коротко ответил Сергей, не оборачиваясь и еще раз словно ощупывая глазами сидящего на земле мотоциклиста. Нет, с ним точно все будет в порядке, пожалуй, можно за него не волноваться.

Он оглянулся в поисках байкера-акробата, но не увидел его.

— А где второй? — спросил он.

— Макс? Да вот он, с ним все в порядке, он и поднялся сам, и байк с Алекса пытался стащить. Вы Алексу помогите, слышите, как он кричит? Ему же больно.

Алекс действительно выл, как раненый волк, перемежая стоны нецензурной бранью. Сергей повторил вопрос:

— Где второй? Где этот ваш Макс? Я его не вижу.

Байкеры завертели головами, одновременно галдя что-то о том, что вот же он стоит... Однако Макс уже не стоял. Он отошел к обочине и присел на корточки рядом с перевернутым мотоциклом. Саблин бросился к нему. Вслед ему неслось:

— Мужик, ты куда? Алексу-то помоги, слышишь, как он кричит!

Не обращая внимания на крики, Сергей присел возле акробата-неудачника. Ссадины на лице, рукав «косухи» разорван до локтя. Это ерунда.

— Как ты? — спросил он парня.

— Ничего... голова кружится... немного... прилечь бы... — ответил тот медленно и тут же попытался прилечь на левый бок и подтянуть колени к животу, к которому он прижимал ладонь правой руки.

На лбу и носу выступили крупные капли пота. «Внутреннее кровотечение?» — быстро подумал Сергей. Он перевернул Макса на спину, расстегнул «косуху» и задрал свитер.

«Обе половины грудной клетки при дыхании вздымаются равномерно, — отмечал он автоматически, — отставание одной из половин при дыхании не отмечается. Так, значит, ребра целы. Живот? Печень? Селезенка? Брыжейка?» Глубокими надавливаниями пальцев Сергей стал ощупывать живот парня. При нажатии в левом подреберье Макс дернулся, замычал и слабым движением попытался оттолкнуть руку. «Значит, все-таки селезенка. И нижние ребра, скорее всего, тоже сломаны».

Он повернулся к стоящим за спиной байкерам.

— Что стоите, мудаки? — свирепо зашипел он. — «Скорую» вызвали? Нет? Идиоты! Звоните, вызывайте две бригады, скажите, что пострадавших двое, у одного перелом бедра, у другого травма живота с разрывом селезенки.

От грубого окрика парни словно очнулись, стали доставать мобильники и звонить. Сергей вскочил на ноги и огляделся: неподалеку в ложбинке лежал снег. Его было немного, но сейчас все годилось. Под ногами валялась чья-то каска, не то Алекса, не то Макса. Сергей схватил ее и побежал к тому месту, где увидел снег. Вернувшись, вывалил принесенный в каске снег прямо на голый живот горе-акробата и прикрыл свитером. Согнул Максу ноги в коленях, приподнял ему голову и устроил ее на своем согнутом колене. До приезда «Скорой» он каждую минуту проверял пульс на сонной артерии пострадавшего и костерил на чем свет стоит бригаду, которая все не ехала и не ехала... Ему казалось, что прошло часа два, но когда послышался вой сирены и появился автомобиль реанимационной бригады, Саблин глянул на часы и понял, что прошло всего десять минут. Здоровенный, с недовольным угрюмым лицом, врач в синей униформе, вылезший из машины, спросил у байкеров:

— Что случилось?

— Мототравма, — ответил за них Саблин, — двое перевернулись на мотоцикле. У одного тупая травма живота, разрыв селезенки, шок. У второго, который рядом с вами, закрытый перелом бедра.

Между Сергеем и врачом толпились мотоциклисты, и если высокого врача Сергей видел отлично и узнал, то сидящего на обочине Саблина доктор со «Скорой» никак не мог разглядеть. Байкеры расступились, и врач изумленно вскинул брови:

— Сергей Михайлович? А вы-то как здесь? Вы тоже с ними, что ли?

И тут же, разглядев одежду Саблина, понял свою ошибку и раздосадованно крякнул. Свитер и дешевая куртка, даже отдаленно не напоминающая байкерские «косухи», широкие камуфляжные штаны, покрытые бурой пылью высокие кроссовки.

— Я сам по себе, — резко ответил Саблин. — Давайте работать.

Макса уложили на раздвижную каталку, быстро поставили капельницу, начали вводить препараты шприцем прямо в трубку от системы. Тут же подъехала вторая бригада, которая занялась Алексом. Врач — знакомый Сергея — на прощание заметил:

— Вот везет же придуркам! Как глупость какая — так толковый врач рядом оказывается, а как хороший человек в беду попадает — так либо никого, либо коновалы. Этому парню черт люльку качал, когда он родился.

В глазах байкеров мелькнуло уважение. На их взгляд, он был больше похож на бомжа, а тут выходит, что он самый настоящий врач, да еще и толковый. Доктор со «Скорой» зря не скажет, он человек серьезный, за базар отвечает.

Обе машины уехали, и Сергей медленно побрел в сторону автостанции. Его догнали несколько мотоциклистов.

— Мужик, ты в какой больнице работаешь? Доктор сказал — ты толковый, так мы к тебе ходить будем, если что. В первой городской или во второй?

— В морге я работаю, — буркнул Сергей, не останавливаясь.

Байкеры отстали, остановившись и что-то живо обсуждая. Но больше его никто не догонял и ничего не спрашивал.

* * *

— Где моя рубашка? — нервно спрашивал Сергей у Ольги, которая в ванной невозмутимо наводила красоту.

— Какая? — послышался ее голос.

— Ну белая же, в полоску, мне под костюм надо надеть.

— Я не знаю. Ты ее в стирку бросал?

— Я не помню! — в отчаянии орал он. — Оль, ну где рубашка-то? Мне в мэрию надо на совещание, а у меня только темные рубашки в шкафу лежат, все остальные, наверное, в ящике для стирки.

— И что ты от меня хочешь?

Ее голос звучал спокойно, слегка измененный неестественным положением связок: она, вытянув шею, красила перед зеркалом ресницы.

Разъяренный, Сергей распахнул дверцу шкафа, где складывались выстиранные, но еще не выглаженные вещи. Светлая сорочка в тонкую серо-голубую полоску лежала там, скомканная и совершенно не пригодная для надевания.

— Оль, я нашел! — торжествующе воскликнул Саблин. — Погладь, а?

Она вышла из ванной, немыслимо красивая, с тщательно сделанным макияжем и уложенными кудрями, уже одетая и полностью готовая к выходу.

— Саблин, я иду на работу, — негромко заметила она.

— Ну Оль! Никто не умрет, если ты опоздаешь на пятнадцать минут. Погладь рубашку, пожалуйста. Мне в мэрию надо, на совещание.

Он не просил, он требовал и искренне недоумевал, почему Ольга не торопится ему помочь.

— Саблин, — она скинула тапочки и нагнулась, чтобы застегнуть сапоги на ногах, — ты что, пять минут назад узнал о том, что тебе нужно в мэрию на совещание? Ты мне говорил об этом еще вчера. У тебя были все возможности заняться рубашкой. Но ты предпочел это делать сегодня. Я уважаю твой выбор. Сегодня — так сегодня. Но это твой выбор, Саблин, а не мой. Мой выбор — идти на работу ровно в то время, которое я себе наметила. И не старайся выбить меня из моего графика. Вчера я бы с удовольствием погладила тебе сорочку. А сегодня — извини, уволь.

— Оля... — растерянно, как маленький ребенок, протянул он. — Ну ты чего?

Она подошла к нему, уже в верхней одежде и с сумкой через плечо, поцеловала в кончик носа и дернула за прядь волос.

— Саблин, ты большой мальчик, ты сам принимаешь все свои решения, в том числе и бытовые. Ты решил искать рубашку с утра — твое право. Я здесь ни при чем. Целую тебя, счастье мое, до вечера.

В общем-то, ничего нового не произошло. Так было все восемь лет, что они жили вместе. Ольга никогда не отменяла своих планов в угоду саблинской несобранности. Если нужно было помочь в чем-то серьезном, в чем-то действительно важном, она готова была пожертвовать любым намеченным делом, но потакать, как она выражалась, захребетничеству и бытовой расхлябанности Ольга Борисовна Бондарь не собиралась. «Я никогда не буду под тебя стелиться, Саблин», — повторяла она неоднократно. Сергей запоминал, но уже через три-четыре дня забывал, и все повторялось.

Чертыхнувшись, он бросил взгляд на часы и полез за утюгом.

На совещания представителей силовых ведомств у мэра Северогорска Саблина никогда не приглашали — делать ему там было нечего. Его ведомство не силовое, а вопросы, которые обсуждались на таких совещаниях, требовали определенного допуска, поскольку сведения оглашались секретные. Поэтому он здорово удивился, когда ему позвонили и пригласили в мэрию.

В просторном кабинете с длинным столом для совещаний сидели руководители из горотдела внутренних дел, ФСБ, МЧС, а также прокурор города и военком. Все — мужчины, и только одна дама — Татьяна Геннадьевна Каширина. Петр Чумичев никогда не бросал слов на ветер: если сказал, что новая администрация собирается пригласить в свои ряды зампрокурора по общему надзору, значит, так оно и будет. Сергей знал, что Каширина оставила прокурорское кресло несколько месяцев назад, но после истории с третьей холодильной камерой встречаться им не доводилось.

Он впервые видел ее не в мундире, а в элегантном партикулярном платье, строгом, закрытом, но при этом удивительно женственном. Снова некстати мелькнула мысль о том, есть ли у нее любовник? О том, что мужа нет, Сергей уже знал, но остальные подробности личной жизни Татьяны Геннадьевны оставались для него скрытыми. По городу ходили мерзкие слушки о том, что она спит со своим водителем, которого «притащила» с собой из прокуратуры, но что-то Саблину слабо в это верилось. У такой роскошной бабы, думал он, должен быть не менее роскошный мужик, бизнесмен какой-нибудь, крутой по достатку и подходящий по возрасту, а не какой-то там мальчишка-водитель. Он почему-то был уверен, что водитель Кашириной — зеленый пацан.

Новый мэр, поставленный руководством комбинатов на место прежнего, был относительно молод, чуть старше самого Саблина, энергичен и улыбчив. Совещание собрали для проработки вопросов организации экстренной помощи населению в случаях массовых катастроф и террористических актов. Какие такие катастрофы могли случиться на Крайнем Севере, Сергей представлял себе весьма слабо, а вот что касается терактов — тут было о чем подумать, все-таки три крупнейших комбината с рудниками и обогатительными фабриками, огромный объем готовой продукции, тысячи и тысячи рабочих и инженерно-технического персонала. Если, не дай Бог, что случится, это обернется завалами трупов, сотнями и тысячами фрагментированных объектов биологического происхождения, причем не только людей, но и домашних животных, и даже мясных продуктов из развороченных взрывом холодильников. А каждый биологический объект это отдельное экспертное исследование. Объем работы в таких ситуациях наводил ужас. Но работа — ладно, напряжемся, поднатужимся, есть-пить-спать не будем — сделаем, а вот многочисленные комиссии и проверяющие, каждому из которых нужно будет отчитываться и всё объяснять «на пальцах», будут трепать нервы так, что мало не покажется.

Вопросов Сергею задавали много:

— Какова вместительность холодильных камер в Бюро судебно-медицинской экспертизы?

— Можно ли в экстремальных условиях организовать круглосуточную работу судебных медиков?

— А что для этого понадобится?

— Каков размер финансирования для оплаты переработок в этом случае?

— Что нужно для организации питания персонала при круглосуточной работе?

— Каким собственным ресурсом вы располагаете и каков объем дополнительных ресурсов, который вам потребуется в чрезвычайной ситуации?

Сергей злился, потому что на многие вопросы ответов у него не было. Если бы его заранее предупредили о повестке дня совещания, он подготовился бы, все продумал и вооружился цифрами, а сейчас ему то и дело приходилось говорить:

— Не готов сейчас ответить, не знаю.

Мэр кивал головой, делал пометки в толстом блокноте, потом посмотрел на Саблина неодобрительно:

— Сергей Михайлович, надо лучше готовиться к совещаниям.

— Меня никто не предупредил о повестке дня, — с вызовом ответил Сергей. — Если бы я знал заранее, какие вопросы будут обсуждаться, я смог бы подготовиться.

Мэр поднял брови и перевел взгляд на помощников, которые сидели в уголке, склонившись над невысоким столиком со стоящим на нем ноутбуком.

— Вас не предупредили? Почему? Как так получилось, что приглашенный на совещание руководитель не в курсе повестки дня?

Помощники — молодой мужчина и женщина средних лет — замялись. Приглашать на совещания и информировать о круге обсуждаемых вопросов — их прямая обязанность. Женщина оказалась посмелее.

— У начальника Бюро судмедэкспертизы нет допуска, поэтому он никогда не присутствует на таких совещаниях и не получает информацию о повестке дня, — четко выговорила она. — Вы дали указание пригласить его, но указаний огласить повестку не давали.

— Ну, понятно, — хмыкнул новый мэр, — я же и виноват. Вот что значит хороший помощник: всегда вывернется, никогда не покажет, что сделал что-то не так.

Присутствующие негромко засмеялись.

— И как же нам поступить? — продолжил мэр. — Без ответа на поставленные вопросы, касающиеся судебных медиков, мы не сможем сформулировать цели и задачи и определить требуемые объемы дополнительных ресурсов.

Сергей открыл было рот, чтобы высказаться, но тут заговорила Каширина:

— Я знаю начальника Бюро судмедэкспертизы уже давно и могу вас заверить, что он сделает все, что нужно, и выполнит все поставленные перед Бюро задачи.

— Задачи, — хмыкнул мэр. — Так задачи-то и надо сформулировать, а у нас для этого не хватает информационной базы. Ладно, Татьяна Геннадьевна, раз вы поручились за начальника Бюро, вы этим и занимайтесь. Определите господину Саблину его задачи, установите сроки, спланируйте контроль, ну, вы сами все знаете, не мне вас учить. И имейте в виду: спрашивать я буду не с него, а с вас лично.

И почему-то лучезарно улыбнулся, глядя на Каширину. Сергей подумал, что ничего никогда не поймет в этих сложных отношениях между людьми, приближенными к власти и управлению.

— Если к начальнику Бюро больше нет вопросов, предлагаю его отпустить, — сказал мэр, обводя глазами участников совещания.

Вопросов ни у кого не оказалось, и Сергей встал из-за стола.

— Сергей Михайлович, — окликнула его Каширина, — будьте любезны, подождите меня в приемной.

Ждать пришлось долго: Саблин был первым, кому на совещании задавали вопросы, и это правильно. Если на обсуждение «закрытой» информации приглашается человек без допуска, то сперва решаются все вопросы с ним, а потом, когда его отпускают, начинают звучать сведения «секретные» и «для служебного пользования». Сергей маялся в роскошной приемной мэра, думая о том, сколько дел запланировал на сегодня, и весь график летит к чертям, и он снова ничего не успеет... «Хозяйка» приемной, любезная девушка в сером костюме с узкой юбкой ниже колен и голубой блузке, уже дважды поила его чаем, и один раз Саблин даже выпил кофе, хотя помнил о своем давлении. То и дело он звонил в Бюро, что-то выяснял, давал указания и пытался хоть как-то контролировать своих подчиненных, выходил на улицу курить, потом возвращался и снова садился в мягкое удобное кресло.

Наконец дверь комнаты для совещаний распахнулась. Каширина вышла одной из первых и сразу же кивнула Сергею.

— Пойдемте ко мне, Сергей Михайлович.

Ее теперешний кабинет разительно отличался от того, в котором она сидела, когда работала в прокуратуре. Просторный, светлый, с множеством оргтехники, при этом широкие подоконники двух больших окон сплошь уставлены цветами в горшках.

Саблин с любопытством огляделся. Какую же должность она занимает? На табличке на двери кабинета значилось только ее имя.

— Я советник мэра по безопасности, — улыбнулась Каширина. — Можно считать, что меня повысили в должности.

Они проговорили все вопросы, которые необходимо будет решить начальнику Бюро судмедэкспертизы, и согласовали сроки.

— Я подготовлю официальное письмо с запросом на ваше имя и направлю в Бюро, — сказала она, — там будет изложено все то, о чем мы с вами договорились.

Он собрался уходить, когда Каширина вдруг сказала:

— А вы очень хорошо выглядите, Сергей Михайлович. Посвежевший, отдохнувший. Были в отпуске недавно?

Недавно? Отпуск закончился в августе, а сейчас конец октября, за два месяца у кого угодно «отпускная» красота и свежесть сойдут «на нет».

— Начал гулять по окрестностям, — улыбнулся Саблин. — Много хожу пешком, дышу воздухом. Конечно, дышать у нас тут особо нечем, один сплошной выхлоп и ядовитые отходы, но все-таки...

Ему захотелось сказать ей что-нибудь приятное.

— Вы тоже замечательно выглядите, Татьяна Геннадьевна. Как будто помолодели лет на десять. Вот что значит смена работы!

Он кривил душой. Каширина выглядела превосходно, но так она выглядела всегда. И ни капельки не помолодела.

— Работа ни при чем, — ее улыбка сияла, делая лицо светлее и живее. — Со мной рядом теперь мой любимый мужчина.

Вот как! А Саблин ничего не слышал об этом. Надо же, о ее романе с водителем сплетничает весь город, а о том, что Каширина вышла замуж, не говорит никто. И почему люди так любят обсуждать всякую грязь и совершенно не интересуются приятными новостями?

— Вы вышли замуж? Поздравляю от всей души! — искренне произнес он.

— Замуж? — удивление Татьяны Геннадьевны было неподдельным. — Да Господь с вами! Какое «замуж»! Только этого мне не хватало. Сергей Михайлович, для матери самым любимым мужчиной на всю жизнь остается только ее единственный сын, запомните это. Он эксперт-криминалист, закончил институт, отучился на допуск, поработал два года в областном центре, за это время получил еще четыре допуска и теперь перевелся к нам, в Северогорск. Что называется, мастер на все руки, только поэтому его и взяли сюда. С одним допуском брать не хотели, даже с двумя им было мало.

Саблин примерно представлял себе, о чем идет речь. Для проведения экспертных исследований определенного вида необходимо пройти обучение в течение одного-двух месяцев и получить так называемый «допуск»: право проводить именно этот вид исследований. Допуск подтверждает квалификацию эксперта и дает ему право подписывать заключение. Дактилоскопия, трасология, оружиеведение, химия, физико-техника, биология — все эти и множество других исследований требуют отдельного обучения и допуска. В условиях Северогорска органы внутренних дел не могут позволить себе роскошь иметь узких специалистов, то есть по отдельному эксперту на каждый вид экспертизы. Штатное расписание и бюджет не резиновые. Посему активно приветствуются эксперты-«многостаночники», которые могут единолично проводить несколько видов экспертиз. Такие эксперты удобны руководству еще и тем, что их можно использовать как выездных экспертов для дежурств в составе следственно-оперативных групп: «чисто химика», «чисто биолога» или «чисто оружейника» работать на место происшествия не возьмут, ему там просто нечего делать.

Но неужели Каширина с ее связями и возможностями не смогла пробить назначение сына в экспертно-криминалистический центр в Северогорске, когда у парня было уже два допуска? Это по меньшей мере странно. Почему нужно было ждать, пока он овладеет пятью экспертизами и получит пять допусков?

— Я всю жизнь боялась, что настанет момент, когда мне будет стыдно за своего сына, — очень серьезно ответила Татьяна Геннадьевна, когда Сергей с обычной для него бестактностью задал ей вопрос напрямую. — Разумеется, я могла бы надавить на определенные рычаги, и мальчика взяли бы сюда даже с одним допуском. Но город у нас не такой уж большой, работы для эксперта с узкой специализацией обычно немного, если только это не дактилоскопия. Мой сын окажется в привилегированном положении по сравнению с другими экспертами, будет мало работать и просто просиживать штаны. И это не останется незамеченным. Я не хочу, чтобы о моем любимом мальчике говорили гадости за спиной. Я хочу гордиться своим сыном. Чем больше он знает и умеет, тем больше у него работы, а чем больше работы — тем я спокойнее за его репутацию. И, соответственно, за свою тоже.

— И давно ваш сын работает в Северогорске?

— С тех пор, как я перешла из прокуратуры в администрацию.

— Странно, — пожал плечами Сергей. — Я постоянно дежурю в составе группы, но никогда не сталкивался с экспертом по фамилии Каширин. Или он у вас не выездной?

— Он не Каширин. Его фамилия Морачевский, по отцу. Глеб Морачевский. И он с вами уже два раза попадал на суточное дежурство. Должна вам заметить, вы ему очень понравились.

Глеб! Фамилию Саблин не запомнил, а вот имя не забыл. Ну конечно, был такой, действительно пару раз. Вдумчивый, серьезный, аккуратный, дотошный, он сразу понравился Сергею своей неторопливостью и основательностью при осмотре места происшествия. Он не халтурил, не пытался сократить или ускорить работу, делал все тщательно и с нескрываемым удовольствием. Собственно, именно это последнее обстоятельство и подкупило судебного медика Саблина, сразу разглядевшего в новом эксперте-криминалисте влюбленного в свое дело трудоголика. Только такие люди и привлекали Сергея, все прочие были для него не интересны и как бы не существовали вовсе.

* * *

— Все, Татьяна Геннадьевна, на сегодня мы с вами закончили, — прорвался сквозь дрему голос косметолога Милы.

Каширина с сожалением открыла глаза. Она пользуется услугами салона красоты уже много лет, и за эти годы сформировалась устойчивая привычка спать во время косметологических процедур. Стоило ей лечь на массажный стол и закрыть глаза, как она мгновенно засыпала, то и дело просыпалась, пыталась сообразить, на каком этапе находится работа над моложавостью и свежестью ее лица, с удовлетворением понимала, что до окончания еще далеко, и снова радостно погружалась в сон. Эти два часа давали ей возможность расслабиться и набраться сил. Сон дома, в своей спальне, никогда не бывал таким сладким и безмятежным.

Она встала и начала одеваться. Сначала белье, потом платье, потом провести расческой по волосам — и только потом бросить взгляд в зеркало: как она выглядит? Лицо в обрамлении одежды и прически — это совсем не то же самое, что просто лицо, поэтому оценивать результаты работы косметолога имеет смысл не иначе, как обретя тот облик, в котором тебя будут видеть окружающие.

— Ну как? — спросила Мила.

Татьяна Геннадьевна провела пальцами по щеке, погладила подбородок, придирчиво осмотрела кожу на шее.

— Хорошо, Милочка, спасибо. В следующий раз — как обычно, в четверг. Если у меня что-то изменится — я позвоню.

— Конечно, Татьяна Геннадьевна, я вас запишу сама.

Мила была хорошим косметологом, с большим опытом, процедуры она проводила каждый раз разные, в зависимости от состояния кожи клиентки на данный момент, соответственно и стоимость всей двухчасовой работы варьировалась, но Каширина никогда этим вопросом не интересовалась. Она раз и навсегда определила сумму, которую оставляла Миле прямо в кабинете и которая была заведомо значительно выше, чем требовалось по прейскуранту, а Мила потом сама относила деньги в кассу, оставляя сдачу, отнюдь не маленькую, себе. Пусть старается, думала Татьяна Геннадьевна. Денег она никогда не жалела.

Машина стояла у самого входа в салон: водитель по имени Леонид всегда старался подъехать как можно ближе к двери, чтобы его пассажирке не пришлось идти пешком лишние несколько метров.

Увидев выходящую из салона Каширину, он выскочил на тротуар, чтобы открыть ей заднюю дверцу.

— Куда едем, миледи?

— Домой, Чижик, — улыбнулась Каширина. — Хватит на сегодня.

Сидя на заднем сиденье, она смотрела на его коротко стриженный выпуклый затылок, на мощную шею, плавно переходящую в широченные надплечья. Хорош парень, ничего не скажешь, хорош. Обидно, что судьба с ним так обошлась...

Леонид Чижов, которого Каширина называла просто Чижиком, раньше служил в спецподразделениях, принимал участие в боевых действиях, а когда уволился в запас, начались трудности с устройством на работу. Он никак не мог понять, чем ему хочется заниматься, а когда находил то, что ему, казалось, было по душе, его не брали.

А хотел Леня Чижик быть водителем-охранником. Или хотя бы просто водителем, но тогда уж там, где риск, драйв, опасность. И пришел он трудоустраиваться в областное управление внутренних дел. Получив отказ, обратился в автохозяйство областной прокуратуры, но и там случился от ворот поворот. Так и ушел бы Леня Чижик неведомо куда, если бы не попался случайно на глаза Татьяне Геннадьевне Кашириной, в ту пору занимавшей должность старшего следователя по особо важным делам.

Кашириной Леня понравился, был он добродушным и отзывчивым на хорошее к себе отношение, старательным и преданным. Она попыталась помочь ему, но как только предприняла первые шаги в этом направлении, ей объяснили, что Леонид Чижов состоит на учете в психоневрологическом диспансере. Оказалось, что в период участия в боевых действиях у него развился острый реактивный психоз с проявлениями повышенной агрессии и чудовищной немотивированной жестокости: он снимал скальпы и вырезал половые органы у задержанных бандитов, а то и самочинно расстреливал их, объясняя это тем, что именно так поступали «эти нелюди» с его товарищами. Леню отправили на лечение в госпиталь, после чего Военно-врачебная комиссия признала его негодным к военной службе. Чижова отправили на пенсию в звании капитана.

Татьяна Геннадьевна, услышав это, в первый момент растерялась, но потом решила присмотреться к отставному капитану. Для начала платила ему деньги за то, что он водил ее личный автомобиль. Платила немного, но наблюдала за Леней внимательно. Вел он себя без особенностей, никакой агрессивности она за ним не замечала, поручения исполнял, ничего не забывал, никуда не опаздывал. Когда встал вопрос о переводе в Северогорск на должность заместителя прокурора города, она задействовала свои связи, чтобы Чижова сняли с учета ПНД как излечившегося. На военкомат ее влияние не распространялось, а вот с психоневрологическим диспансером она справилась успешно: амбулаторную карту Леонида Чижова просто уничтожили и из компьютерной базы данных стерли.

Каширина вернулась в Северогорск, и уже через месяц Леонид Чижов работал в гараже городской прокуратуры диспетчером. Заместителю прокурора полагалась служебная машина, но взять Леню водителем Татьяна Геннадьевна не спешила, ездила пока с тем, кого ей определили. Пусть мальчик поработает, пусть покажет себя, пусть докажет, что может работать на казенной должности, в коллективе. Ей торопиться некуда, тем паче для смены водителя нужны же хоть какие-то основания, нельзя просто прийти и заявить:

— Я хочу, чтобы меня возил Чижов, переведите его из диспетчеров в водители, а моего водителя уберите, куда хотите.

Так не делается. Не поймут. Начнут спрашивать, чем не угодил имеющийся водитель, почему его нужно менять, и придется врать и придумывать ни в чем не виноватому человеку невесть какие грехи и оплошности.

Противопоказаний для работы водителем у Леонида не было, машины он любил, и спустя два года у зампрокурора Кашириной появился водитель по фамилии Чижов, которого она забрала с собой, когда перешла из прокуратуры в администрацию Северогорска.

И не было на этой земле человека более преданного ей, чем Леня Чижик.

С первого же дня работы водителем служебной машины Леня стал называть ее «миледи». Татьяну Геннадьевну это коробило, она сердилась и выговаривала Чижику, что это пошлость, что слово «миледи» ассоциируется только с романом «Три мушкетера», что миледи Винтер была проституткой и интриганкой, жестокой убийцей и подлой соблазнительницей, но Леня упирался и твердил, что «Трех мушкетеров» не дочитал, начал — и бросил, больно скучно, одни описания и политика, никакого драйва.

— Словом «миледи» называют жену лорда, — говорил он простодушно, — а это никак не может быть проститутка и жестокая убийца. Если бы вы были мужчиной, я бы называл вас «Батей», как своего комбата, а так-то что мне делать? Не «мамкой» же вас называть. Это, по-моему, еще хуже, прямо как хозяйку борделя.

В конце концов Каширина смирилась. Пусть называет, как ему удобно. Сама она обращалась к Лене ласково, называла Чижиком и считала его фактически своим вторым сыном. Глеб был далеко, учился и работал в областном центре, а ведь Леня ненамного старше. У него в Северогорске никого нет, родители в Челябинске, бывшая жена, подавшая на развод после выхода Чижика в отставку с минимальной пенсией и неприятным диагнозом, вообще в Иркутске, кому же и позаботиться о мальчике, если не ей, Татьяне Геннадьевне.

Для себя она не готовила — время жалела, но когда в Северогорск вернулся сын Глеб, снова встала к плите. При всей своей занятости Татьяна Геннадьевна Каширина готовить любила и умела, а уж для обожаемого сына старалась, не жалея сил. Времени свободного действительно было немного, и поначалу советник мэра по безопасности пыталась накормить Глеба готовыми продуктами, покупала в самом лучшем, самом дорогом магазине пирожки, пирожные, полуфабрикаты, которые нужно было только разогреть, но очень скоро сын взбунтовался.

— Мамуля, — заявил он, — давай это прекращать, ладно? Ты покупаешь продукты за бешеные деньги, а вкуса никакого. С тем, что ты сама готовишь, даже сравнивать нельзя. Тесто у них вязкое, недопеченное, начинка пересолена, черт знает что — а не выпечка.

— Но, сыночек, у меня очень много работы, — попыталась возражать Татьяна Геннадьевна, — я просто не успеваю еще и готовить.

Глеб пошел на компромисс, он всегда был покладистым.

— Ладно, мамуля, я согласен на салаты из кулинарии, они ничего, есть можно, и на цыплят, они хорошо жарят, но выпечку я хочу есть только твою, твоими руками сделанную. И не говори мне, что у тебя нет времени, посмотри на свою приятельницу Лялечку Таскон, она что, меньше тебя работает? А печет постоянно, ее муж все судебно-медицинское Бюро пирогами закармливает, я как на сутки заступаю — так обязательно судебный медик с пакетом, а из пакета такие запахи! Я же помню, как вы с Лялечкой дружили, вечно рецептами обменивались, угощали друг друга. Уж на что у нее вкусно было, а у тебя всегда лучше получалось, вкуснее. И почему, имея такую мамулю, я должен давиться непропеченной магазинной продукцией?

Какая мать сможет устоять против таких слов? Каширина сдалась. В конце концов, выпечка — дело не каждого дня, вполне достаточно заняться этим раз в неделю, в выходной день. Глеб особенно любил ее слоеные пирожки с мясом, и Татьяна Геннадьевна каждое воскресенье с утра затевалась с тестом, а по понедельникам выходила из дома с большим пакетом, который вручала Чижику. Мальчику нужно питаться. Мальчика нужно баловать вкусненьким. Так что пока Глеб не женится и не начнет жить самостоятельно, Леня Чижик тоже гарантированно будет каждую неделю объедаться вкуснейшими пирожками.

Да, но с Глебом надо что-то делать... Неправильно, когда взрослый самостоятельный молодой человек живет вместе с матерью. У него уже была попытка жениться, невеста — молоденькая симпатичная и в целом очень славная девочка — Кашириной понравилась, она с удовольствием погуляла на свадьбе сына в областном центре, а вернувшись в Северогорск, немедленно занялась «организацией» отдельной двухкомнатной квартиры для молодых. Ведь когда-нибудь Глеб закончит коллекционировать допуски, и его возьмут на работу в Северогорске, значит, молодой семье нужно жилье. Однако в родной город Глеб вернулся один. Скоропалительный брак продержался меньше года, а разведенный молодой эксперт предпочел жить с матерью.

И Татьяна Геннадьевна не знала, радоваться ей или огорчаться. Сына она любила безумно, и жизнь бок о бок с ним казалась ей вершиной счастья. Она готова была умереть за своего ребенка. Но, с другой стороны, у мальчика должна быть семья, жена, дети. А у него все какие-то кратковременные подружки...

Вот и Ленчика хорошо бы пристроить в добрые надежные руки. Татьяна Геннадьевна мысленно усмехнулась: она относится к Чижику как к сыну, а все судачат о том, что у них роман.

Ну и пусть. Она женщина свободная, ей стесняться нечего.

* * *

Дежурство выпало на День милиции, и половина членов следственно-оперативной группы с самого утра обсуждала только один вопрос: удастся ли хоть как-нибудь отметить профессиональный праздник, и если удастся, то где? Прямо в салоне дежурной машины? Или у кого-нибудь в служебном кабинете?

День сложился на удивление спокойно, выездов было совсем немного, и к вечеру выдалось время «посидеть»: дежурный эксперт-криминалист пригласил всю группу в свой отдел, где уже часов с пяти «гудели» все, кто носил погоны и не был занят срочной работой. Разумеется, следователь прокуратуры и судебно-медицинский эксперт тоже были приглашены.

Народу в тесное помещение набилось великое множество, спиртного было много, закуски, как водится, мало, поэтому все, кто пил, довольно быстро пьянели. Члены дежурной следственно-оперативной группы тоже позволили себе, хотя и был риск нарваться на неприятности, но в День милиции выезд на место происшествия в не вполне трезвом состоянии обычно прощался.

Саблин пил мало, хотя напиться очень хотелось. Настроение было отвратительным, но поддаться соблазну он не решился: все-таки он — начальник Бюро, и если его подчиненным станет известно, что он нажрался как свинья на дежурстве, то есть в рабочее время, ему уже будет невозможно бороться за дисциплину. Его предшественник Двояк постоянно находился на работе в подпитии — и результат хорошо известен.

В дальнем углу кабинета он заметил забавную парочку: молоденькую девочку — инспектора по делам несовершеннолетних в форме с погонами лейтенанта милиции, и того самого эксперта-трудоголика по имени Глеб, который, как выяснилось, был сыном Кашириной. Девочка-инспектор уже изрядно набралась и тесно прижималась к эксперту, который, судя по выражению глаз, был трезв как стекло. Саблин понаблюдал за ними минут пятнадцать и убедился в том, что не ошибся: эксперт подливал инспектору, поощрительно приобнимая ее за плечи, но сам не пил.

Сергей пил в этой компании уже не в первый раз и знал, что разговор рано или поздно дойдет до баек: каждый начнет рассказывать что-нибудь неординарное из собственной или чужой практики. Начинали почему-то всегда со следователя, запас историй у которого довольно быстро иссякал, и тогда вступали опера и эксперты.

— В котловане на новостройке нашли матку без придатков и фрагментированный труп плода, — начал вещать следователь прокуратуры, полный мужчина лет пятидесяти с лишним, — возбудились тут же, ментов нагнали, ну и прокурорских тоже подтянули, ну а как же, убийство женщины и младенца — дело серьезное. Искали-искали, всех на уши поставили, прокурор города под свой контроль дело взял, а знаете, что оказалось? Женщина умерла на ранних сроках беременности, матку с плодом изъяли и приготовили препарат для анатомического музея больницы. А через двадцать один год препарат пришел в негодность, что-то там они нарушили при его хранении, так санитар ничего лучше не придумал, как отнести на пустырь и закопать. Кто ж знал, что на этом пустыре стройку начнут и станут котлован рыть.

Сергей поморщился. Это был старый случай из практики московских судмедэкспертов, хорошо известный среди специалистов. Неужели у следователя настолько плохо с казусами, что он занимается откровенным плагиатом?

— А вот еще, помню, был случай, — продолжал между тем следователь, — обнаружили на берегу реки мужика с дырками по всему телу, такое ощущение, что стреляли из дробовика с неблизкого расстояния, потому что дырок много, а следов пороха нет. Тоже кучу сил потратили, пока все ружья в данной местности не перепроверили, всех владельцев дробовиков перетрясли, одного «закрыли», потом через неделю выпустили — другого задержали, но и его пришлось отпустить. А судебные медики на голубом глазу нам заявляют: это ему пиявки, дескать, шкурку попортили.

— Пиявки? — нестройно загудели присутствующие. — Это как?

— Да вот так! — следователь торжествующе обвел глазами празднующих. — Мужик напился, упал в камышах, а пиявки из него всю кровь высосали.

— Да быть не может! Лажа какая-то! Сергей Михайлович, вот скажите, может такое быть?

— Может, — подтвердил Саблин, — редко, но случается. И вообще, чего только на этом свете не случается!

— Это да, — подал голос один из оперов, — и чудеса случаются, и идиотов всегда хватало. Помните случай на заводе, когда один придурок-рабочий подкрался к своему товарищу и подставил к заднему проходу конец резинового шланга от насоса со сжатым воздухом? Тот сразу упал, потерял сознание и умер.

— Да ладно, — недоверчиво протянул кто-то из молодых сотрудников, — не свисти, от чего там умирать-то? Ну, задул ему воздух в дырку — делов-то.

— Сергей Михайлович, ну объясните вы ему, если он не верит, — шутливо взмолился опер. — Я помню, как вы сами мне этот случай объясняли, только повторить не могу, уж больно мудрено там у вас все.

Сергей улыбнулся. Он помнил этот случай хорошо, сам проводил вскрытие.

— Сжатый воздух через анальное отверстие проник в кишечник, разорвал поперечно-ободочную кишку и купол диафрагмы, попал сначала в брюшную полость, потом в грудную и этим вызвал резкое смещение легких и сердца. Произошла резкая тампонада.

Несколько секунд в кабинете царила тишина, внезапно разорвавшаяся хриплым хохотом: смеялся начальник отдела розыска, тот самый, который жаловался Сергею на невозможность дактилоскопирования гнилых и мумифицированных трупов.

— Ну ты даешь, Михалыч! Так объяснил, что ни хрена не понять! Ты человеческими словами умеешь разговаривать?

Сергей неожиданно для себя развеселился. Отчего-то поднялось настроение и захотелось поразвлекать народ занятными историями.

— Хочешь человеческими словами? — с деланой угрозой спросил он. — Ладно, получи. Вот вам загадка на сообразительность: мужик помер в больнице от пневмонии, а при вскрытии у него в мочевом пузыре обнаружили градусник. Ну, кто смелый? Кто выскажет предположение, как он там оказался?

— Так больница же, ему температуру измеряли, вот и...

Сергей нашел глазами говорящего — это оказалась та самая девочка-инспектор, так и продолжавшая сидеть в обнимку с экспертом по имени Глеб.

— Ну, измеряли, и что? Как градусник в мочевой пузырь-то попал?

— Но ведь есть же такой метод, когда температуру измеряют не под мышкой, а... — она залилась краской, смутилась, но отважно продолжила: — А в попе.

— Ну? — насмешливо проговорил Сергей. — Допустим, в попе, как вы выразились. И дальше что?

— Так он из попы в мочевой пузырь и попал.

— А что? — раздались голоса. — Точно! Так и было! Катюха наша дело говорит! Молодец, догадалась.

Сергей слушал их и удивлялся: ну почему, почему люди не считают нужным иметь хотя бы элементарное, хотя бы самое поверхностное представление о строении человеческого тела и его функционировании! Ведь тело есть у каждого, это, собственно говоря, самое близкое, что у нас есть. А мы ничего не хотим знать о том, как оно устроено, как работает, по каким законам существует. Из заднего прохода в мочевой пузырь! Она что же, полагает, что то, ради чего она посещает туалет, устроено сообщающимися сосудами?

— Нет, друзья мои, — констатировал он, — не догадалась ваша Катюха. Этот мужик градусник в уретру вводил, вот оттуда он и попал в мочевой пузырь. Для тех, кто не в курсе, объясняю: уретра — это такой канальчик, из которого мальчики писают. Прошу прощения у дам за пикантные подробности.

— Для чего? — изумленно спросил кто-то.

— Для мастурбации, — спокойно пояснил Саблин. — Для поддержания эрегированного состояния полового члена.

— Е-мое! — дружно выдохнули собравшиеся. — Вот идиот-то!

— Ага, — охотно согласился Сергей. — Но он не один такой. Еще один идиот ввел клизмой себе в задницу водный настой табака. Тоже помер.

— А зачем?

— Геморрой пытался лечить, — пояснил он. — А вообще в брюшной полости чего только не находят. Вот бомжа нашли мертвого, без брюк, из одежды только куртка, свитер, рубашка и носки. Сразу заподозрили неладное: мужик в такой холод без штанов — непорядок. Вскрыли — а у него в брюшной полости мало того, что семьсот миллилитров крови, так еще и две свободно лежащие стеклянные бутылки из-под пива, одна — «Клинское», другая — «Старый мельник», а в прямой кишке нашлась стеклянная четвертинка из-под водки.

— Это как?

Вопрос задал сын Кашириной. Сергей посмотрел в его сторону: эксперт больше не обнимал девочку-лейтенанта, которая, совершенно упившись, дремала на стуле, прислонившись головой к газовому хроматографу, напоминавшему старый ламповый телевизор. Он сидел, опершись локтями о бедра и слегка подавшись вперед, и внимательно слушал.

— А вот так! — беззаботно ответил Саблин. — Две поллитры и одна четвертинка.

— Но почему? — не унимался эксперт.

— Потому, что его насиловали таким вот извращенным способом. Все, друзья мои, моя часть концерта закончилась, я пойду воздухом подышу.

В помещении действительно было не продохнуть, курильщикам в виде праздничного исключения разрешили дымить прямо в кабинете, и Сергей начал чувствовать, как затылок наливается мутной тяжелой болью.

Он взял пуховик и вышел на крыльцо. Еще спускаясь по лестнице, Сергей слышал быстрые шаги у себя за спиной, но не обернулся. Мало ли кто ходит по большому зданию городского отдела внутренних дел!

— Сергей Михайлович, — послышался голос, — не возражаете, если я нарушу ваше уединение?

Рядом с ним стоял Глеб Морачевский.

— Пожалуйста, — равнодушно ответил Саблин.

— То, что вы рассказывали, это все из вашей собственной практики?

Сергей рассмеялся:

— Нет, конечно. В основном из чужой.

— Но кое-что — из вашей?

— Кое-что — да. Но далеко не все. Казусы это вообще штука не частая, не каждому эксперту доведется за всю жизнь с ними столкнуться. На то они и казусы. Это исключительные ситуации, штучный, так сказать, товар. Вот, например, мужик в сауне водку пьянствовал и продуктами закусывал, нес тарелку, поскользнулся, упал, тарелку выронил. Тарелка разбилась, а он на нее сверху шлепнулся. Казалось бы — какая мелочь! А упал он на осколок тарелки, и осколок вошел прямо в сердце.

— И что? — шепотом спросил Глеб.

— И ничего. Умер, бедолага. Сотни тысяч мужчин пьянствуют в банях и бьют посуду, сотни тысяч падают, поскользнувшись. Встают и идут дальше, только ушибленное место потирают. А этот... Казус.

— Вы, наверное, очень хороший специалист, — помолчав, проговорил Глеб. — Я о вас много слышал.

— От мамы? — усмехнулся Саблин.

Ему показалось, что стоящий рядом эксперт вздрогнул. Впрочем, наверное, действительно показалось. Чего ему вздрагивать? Ну, разве что от пронизывающего ветра.

— А вы уже знаете, да?

— Да, я в курсе. Мне Татьяна Геннадьевна сказала.

— Ну зачем! Вот просил же ее, просил, чтобы никому не говорила, — в голосе Глеба звучало непонятное Саблину отчаяние. — У меня и фамилия другая, никто бы не узнал.

— Я не понял, вы что, стесняетесь? — удивился Сергей. — Ваша мама мало того что блестящую карьеру сделала, так еще и красавица, и умница. Нормальный сын должен гордиться такой матерью, а вы стесняетесь.

— Да не стесняюсь я! Просто не хочу, чтобы меня все считали ее сынком, которого она удачно пристроила и в случае чего прикроет и поддержит. Не хочу. Противно.

Сергей почувствовал к эксперту нечто вроде симпатии. Он ведь и сам в молодости был точно таким же, не хотел родительской поддержки и помощи, дистанцировался от них.

— Скажите, Сергей Михайлович, неужели вы действительно можете вскрыть тело и все увидеть: и как человек умер, и от чего?

Сергей расхохотался:

— Да кто вам рассказывает все эти небылицы? Иногда — да, можно определить и то и другое. А иногда без информации, которую тебе дают другие люди, никогда в жизни даже не догадаешься, что произошло на самом деле. Вот вам хороший пример: женщина тридцати четырех лет впервые обратилась к врачу: голова у нее, понимаешь ли, начала болеть. Сделали рентген — обнаружили швейную иглу длиной пять с половиной сантиметров. Откуда она там? Как туда попала? Когда? Сама женщина ничего объяснить не могла, про иголку эту впервые от врачей узнала и страшно удивилась. Хрен бы эксперт когда-нибудь догадался, что произошло на самом деле.

— И что произошло? — Глеб слушал как зачарованный.

— Женщина эта сирота с первого месяца жизни, мать умерла, отца и вовсе не было, жила с бабкой. Так вот, когда результаты рентгена получили, бабка ей и рассказала, что на первом месяце жизни девочки мать захотела ее убить, ну, крышу снесло. Сначала ввела иголку ребенку через большой родничок, потом пыталась разрезать шею. Мать покончила с собой, а девочку удалось спасти. И вот жила эта девочка на свете тридцать четыре года и понятия не имела о том, что у нее в черепе игла. Только когда дело дошло до рентгена — бабка раскололась, а то молчала как партизанка. А вот не раскололась бы — так никто ничего и не узнал бы.

— Ничего себе! — присвистнул Глеб. — И часто такое случается?

— Какое — такое? Иголка в черепе? Часто.

— Нет, я не про иголку спрашиваю, а про то, что пока свидетели ничего не скажут, судмедэксперт ничего не может установить.

— Бывает, — кивнул Сергей. — Тут все от мастерства оперсостава зависит. Найдут обиженного — считай, дело раскрыли. Обиженные, друг мой, это вообще кладезь информации, необходимой для судебно-медицинской экспертизы! Вот был случай, когда мужику смерть от спонтанного разрыва почечной артерии с массивной внутренней кровопотерей поставили. Никаких следов насилия не выявили, вот и поставили. И что бы вы думали? Через несколько дней после вскрытия к эксперту пришла мать умершего и сообщила, что считает виновной в смерти сына свою невестку, с которой проживает в одной квартире. Якобы невестка давно уже позволяла себе драться и избивать тихого покорного мужа и его маменьку, даже дело возбудили против нее, но сын попросил прекратить, пожалел, дурак. Бабища — жуть впотьмах, больше 100 кг весом, да к тому же сильно пьющая. Свекровь-то в острые моменты к родственникам сбегала пожить на несколько дней, а мужу, бедолаге, деваться некуда. Он на агрессию жены никогда не отвечал. Так вот в один из таких острых периодов невестка сначала наносила удары кулаками в грудь лежащего на диване мужа, потом всей массой тела навалилась ему на живот и неоднократно прыгала на нем, говорила, что «отправит его на тот свет, и никто не установит истинную причину смерти». Ну, следак ее дожал, призналась она.

— Что, прямо так и призналась?

— Ну, не прямо так, — усмехнулся Саблин, — частично. Призналась, что била и прыгала. А умысел на лишение жизни отрицала, конечно, она хоть и дура, но не совсем. В общем, на срок ей хватило. А вот скажите-ка мне, Глеб Морачевский, вы зачем девочку спаивали, а? Сами не пили, я видел, а ей подливали. Нехорошо! Или виды на нее имеете?

— Да вы что, Сергей Михайлович! Какие могут быть виды на нетрезвую девицу? — в голосе Глеба послышалась плохо скрываемая брезгливость. — Я ей наливал ровно столько, сколько она сама просила. Я ей не сторож и не пастух, хочет пить — пусть пьет. Но вы же сами видите: она красивая девочка, и к ней наши опера все без разбора клинья подбивают. Если я рядом с ней сидеть не буду — обязательно кто-нибудь другой подсядет, и точно так же будет наливать, и она точно так же налакается и начнет засыпать. И что получится?

— А что получится? — поддел его Саблин, хотя, в принципе, уже и так понял, о чем хочет сказать сын Кашириной.

— Ну а то и получится, что или в пустой кабинет затащат, или завезут куда-нибудь на хату. Девке жизнь могут испортить. Жалко ведь. Она неплохая, глупая еще просто. А я ее доставлю домой в целости и сохранности.

— А сам, значит, ни-ни?

Глеб молча смотрел на него и не отвечал. Саблин вытащил новую сигарету, закурил и терпеливо ждал продолжения.

— Сергей Михайлович, — наконец заговорил эксперт, — вы меня простите, я ни в коем случае не имею в виду вас, и вообще... Но раз вы спросили — я отвечу: пьющий человек для меня не существует. И нетрезвая женщина никогда в моих глазах не будет женщиной. Она будет для меня просто существом в измененном состоянии, без половых признаков. Я вас не обидел?

— Да нет, — хмыкнул Сергей. — Мне, знаете ли, глубоко безразлично, существую я для вас или нет. Алкоголизмом я не страдаю, но выпить могу, причем немало, и порой делаю это с огромным удовольствием. А вы, стало быть, сами не употребляете?

Глеб отрицательно покачал головой.

— Никогда. И ничего. Ни капли.

— Принципиально?

— Именно. Не хочу находиться в измененном состоянии. Хочу чувствовать все натурально, так, как оно есть в жизни, как природой создано, как людьми устроено. Мне важна ясность сознания, понимаете?

Сергей кивнул. Он понимал. Но не понимал, как эти мысли могли зародиться в голове такого молодого человека. Сколько ему лет? Кашириной около пятидесяти, значит, ему лет двадцать пять, наверное, или чуть больше, во всяком случае, на тридцать он никак не выглядит. Татьяна Геннадьевна говорила, что он после института еще два года учился на допуски, да здесь почти год, значит, лет двадцать пять и получается.

Он внимательно осмотрел стоящего рядом эксперта, благо крыльцо здания горотдела было ярко освещено. Красивый парень, хорошо сложен, темные густые волосы аккуратно пострижены, приятное овальное лицо, цвет глаз при таком освещении разглядеть трудно, но похоже, что не карие, скорее зеленовато-серые. Четко очерченные красивые губы, точь-в-точь как у его матери, квадратный подбородок. Девицы, наверное, с ума по нему сходят. «И жалеют небось что непьющий, — с сарказмом подумал Саблин. — Непьющего-то хрен в постель утянешь, если он сам не захочет, так что окрутить такого мальчика вряд ли кому удастся. Повезло Кашириной с сыном, стыдится его ей не придется, может не переживать».

— Ну ладно, — он повернулся и потянул на себя тяжелую входную дверь, — пошли, будем караулить вашу спящую красавицу, а то и правда кто-нибудь позарится на это сокровище.

Глеб кивнул и шагнул следом за ним.

Конец второго тома

ОБОРВАННЫЕ НИТИ

ТОМ ТРЕТИЙ

(Отрывок)

ЧАСТЬ ПЯТАЯ

ГЛАВА 3

И снова наступила середина декабря. Как-то незаметно миновал год в новой должности. Саблин по-прежнему вскрывал трупы и дежурил в составе следственно-оперативной группы, работа Бюро более или менее наладилась, и вполне можно было подумать о дне рождения. Правда, на этот раз дата не круглая, но зато и нервотрепки меньше, чем в прошлом году.

День рождения пришелся на середину недели, и Сергей, чтобы сохранить к вечеру хотя бы немного сил и бодрости, взял себе только одно вскрытие — несложное и не требующее много времени: пожилой человек умер дома, все диагнозы известны, все сведения от лечащих врачей получены. С утра секционную занимали врачи, вскрывающие четыре трупа, доставленные с места автокатастрофы, а исследование трупа пожилого мужчины предполагалось провести после этого.

Всю первую половину рабочего дня Саблин занимался обычной текучкой, радуясь, что хотя бы сегодня не возникает никаких неожиданных проблем. Наконец ему сообщили, что секционная освободилась и можно готовить труп для вскрытия. Сергей попросил Светлану сделать ему чай с сушками.

— Сергей Михайлович, — сказала она, ставя перед начальником чашку и блюдце с пятью сушками, — там вас мужчина спрашивает, в регистратуре.

— Кто? — недовольно спросил он: Сергей не любил, когда его отвлекали пустыми разговорами даже перед несложными вскрытиями. — Кто-то из родственников? Или милицейский?

— Да ну, милицейских я всех в лицо знаю, — Светлана, похоже, даже обиделась. — Такой забавненький. Но на родственника не похож, больно морда сияет. Так что, пригласить? У него пакет в руках, нарядный. Наверное, с днем рождения вас поздравить хочет.

— Ладно, — кивнул Саблин, — если забавненький — то приведи, пусть настроение поднимет.

Через несколько минут Светлана снова открыла дверь и пропустила в кабинет начальника Бюро мужчину лет тридцати пяти — тридцати семи, как на глазок определил Сергей. Мужчина был невысок, крепок, одет в черную кожу с массой заклепок и прочих металлических прибамбасов. На ногах — сапоги-«казаки» с острыми носами. Типичный байкерский прикид.

— С днем рождения, Сергей Михайлович! — громко заявил посетитель. — Примите от нас всех и от меня лично, не побрезгуйте!

Он водрузил на стол перед Саблиным яркий пакет, содержимое которого весьма недвусмысленно звякнуло. Сергей понял, что это кто-то из тех мотоциклистов, с которыми его свел случай два месяца назад.

— Спасибо, — поблагодарил он. — Как там дела у ваших товарищей? Поправились?

— Порядок, Сергей Михайлович! Алекс хромает пока, но бодр и весел.

— А второй? Кажется, Макс? С разрывом селезенки. Как он?

Байкер хмыкнул:

— Да тоже вроде ничего. Сергей Михайлович, вы что, не узнаете меня? Это же я, Макс. Максим.

Саблин всмотрелся повнимательнее: действительно, тот самый. Стрижку изменил, что ли?

— Я вас не узнал сразу, — извинился он. — Вы какой-то другой стали.

— Ну да, — весело согласился байкер Макс. — Я волосы покрасил. Это называется «грязный блондин». Потому и не узнали, наверное. Вот пришел «спасибо» вам сказать. Здорово вы тогда помогли. Мне в больнице сказали, что, если бы вы не сделали то, что сделали, мне бы кранты пришли. Я вообще-то давно узнал, как вас найти, но раньше не приходил, хотел в день рождения поздравить.

— А как вы про день рождения-то узнали? — удивился Сергей. — Кто вам сказал?

Макс неопределенно пожал плечами:

— Всегда нужно уметь собрать важную информацию о тех, кто тебе интересен. Разве не так?

И внимательно посмотрел на Сергея. «Ну-ну, давай-давай, строй из себя значительную личность», — язвительно подумал Саблин. Важную информацию он умеет собирать! Ишь ты, какой! Да еще о тех, кто ему интересен.

— Стало быть, я вам интересен? — холодно спросил он. — Весьма польщен столь высокой оценкой моей скромной персоны. Благодарю за внимание и за подарок. У вас все?

Байкер в изумлении уставился на него.

— Сергей Михайлович, вы что, обиделись на меня? Ну так я и знал! Вечно я что-нибудь ляпну неподходящее, а люди обижаются. Ну простите засранца, а? У меня язык — как помело, честное слово, несу невесть что, потом сам раскаиваюсь.

Сергей неожиданно расхохотался — до того расстроенный и виноватый вид был у байкера. Макс начинал ему нравиться.

Саблин заглянул в стоящий на столе пакет. Так и есть, три бутылки, все разные, но по виду не дешевые.

— Это виски, — пояснил Максим. — Самый лучший, какой в городе есть.

— Любите виски? — рассеянно спросил Сергей, прикидывая, как лучше поступить с неожиданным подарком: отнести домой и при случае выпивать по рюмочке под настроение; выставить сегодня на стол, когда придут немногочисленные гости; или передарить кому-нибудь, например, той же Светлане, пусть у нее к новогоднему столу будет хорошее спиртное, сама она такого небось не купит. Или раздать по бутылке Светлане, Изабелле Савельевне и Таскону, дескать, на рабочем месте пьянствовать я запрещаю, а дома выпейте за мое здоровье, считайте, что я «проставился».

— Нет, — Максим обезоруживающе улыбнулся, — байкеры виски не особо потребляют, мы же все-таки за рулем.

— Да? А что пьют байкеры? — осведомился Сергей.

— Ну, пиво, конечно, но чаще ББЧ.

— Что-что?

— Большой байкерский чай — в пивную кружку кипяток, не меньше двух пакетиков чая, лучше три, и сахар.

Кстати, подумал Сергей, почему бы не предложить ему чаю? А то как-то негостеприимно получается, человек пришел с днем рождения поздравить, а я...

— Вы, наверное, раньше хорошим врачом были? — простодушно спросил байкер, отпивая осторожно принесенный Светланой горячий чай из чашки в мелкий голубой цветочек.

— Почему — был? — насмешливо спросил Саблин.

— Ну, до того, как вас в трупорезы поперли. Накосячили где-то, да? Или за пьянку выгнали?

Господи, сколько раз Сергею приходилось объяснять несведущим людям суть своей профессии! Надоело. Хотя парень вроде симпатичный, не надо бы на нем срываться и грубить, хотя и очень хочется.

— В медицине «косячить» нельзя вообще, — спокойно заметил он. — Ни в какой ее области. И не надо думать, что есть отрасли медицины, в которых пьянствовать нельзя, а есть такие, в которых можно. Это крайне опасное заблуждение.

— У вас тут морг, — со святой убежденностью произнес Макс. — Тут одни покойники, какая ж тут медицина? Медицина — это когда живых людей лечат, а тут уже мертвые.

— Ну и какая разница?

— Ну как... Чтобы живых лечить, надо много знать всякого, уметь и все такое, а с покойниками-то какая наука? Чего там особенного уметь надо? Разрезал да посмотрел, и всего делов. Любой сможет. Даже меня можно наблатыкать за пару недель.

— Да? Хорошо, пошли со мной, — решительно произнес Сергей. — Посмотришь. А заодно и я посмотрю.

Он легко и незаметно перешел на «ты», и почему-то впервые в жизни ему это не показалось неуместным.

— На что? — Макс недоверчиво прищурился.

— На покойника. То есть на труп. Трупов не боишься?

— Да нет вроде...

— А смерти? Имей в виду: когда идет вскрытие, смерть всегда стоит рядом, за плечом у эксперта. Стоит и дышит ему в затылок, и следит за каждым его движением.

— Зачем? — вытаращил глаза Максим.

— А ей интересно, сможет ли человек, обыкновенный смертный, пусть и очень квалифицированный и знающий, разгадать ее тайну. Она загадку загадывает и смотрит, разгадает ее эксперт или нет. Стоит и усмехается, еще и в ухо гадости всякие нашептывает. Не боишься?

— Да нет вроде... — повторил байкер, но на этот раз как-то не очень уверенно.

— Вот и славно. Пойдем. Я его вскрою, а ты посмотришь и скажешь, как там и чего.

— Да легко! — с воодушевлением откликнулся Максим.

Приготовленный для вскрытия труп был не криминальным, поэтому Сергей вполне мог допустить присутствие в секционной посторонних. Он попросил Макса подождать в приемной, переоделся и повел байкера на первый этаж в помещение морга. Макс шел спокойно, с любопытством оглядывался по сторонам и даже пытался сунуть нос в каждую приоткрытую дверь. Никакого напряжения или испуга Саблин в нем не замечал. Это было странно. Обычно сохранение такого спокойствия лучше удается женщинам, они почему-то меньше боятся смерти и покойников, ведь традиционно даже обмывание и одевание умерших поручалось именно представительницам слабого пола, в то время как сильный пол испытывал перед трупами и вообще всем, что связано с кончиной человека, просто-таки панический ужас, смешанный с отвращением.

В секционной Макс тоже держался ровно, не бледнел, не отворачивался, напротив, следил за манипуляциями Саблина с нескрываемым интересом и то и дело задавал вопросы:

— А это что? Ну надо же, а я думал это ниже находится...

— А вот это что такое? А почему оно такое темное?

— А это разве такое маленькое? Я думал, оно больше.

— Ни фига себе! — воскликнул он, когда дело дошло до сердечной мышцы. — А почему посередине? Оно же слева!

Сергей только покачал головой, не прекращая диктовать медрегистратору. «Ну почему, — уже в который раз подумал он, — почему люди так мало интересуются собственным телом? Почему они ничего о нем не знают и знать не хотят?»

Перед выделением органокомплекса он сделал перерыв на пять минут и посмотрел на Макса, который к этому времени страшно расчихался и без конца утирал льющиеся из глаз слезы.

— Ну? И что ты видишь? Вот я тебе задачу облегчил, все, что сам увидел, вслух проговорил, ты слышал. Так что с человеком случилось? От чего он умер?

Макс пристально рассматривал разрезанное и раскрытое тело. Прошла минута, другая, третья...

— Ни хрена не понять, — удрученно констатировал байкер и снова чихнул. — А вы-то как тут разбираетесь? Это ж башку сломать можно, весь мозг набок съедет. Теперь понятно.

— Что тебе понятно?

— Что про трупорезов фигню всякую несут. Это ж до фигища всего знать надо, чтобы вот так работать.

Он полез в карман и достал огромный не очень свежего вида носовой платок, которым принялся утирать глаза и нос.

— Простыл, что ли, — пробормотал он.

— Да не простыл ты, — усмехнулся Саблин. — Это у тебя аллергия.

— Аллергия? На что? Сейчас декабрь, ничего не цветет, пыльцы нет никакой. Да я и не ел сегодня ничего такого, все как обычно.

— А у нас, Максим, в морге вечная весна, — мрачно пошутил Саблин. — Вечное, так сказать, цветение. У нас тут такие аллергены повсюду используются, что мама не горюй.

— Как же вы тут работаете? — удивился Макс.

— Вот так и работаем, — пожал плечами Саблин. — Все болеем поголовно, кто чем. А нам за это — сокращенный рабочий день и поллитра молока. Только кого эти поллитра спасут, когда здоровье окончательно угробишь... Ладно, продолжим. Если тебе надоело или плохо себя чувствуешь — иди, ты уже и так все увидел.

— Нет, — упрямо покачал головой байкер, — я останусь, если можно. Я еще не все понял.

Саблин посмотрел на него недоумевающе.

— И чего же ты не понял, друг Максим?

— Вы про смерть говорили... Про то, что она за спиной стоит... Я не почувствовал. А мне интересно. Можно я подожду? А вдруг почувствую.

— Ну, стой, — усмехнулся Сергей.

— А вы сами почувствовали? Была она здесь сегодня?

— Она и сейчас здесь, пока никуда не ушла.

— Сергей Михайлович, а как это... — байкер замялся. — Как вы ее чувствуете? Холод, что ли? Или воздух колеблется? Или звуки какие-то? Как? Мне на что внимание обратить?

Медрегистратор смотрела на него со странным выражением не то сочувствия к его простодушию, не то неодобрения, которое вызывали в ней разговоры о смерти. Была она женщиной немолодой, много повидавшей и проведшей в секционной сотни и тысячи часов за долгие годы работы в морге, и про смерть знающая побольше иных врачей.

— Ты, сынок, не жди, не присматривайся, — негромко сказала она, — смерть если захочет — сама тебе знак даст, тогда и почувствуешь, и даже сомневаться не будешь, сразу точно поймешь: вот она. Стоит рядом. А если специально ждать, то она не покажется. Она тоже прятаться умеет.

— Угу, — подтвердил Саблин, занимаясь органокомплексом, — слушай, что знающий человек говорит. Когда выйдем отсюда — напомни, я тебе таблетку дам от аллергии, а то ты весь на слезы и сопли изойдешь.

Исследование трупа, как и ожидал Сергей, оказалось несложным и недолгим. Нарезав кусочки для гистологии, он разрешил санитару зашивать тело и со словами: «Всем спасибо, все свободны!» покинул секционную. Максим шел следом, не переставая оглядываться по сторонам.

— А хотите, я вам в морге стены распишу? И совсем бесплатно — только краски ваши? А то что у вас тут — мрачнота какая-то, серость, обыденность. Я бы вам такие стены сделал! И цвет можно подобрать для настроения, и рисунок сделать, хоть пейзаж, хоть абстрактный, какой хотите. Здесь же не одни только покойники, здесь ведь и люди работают, о них тоже надо заботиться, чтобы у них на душе было радостно. Человек должен видеть красоту, а не эти вот ваши монохромные стены мертвенного цвета. Как в морге, ей-богу.

Сказал — и тут же рассмеялся.

Сергей усмехнулся — Северогорский морг в стиле HEAVY METAL. Мечта любого гота! Да они сюда толпами повалят, вместе с доморощенными сатанистами и прочими неформалами.

— Нет, спасибо. У нас медицинское учреждение. С одной стороны, есть этические нормы, общепринятые устоявшиеся взгляды обычных людей на то, как должно выглядеть медицинское учреждение. А с другой стороны, есть требования СанПина, в которых указано — какого цвета должны быть потолки и стены, чем покрашены и так далее. Рисунков Сан-

Пином не предусмотрено. Но я могу тебя свести с директором похоронной службы, он как раз ремонтирует и оформляет по-новому Зал прощаний. Покажешь ему эскизы — может быть, и сговоритесь...

— А СанПин — это что за хрень? Начальник краевой, что ли?

— Это санитарные правила и нормы, утвержденные Минздравом и обязательные для всех медицинских учреждений.

— Так это для медицинских же! А у вас тут... Ой, простите, Сергей Михайлович, опять я пургу какую-то гоню, — смутился Максим. — Никак не перестрою мозги в том направлении, что ваши трупы — это тоже медицина, да еще, пожалуй, и покруче, чем бабкам давление мерить или прыщи лечить.

Сергей стал подниматься на второй этаж, Максим следовал за ним, как привязанный.

— Ты художник, что ли? — спросил Саблин.

— Ну... как сказать... — Байкер рассмеялся. — Вообще-то да, художник. Но работаю в школе, преподаю рисование и черчение, кружок веду по истории живописи, студию тоже веду, учу детишек рисовать. Ну и всякие там праздники оформляю, наглядную агитацию.

— Художник? — фыркнул Сергей. — Какой же ты художник, если строение человеческого тела не представляешь? Вас ведь должны специально учить, разве нет?

— Так скелет же только и мускулатура, то есть то, что проявляется во внешней форме. А внутренности всякие мы не изучали.

— А ничего, что ты байкер? Это твоей репутации учителя не вредит? — осведомился Сергей. — И облик у тебя несколько, сам понимаешь...

Он сделал неопределенный замысловатый жест рукой.

— Так облик-то только для байка, — пояснил Максим. — Я же в школу в «косухе» не хожу. Для работы у меня джинсы и свитер, как у всех.

— А прическа? — поддел его Саблин. — Ничего, что мужчина-учитель красит волосы? По-моему, это противоречит дресс-коду школьного педагога.

— А! — Максим беззаботно улыбнулся. — Это сейчас я еще приличный, все-таки возраст, сами понимаете, а раньше я вообще с такой головой в школу ходил! Меня завуч воспитывать замучилась. Потом отстали, когда поняли, что детям нравится: я человек творческий, и их к творчеству приобщаю, а творчество — оно ведь рамок и канонов не признает, оно должно быть свободным и ничем не ограниченным.

За разговором они дошли до приемной, в которой Максим оставил огромного размера теплую длинную куртку. Саблин был уверен, что сейчас байкер оденется и уйдет, но тот не спешил прощаться.

— Вы мне еще таблетку обещали, — напомнил он, в очередной раз чихнув и шмыгнув изрядно покрасневшим носом.

Сергей завел его к себе в кабинет и стал рыться в ящике стола в поисках лекарства, которое всегда держал на рабочем месте.

— Держи, — он протянул Максу продолговатую голубую таблетку, — выпей прямо сейчас, минут через двадцать все должно пройти. Иди-иди, — улыбнулся он, глядя на байкера, который мялся возле двери, — тебе Света водички нальет, запьешь лекарство. А мне переодеться нужно. И вообще, у меня рабочий день заканчивается.

— Сергей Михайлович, вы торопитесь? — с какой-то неожиданной робостью спросил Макс. — Я еще узнать хотел...

Вообще-то никуда Саблин особо не торопился. День будний, праздновать день рождения решили в субботу, а сегодня они с Ольгой просто посидят вдвоем, а может, и втроем, если Петя Чумичев не изменит своим привычкам. Сергей по дороге домой купит торт — он с детства любит сладкое, а Оля собиралась приготовить его любимый салат и нажарить свиных отбивных с толстым жирным краешком. Сама она считала такую еду крайне вредной для здоровья и допускала ее только по особым случаям. Но это все будет не раньше семи-восьми вечера, а сейчас только три... И в самом деле, спешить некуда.

Решение пришло неожиданно и в первый момент показалось Саблину даже каким-то странным.

— Макс, а давай ты будешь называть меня на «ты», — предложил он. — Тебе сколько лет?

— Тридцать четыре.

— А мне сорок один сегодня исполнилось, разница невелика. Значит, так: ты сейчас выходишь, я переодеваюсь, потом Света сделает нам чайку, раздобудет какой-нибудь еды, мы с тобой посидим, пообедаем, и ты спросишь у меня все, что хотел. Годится?

— Класс! — искренне обрадовался Максим. — Спасибо.

Светлана задачу поняла быстро, сбегала сперва к биологам, потом к гистологам, затем к Изабелле Савельевне и с миру по нитке собрала вполне достойный двух зрелых мужчин обед, состоявший, правда, в основном из принесенной накануне продукции Лялечки Таскон. Однако среди пакетов и пакетиков обнаружились и печенье, и конфеты, и даже одно яблоко и три мандарина. Ловкая Света изобразила из этого богатства весьма привлекательный натюрморт, который и внесла на подносе в кабинет начальника.

— Света, меня ни для кого нет, — сказал Сергей. — Я ушел. У меня день рождения. Вы тоже можете идти. И приемную заприте. У меня ключи есть.

— Я посижу, Сергей Михайлович, — ответила секретарь, — телефон ведь звонить будет, не переставая, вам никакого покоя не дадут. А так я хоть отвечу, что вас нет, так они звонить перестанут.

Он почувствовал, что страшно проголодался, и набросился на еду, прихлебывая горячий сладкий чай с лимоном. Максим тоже ел с удовольствием. Оба молчали. Теперь уже Сергей недоумевал: зачем? Для чего он это затеял? Пригласил совершенно постороннего и абсолютно не нужного ему мужика вместе пообедать, да не в кафе или в ресторане, а в собственном служебном кабинете! Он что, с ума сошел? Ему заняться больше нечем? Он вчера еще наметил посмотреть в гистологии «стекла» по одному интересному случаю, вскрытие по которому проводил две недели назад Филимонов: выставленный им диагноз несколько удивил Сергея, и он решил сам проверить и убедиться в том, что эксперт-танатолог не ошибся. Вот и занялся бы. И литературу по специальности, совсем свежую, из Москвы прислали, тоже надо выкроить время, чтобы хотя бы пролистать.

Он в юности был душой компании, весельчаком и острословом, великолепным рассказчиком, к которому всегда было приковано внимание окружающих, но с годами Сергей Саблин стал нелюдимым, желчным и злым, сторонился новых знакомых и не был особо общительным. Ему достаточно Ольги для того, чтобы дружить, и Петьки Чумичева, чтобы выпить в сугубо мужской компании. А этот Максим... Зачем, ну зачем он предложил ему остаться?! Да еще позволил перейти на «ты», тем самым резко сократив дистанцию между ними, ту самую дистанцию, которую он в последнее время, с тех пор как стал начальником Бюро, строго соблюдал и настороженно следил за тем, чтобы ее никто не уменьшил. Справедливости ради надо сказать, что он первым начал называть байкера на «ты». Сергей это отлично помнил, и потому злился на себя еще больше.

От недавнего хорошего и легкого настроения не осталось и следа. Надо поскорее закончить эти никому не нужные посиделки и уходить.

— Так что ты хотел спросить?

Максим торопливо дожевал пирожок с вареньем.

— Я хотел узнать: ничего, что я теперь совсем без селезенки?

— Выживешь, — коротко ответил Саблин, усмехнувшись.

— А для чего тогда она нужна, если без нее можно жить?

— Ты что, хочешь медицинский ликбез прослушать? Так на это у меня времени нет. Медицина не такая простая наука, чтобы ею можно было за пять минут овладеть.

Максим смутился.

— Да нет, мне просто интересно, на что способен человеческий организм. Вот без селезенки он обходиться может, это я понял, а как с другими органами?

И снова Сергей с удивлением почувствовал, что злость уходит, уступая место расслабленности и благодушию. Этот байкер Макс — волшебник, что ли? Почему он так удивительно действует на Саблина? Не успев дать себе ответ на вопрос, Сергей пустился в неторопливые пространные рассказы о разных экспертных случаях, демонстрирующих невероятные способности человеческого организма.

Когда он был на сертификационном цикле в областном центре, коллега из Новосибирска поведал ему о вызове милиции и «Скорой помощи» к мужчине, которого ударили табуреткой по голове. Когда врачи прибыли на место, пострадавший лежал на полу лицом вниз, а из затылочной части головы торчала табуретка, ножка которой вошла в вещество головного мозга на целых восемь сантиметров. Так он мало того что выжил, он еще и на вопросы прибывших работников милиции отвечал!

— Вот как бывает, — говорил Сергей. — Бабка пришла в сельскую амбулаторию, голова у нее побаливает. Ей лекарство выписали, она пришла домой и стала его пить. А через какое-то время померла. И что оказалось? У нее в черепе гвоздь! Она его сама себе вколотила и ходила с ним, жизни радовалась, а потом вот головка что-то болеть начала. Неделю с гвоздем ходила.

— А зачем гвоздь-то? — спросил Макс.

— Да кто ж ее знает, захотелось, наверное, вот и вколотила. Сенильная деменция, по всей вероятности. Проще говоря: старческий маразм. Старая-то она старая, а вот хватило же здоровья на неделю с такой травмой.

Байкер слушал очень внимательно, не сводя глаз с Сергея и даже прищурившись слегка от напряжения.

— Это много — неделя? — уточнил он.

— Для такой травмы — да. Но неделя — это что! Один мужик вообще тридцать один год с обломком клинка перочинного ножа ходил и в ус не дул. Ему в восемнадцать лет в драке ножом в голову заехали. Где-то после сорока лет стали головные боли мучить, его и лечили от гипертонической болезни, атеросклероза сосудов головного мозга и динамического нарушения мозгового кровообращения. У него еще и лишний вес был, ожирение, так что в диагнозе никто и не усомнился. Лечили-лечили, пока он не умер в сорок девять лет. И только на вскрытии нашли в черепе отломок клинка длиной шесть с половиной сантиметров. Жена и рассказала, что в восемнадцать лет его во время драки ударили. Кровотечение из раны быстро прекратилось, и потом обследование полости черепа никогда не проводилось. Самое смешное, что на наружной поверхности височной кости и кожи заушной области очевидных следов травмы не обнаружено. Никому поэтому и в голову не приходило, что у него в башке инородное тело сидит. Или другой пример тебе приведу: парню выстрелили в лицо из газового пистолета, так он целых три дня с пулей в голове ходил, кололся, чтобы головную боль снять, с медсестрами заигрывал в стационаре. И ничего, кроме головной боли, не чувствовал. Ну, шатало чуть-чуть. И только на четвертый день почувствовал себя плохо, а через несколько часов умер.

— Слушай, — задумчиво проговорил Макс, — а сколько крови должно из человека вытечь, чтобы он умер?

— А это тоже как повезет, — развел руками Саблин. — По общему правилу — если человек теряет больше двух литров крови, то наступает так называемое жизнеугрожающее состояние. Но вот был случай, мужик получил травму, в результате произошел разрыв нижней полой вены и почечной артерии, так он с такими повреждениями еще двенадцать часов прожил, из них — только последние два в стационаре, а остальные десять часов — дома сидел, по улице ходил, что-то делал. Умер, вскрыли, а там кровь в брюшной полости и в забрюшинной клетчатке. Измерили объем — 4 литра крови из системы кровообращения утекло, а он еще жил и целых десять часов двигался и сознание не терял. Он и в больницу-то сам пришел, дескать, что-то нездоровится ему, слабость какая-то и голова кружится. А другой мужик вообще выступил — не поверишь! Его ножом в сердце пырнули, так он еще полтора километра домой шел, рану тряпочкой прикрывал, а плохо ему стало только через шестнадцать часов, вот тогда он уже «Скорую» вызвал.

— Умер? — тихо спросил байкер.

— Какое там! Спасли. Жив-здоров. Алкаш был запойный. А со здоровьем опять же повезло.

— Да, — согласно кивнул Максим, — действительно, повезло мужику со здоровьем. А правду говорят, что так везет в основном алкашам и всяким никчемным личностям? А хорошим людям не везет?

— Ну, это я не знаю, статистику не вел, — рассмеялся Сергей, — но опять же случай припоминаю, очень показательный. Молодая баба, беременная, на шестом месяце, напилась до полуобморока, ее изнасиловали бутылкой водки, она два-три дня провалялась в лесополосе, двигаться не могла — очень больно, потом добралась до трассы, ее там подобрали и до дома довезли. Десять дней прошло с момента события, когда она соизволила дойти до больницы. И что оказалось? Бутылкой ей порвали стенку влагалища, и бутылка прошла в брюшную полость. И с этим она десять дней жила. И выжила. Вот таким дурам всегда везет, бутылка закапсулировалась, отграничилась спайками с формированием абсцесса. А какая-нибудь хорошая девчонка сто пудов умерла бы. Эта ведь и чувствовала себя неплохо. Так, побаливало чего-то...

— Жуть какая, — пробормотал Максим вполголоса. — А вот есть что-нибудь такое, чтобы наверняка? Ну, такое, после чего никто и минуты не проживет?

— Да что ж тебя такие странные вещи-то интересуют! — удивился Сергей. — Ты молодой мужик, тебе жить да радоваться, смерти вон избежал по счастливой случайности, а ты все про нее, родимую, говоришь.

— Нет, ну правда, мне хочется понять, как жизнь из человека уходит.

Как уходит жизнь... Сергей Саблин тоже хотел бы это понять, с самого детства этим вопросом интересовался. А так до сих пор и не понял ничего.

— Наверняка — это только если голову отрубить гильотиной, во всех остальных случаях, как говорится, возможны варианты. Вот представь себе: парень попал под колеса паровоза, его разрезало на две части. То есть совсем пополам. Одна половина справа от рельса лежит, другая — слева. Отдельно друг от друга. Так он сообщил сотруднику милиции свою фамилию, имя, отчество, возраст, адрес, да еще рассказал об обстоятельствах происшествия. Прожил еще сорок пять минут, из которых первые двадцать пять был в сознании, правильно оценивал происшедшее и отвечал на вопросы. Полтела — по одну сторону рельса, полтела — по другую, а он на вопросы отвечает.

— Это как? — шепотом спросил Максим. — Ты не шутишь? Не разыгрываешь? Этого же просто не может быть!

— Вот и все так подумали. При такой травме вся кровь должна была вытечь за считаные минуты. А она почему-то не вытекла, и мозговое кровообращение еще какое-то время поддерживалось. Когда вскрыли — поняли, что произошло. Оказалось, что реборда колеса и рельс сдавили брюшную аорту, и стенки сосуда как бы склеились, не позволяя крови вытекать. Но ты представь себе и другое: этот несчастный ведь должен был от болевого шока сознание потерять, а он его сохранял еще двадцать пять минут! Вот тебе и безграничные возможности человеческого организма. Они настолько велики и неисследованы, что иногда и убить-то себя — запаришься пыль глотать.

— Не понял, — озадаченно протянул байкер-художник. — Это как же?

— А вот так же! Женщина решила с жизнью расстаться, два раза выстрелила себе в грудь из мелкашки ТОЗ-16, ну, один раз — ладно, но на второй-то откуда силы взялись и самообладание? Так она после этого залезла на печку, легла, винтовку и коробку патронов рядом положила, то есть решила, что, если так не помрет — еще раз стрелять будет. А на вскрытии у нее нашли сквозное пулевое ранение сердца. А есть такие, знаешь, упертые суициденты: у них намерение покончить с собой быстро не проходит. Вот опять же мужик ввел себе в сердце швейную иглу длиной четыре с половиной сантиметра, ходил с ней неделю, все ждал, когда конец наступит, а он не наступает и не наступает. Так он взял и повесился.

Случаев из экспертной практики Сергей Саблин знал много, в лице нового знакомого он нашел благодарного слушателя, и, когда спохватился, было уже начало седьмого.

— Мне пора, — он встал и начал собираться. — Поздно уже, меня дома ждут. Приятно было познакомиться.

— Мне тоже, — широко улыбнулся Максим. — Ты спортбар на Пролетарской знаешь?

— Проезжал на машине, а так — не заходил, а что?

— Я там арт-директором подвизаюсь, так что заходи, всегда обслужат в лучшем виде. Там в одном углу байкеры тусуются, в другом — обычные посетители, а есть еще отдельный зал с двумя телевизорами, там болельщики собираются. Обстановка нормальная, пиво хорошее, бочковое. Заходи. Глядишь, и пересечемся.

Саблину неохота было объяснять, что при его работе и — главное! — при его характере посещать спортбары нет ни возможности, ни желания. Поэтому он просто кивнул и ответил:

— Обязательно.

* * *

Наличие служебной машины существенно облегчало жизнь, через двадцать минут Сергей уже поднимался в свою квартиру. Дверь к Ильиным была распахнута настежь, из глубины квартиры доносился разгневанный голос Жанны Аркадьевны и тихий монотонный жалобный бубнеж ее драгоценного супруга, на лестнице, рядом с дверью, тосковали большой чемодан и туго набитая дорожная сумка. Дверь в квартиру Сергея тоже была приоткрыта. Все понятно, Кармен опять скандалит со своим Дантесом, а добросердечная Ольга прислушивается, чтобы в случае крайнего обострения ситуации кинуться на помощь. Так уже бывало.

Он тихонько вошел в прихожую, надеясь неожиданным появлением испугать Ольгу: настроение после чаепития с Максимом оставалось по-прежнему благодушным, и Сергей был не прочь пошутить или устроить розыгрыш. Однако едва сделав пару шагов по прихожей, он услышал, как на кухне Ольга с кем-то разговаривает. Прислушавшись, Сергей понял и тяжело вздохнул: у них в гостях Ванда Мерцальская.

Девушка, с которой Оля познакомилась в больнице, частенько захаживала к ним в гости, причем Саблин точно знал, что сама Ольга никогда инициативу не проявляла и Ванду не приглашала, но, если та спрашивала позволения зайти, не отказывала. О чем они разговаривали — Сергею было неведомо, но точно так же неведомо ему было, какие вообще темы для разговоров могут быть у этих столь непохожих друг на друга женщин, да еще при такой значительной разнице в возрасте. Впрочем, думал он, наверное, разница в возрасте имеет значение только для мужчин, а бабы в любые года найдут о чем поговорить.

Он на цыпочках приблизился к дверному проему и стал слушать, выжидая удобный момент, чтобы напугать дам и удивить, а еще лучше — поставить в неловкое положение и чем-нибудь смутить.

— Вот эти — чтобы грудь росла, — журчал нежный голосок Ванды, — там есть специальная программа, кому надо побольше, кому поменьше, для всех разное количество пилюль и в разное время суток принимать надо. А вот эти — чтобы ноги были длиннее, я себе взяла пять упаковок, как раз на год должно хватить. За год же ноги вырастут, правда, Ольгуша? Я понимаю, за два месяца, конечно, такого результата не будет, но за год-то... Вот ты медик, ты скажи, год — это достаточно, или надо было больше взять, может, года на два?

— Да нет, я думаю, года достаточно.

В серьезном голосе Ольги Саблин уловил едва сдерживаемый смех.

— А давай я для тебя тоже закажу, хочешь? Этих БАДов нигде нет, они жутко дефицитные, их привозят из Индонезии или из Малайзии, я забыла точно откуда. Но откуда-то издалека. Я договорюсь, чтобы для тебя тоже привезли. Правда, они стоят... Ой, лучше не спрашивай, но ведь это же нужно, красота-то дороже любых денег, правда? А вот эти — для талии, на десять сантиметров тоньше делается. И еще, — Ванда понизила голос, хотя на кухне они были одни, — там и для мужчин тоже есть таблетки. Может, Сереже надо? Тетка сказала, что вырастает прямо сантиметров на двадцать, а то и на сорок, если долго принимать.

Сергей плотно сжал губы, удерживая рвущийся наружу хохот. Ну Ванда, ну дурища! Что у нее в голове вместо мозга? Даже не опилки, наверное, опилками-то наверняка можно лучше соображать. И как Оля это все терпит?

— Ну куда тебе сорок-то сантиметров? — прыснула Ольга. — Что ты с ними будешь делать?

— Да, это правда, — задумчиво отозвалась Ванда. — Сорок — это много, пожалуй. Но двадцать-то хорошо! Размер, форму — все можно подкорректировать, если правильно составить программу. А они составляют для каждого индивидуально, с учетом особенностей, состояния здоровья, возраста и все такое. В общем, серьезные люди.

— Ты что, всерьез во все это веришь? — спросила Ольга со смехом.

— Ну а что? Тетка такая приличная приходила, выглядит хорошо, на мошенницу не похожа. И у нее целое портфолио было с собой, фотографии тех, кто пил эти таблетки, «до» и «после». Знаешь, как впечатляет? Такая коряга была, а стала прямо модель.

— Ванда, мне кажется, что слово «портфолио» мужского рода.

— Да ладно, какая разница... Так заказывать для тебя? Ну, хотя бы для ног, грудь у тебя и так хорошая, а ноги и попу я бы подправила. Но это на мой вкус, конечно. Если Сереже нравится...

— Сереже нравится, — громко заявил Саблин, делая шаг вперед и появляясь на кухне. — Перестань портить мою женщину, я люблю ее такой, какая она есть, и не хочу, чтобы она менялась.

Ванда испуганно пискнула и вжала голову в плечи, а Ольга вскочила и обняла его.

— Ты давно тут стоишь? Подслушиваешь наши дамские секреты?

— Ну, насчет сорока сантиметров — это, пожалуй, уже мужской секрет, — шутливо отозвался он. — Мы праздновать сегодня будем или продолжим обсуждать размерный ряд?

— Переодевайся, у меня все готово. Ты торт купил?

Торт он, конечно же, купить забыл: задумался о чем-то, сидя в машине, и проскочил мимо магазина.

— Ничего, — успокоила его Ванда, — я принесла пирожные, нам хватит.

Сергей прошел в комнату, чтобы снять костюм и сменить его на привычную удобную домашнюю одежду. Ольга, оставив гостью на кухне одну, стояла рядом с ним.

— Слушай, а почему у нас дверь опять открыта? Что у Ильиных сегодня? Кровавое побоище?

— Типа того, — усмехнулась она. — Кармен собралась уходить в табор.

— Куда?!?!

От неожиданности Сергей выронил вешалку с брюками и пиджаком, которую уже собирался отправить в шкаф.

— В табор, — невозмутимо повторила Ольга. — Ну, ты ж понимаешь... В общем, она пока только угрожает, а бедный Анатолий Иванович ее уговаривает передумать и остаться с ним. Я думаю, еще минут сорок, максимум — час, и она передумает.

— И давно она, с позволенья сказать, думает? — иронично осведомился Саблин.

— Да часа три уже. В общем, когда Ванда пришла, процесс думанья был в самом разгаре. Сейчас уже ничего, на спад пошло.

Он стал надевать джинсы и толстовку.

— Петька не объявлялся? — спросил он.

— Объявлялся, грозился зайти. Я вот думаю, может, выпроводить Ванду, пока он не появился? Она девочка красивая, а Петька ходок известный. Нечего понапрасну соблазны подбрасывать неустойчивым людям, — задумчиво проговорила Ольга. — Как ты считаешь?

— Да ну брось! У Петьки такая жена, что ему никакие ванды не нужны. Оль, — он понизил голос до шепота, — как ты можешь это выносить? У меня мозги расплавились за три секунды, хотя я успел услышать совсем мало, а ты часами с ней треплешься. Как можно быть такой клинической дурой?

— Сереженька, смотри на это по-другому. Она чудесная добрая девочка, да, она глупа, и что? Зато она несет в себе огромный позитивный заряд, она как солнышко, все вокруг освещает и всех согревает. Ты целый день провел в морге, рядом со смертью, а тут тебе на блюдечке преподносят возможность вдохнуть свежего воздуха, чистоты и наивности. Ну разве плохо? Пользуйся, пока есть возможность. Пойдем на кухню, начнем торжественно ужинать и отмечать твой день рождения, а Ванда пусть трещит. Ты в слова-то не вслушивайся, ты слушай голос, мелодию, смотри на красивую молодую женщину, получай удовольствие. Расслабляйся. Других возможностей отстроиться от негатива у нас с тобой все равно нет.

— Ладно, — со вздохом согласился Сергей, признавая в глубине души, что она права.

Он постарался последовать совету Ольги и не вслушиваться в слова гостьи, а просто поглощать вкусную еду и впитывать в себя исходящее от Ванды легкое веселье и готовность бесконечно радоваться и удивляться всему подряд. Но к тому моменту, когда Ольга подала чай с пирожными, он все-таки не выдержал: врач взял в нем верх над усталым экспертом.

— Дай мне по одной таблетке каждого твоего препарата, я попрошу одного своего знакомого криминалиста посмотреть.

— Зачем? — непонимающе спросила Ванда.

Сергей перехватил одобрительный взгляд Ольги: она поняла, о чем он подумал. Ну в самом деле, мало ли чего туда намешали, отравится еще девка, не дай бог. Но и пугать молодую женщину понапрасну не хотелось.

— Ну как же, — перехватила инициативу Ольга, — эксперты посмотрят состав и скажут точно, сколько нужно пить, чтобы получился тот эффект, который тебе нужен. А то вдруг окажется, что если пить твои БАДы год, то грудь увеличится на два размера, а если два года — то на пять или шесть. Представляешь, какой будет ужас?

— Ну да, — растерянно кивнула Ванда, — на пять или шесть — это уже будет девятый-десятый, это мне много.

— Или ноги, — подхватил Сергей злорадно, — вырастут на метр. Представляешь, ты станешь на метр выше. Ты же себе мужика с таким ростом никогда не найдешь, а тебе надо замуж выходить, жизнь устраивать. Или вообще, вдруг это окажется наркотик? И сама пристрастишься, и еще, не дай Бог, сядешь за распространение.

— На метр?! Да ну вас, ребята, вы меня разыгрываете, такого не может быть. Но вообще-то насчет мужиков — это правда, мужик сейчас низкорослый пошел, высоких-то наищешься... А насчет наркотиков — это что, на самом деле? Меня посадить могут? Но я же не знала, что там в этих пилюльках, я же думала, что это...

— Посадят, посадят, — злорадно подтвердил Сергей.

И только тут Ванда поняла, что над ней если и не издеваются, то дружески подшучивают, и с готовностью расхохоталась первая. Ванда вообще была не обидчивой и, несмотря на глупость, кое-каким чувством юмора все-таки обладала, во всяком случае, его хватало для того, чтобы посмеяться над собой.

— Ванда, кукла, нельзя быть такой доверчивой, — укоризненно произнес Саблин. — Что ж ты так буквально воспринимаешь все, что тебе говорят? Вот слушаю я тебя и вспоминаю случай из своей практики, такие же доверчивые люди попались. Пили втроем, один из собутыльников плакать начинает и говорит, дескать, рак горла у меня, долго не проживу, если его оттуда не убрать. Двое других поняли все буквально и предложили помочь в извлечении рака. Намотали ему веревку на шею и давай тянуть изо всех сил. Несчастный хрипит, задыхается, а дружбаны его радуются: хорошо, говорят, рак выходит, щас еще чуть-чуть поднажмем — он и вылезет окончательно, и станет наш товарищ здоровым и веселым.

Ванда посмотрела на него с недоумением.

— И что, выдавили?

Сергей не выдержал и разразился неудержимым хохотом.

— Нет, — отсмеявшись ответил он, — не выдавили. Помер мужик. Удавили они его от большого старания. Ну, и сели, соответственно. Так я это к тому, дорогая моя Ванда Мерцальская, что не нужно все принимать на веру и понимать буквально. Фильтровать надо базар, понимаешь?

Ванда не успела ничего ответить, потому что незапертая дверь в квартиру распахнулась, и ворвался пахнущий полярным морозом и дорогой туалетной водой Петр Андреевич Чумичев.

Опасения Ольги оказались не напрасными: Петр, едва увидев красавицу Ванду, тут же распушил перья и начал с ней заигрывать. Ванде внимание Чумы льстило, он был хорошо одет и всем своим видом демонстрировал успешность в делах и в жизни в целом. Девушка находилась в постоянном поиске спонсоров, имея их одновременно по два-три и периодически меняя, поэтому флирт с руководителем отдела социальных программ крупнейшего комбината пришелся ей как нельзя более кстати.

Выпито было немало, съедено все подчистую, разошлись далеко за полночь. Разумеется, Петр Андреевич повез Ванду домой на своей машине.

— Саблин, — сонным голосом спросила Ольга, засыпая, — как ты думаешь, у Чумы с Вандой что-нибудь склеится? Мне так неловко перед Петькиной женой, она такая славная, мы с ней приятельствуем, а теперь получается, что я как сводня... Они же у меня дома познакомились, значит, если что — я буду чувствовать себя виноватой.

— Выбрось из головы, — равнодушно ответил Сергей. — Не твоя проблема. Они взрослые люди, сами разберутся.

Ему не хотелось думать ни о Петькиной жене, которая и в самом деле была очень славной и весьма неглупой женщиной, ни о самом Петьке, который постоянно крутил романы и романчики с молоденькими девочками, ни тем более о глупой и наивной Ванде Мерцальской.

Ему хотелось спать.

Продолжение следует.

Содержание

Литературно-художественное издание

КОРОЛЕВА ДЕТЕКТИВА

Александра Маринина

ОБОРВАННЫЕ НИТИ

Том 2

Ответственный редактор *Е. Соловьев*
Художественный редактор *А. Сауков*
Технический редактор *О. Лёвкин*
Компьютерная верстка *Л. Панина*
Корректор *Н. Сикачева*

Иллюстрация на обложке *И. Хивренко*

ООО «Издательство «Эксмо»
127299, Москва, ул. Клары Цеткин, д. 18/5. Тел. 411-68-86, 956-39-21.
Home page: **www.eksmo.ru** E-mail: **info@eksmo.ru**

Подписано в печать 08.11.2012. Формат 84x108 $^1/_{32}$.
Гарнитура «Гарамонд». Печать офсетная. Усл. печ. л. 20,16.
Тираж 90000 экз. Заказ 1110.

Отпечатано в ОАО «Можайский полиграфический комбинат»
143200, г. Можайск, ул. Мира, 93
www.oaompk.ru, www.оаомпк.рф тел.: (495) 745-84-28, (49638) 20-685

ISBN 978-5-699-60998-7